博碩文化

大數據
專案經理的實戰心法
Data Visualization Tools & Real Case Practice
善用 視 覺 化 工具

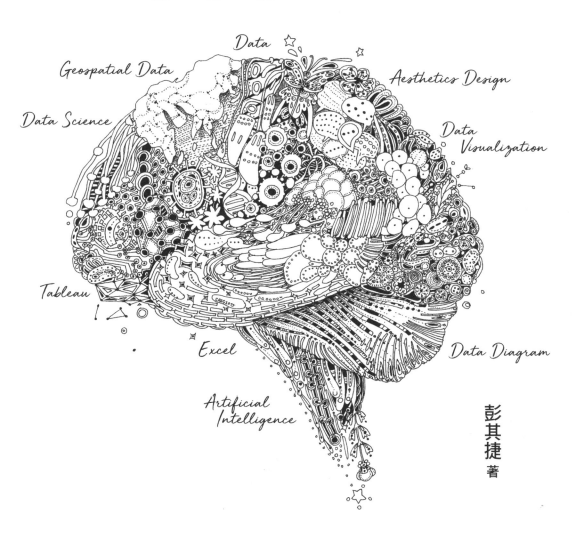

彭其捷 著

大數據專案經理的實戰心法〜善用視覺化工具〜

作　　者：彭其捷
責任編輯：曾婉玲

董 事 長：蔡金崑
總 編 輯：陳錦輝

出　　版：博碩文化股份有限公司
地　　址：221 新北市汐止區新台五路一段 112 號 10 樓 A 棟
　　　　　電話 (02) 2696-2869　傳真 (02) 2696-2867

郵撥帳號：17484299　戶名：博碩文化股份有限公司
博碩網站：http://www.drmaster.com.tw
讀者服務信箱：DrService@drmaster.com.tw
讀者服務專線：(02) 2696-2869 分機 216、238
（週一至週五 09:30 ～ 12:00；13:30 ～ 17:00）

版　　次：2018 年 11 月初版

建議零售價：新台幣 520 元
Ｉ Ｓ Ｂ Ｎ：978-986-434-342-3（平裝）
律師顧問：鳴權法律事務所 陳曉鳴 律師

本書如有破損或裝訂錯誤，請寄回本公司更換

國家圖書館出版品預行編目資料

大數據專案經理的實戰心法：善用視覺化工具 / 彭其捷
著 . -- 初版 . -- 新北市：博碩文化，2018.11
　　面；　公分

ISBN 978-986-434-342-3(平裝)

1.EXCEL(電腦程式)

312.49E9　　　　　　　　　　　　　　107018072

Printed in Taiwan

歡迎團體訂購，另有優惠，請洽服務專線
博 碩 粉 絲 團 (02) 2696-2869 分機 216、238

前 言

　　想寫本書的主題已經好幾年，感謝博碩讓本書有了出版的機會。近幾年大量接觸各類型數據，逐漸淬鍊出對數據的敏感度，現在生活當中每天都會看到大量的數據，可能是報章雜誌上的數據，可能是日常接觸的系統上的數字，又或者是在社群媒體上面被推播的各類數字，數字的背後也許是很重要的線索，讓我們能夠更了解某個重要議題。然而，可惜的是，許多透過數據想要講的事情，並沒有清楚的被傳遞出來，有些是因為呈現的手法不正確，或是缺少了關鍵的資訊，又或者是製作的手法粗糙，美學上欠缺考量，很難吸引到許多人的目光，而導致無法發揮出它該有的影響力。

　　數據都是經過許多真實故事所堆疊而來的，無論是正面、負面、社會、賺錢、環境等故事，數據並非像表面上那樣冷冰冰，在瀏覽這些數據的同時，就好像在看一本書，閱讀者會想要知道本書所傳達的資訊有哪些呢？而背後又有哪些隱藏的故事，是還沒有解讀出來的？數據非常有趣，但許多時候卻又引人爭議，你可以將其用之為善，但也很容易操弄與誤導，有執行過數據工作的讀者們，可能都有類似的經驗，因此，如何正確分析並傳遞其背後的意涵，也將是本書實戰案例的重點。

　　本書主要談的是大數據與視覺化工具，大數據浪潮之下，許多角色都被重新詮釋過，也產生了許多新的任務，書中介紹的技巧與工具，對於產品經理、管理人員、主管階層、分析人員、學生等都會有幫助，現今有太多決策仰賴數據來做驅動，而視覺化正是讓數據展現影響力的重要方法，多數人都有能力透過 Excel 產生各類分析圖表，但如果真的想把數據故事說得漂亮，本書會介紹更多好用的技巧與工具，也會介紹它們在工作流程中扮演的角色，願讀者們都能習得其用法，設計出深具影響力的數據視覺成果。

彭其捷 謹識

目 錄

PART 02 推薦好用的視覺化工具 …………… 057

04 Chapter 整合分析數據視覺化工具 …………… 060

05 Chapter 好用的雲端視覺化管理工具 ………… 080

06 Chapter 其他數據視覺化工具 ………………… 097

PART 04 用Tableau進行數據視覺化統計分析 ······ 161

09 CHAPTER 在Tableau匯入資料並進行基礎分析 ·············· 164

熟悉Tableau基礎功能 ··· 164

資料檢視與欄位調整 ·· 168

熟悉圖表常用功能 ·· 172

10 CHAPTER Tableau數據分析實戰進階技巧 ················· 190

16 | 一目瞭然的儀表板介面 ‥‥‥‥‥‥‥‥‥‥‥‥ 343
Chapter

17 | 建立互動視覺化故事並分享給世界 ‥‥‥‥‥ 369
Chapter

PART 01

敞開心胸
擁抱大數據

　　大數據這個詞，近幾年在全世界瘋傳，彷彿病毒一般席捲所有人的生活，許多人甚至判斷擁有資料就等於擁有了掌控權，因為企業可以從資料中得知顧客喜好，做更精準的廣告投放，也可以知道市場趨勢，以及企業該往哪個方向前進。然而，在大數據蓬勃發展的同時，也有一大群人，擔心自己的競爭力正在下滑，因為原本光是處理數百或是數千筆資料，就已經夠頭疼了，更何況大數據時代，動不動就出現的數百萬、甚至是上千萬筆的資料量呢？我們又該如何因應這樣的時代呢？

　　大數據時代，資料的數量與用途跟傳統並不相同，需要許多新的處理流程來應對，其中有兩個重點：

❏ 跨資料集的整合能力：由於資料可能有各式各樣的來源，有的是人工產生的，也有許多則是透過機器自動產生，我們需要了解，該如何將這些散布在各處的碎片化資料進行妥善整理。

❏ 用視覺手法說資料故事的能力：如何將大量資料產製為能夠傳遞資訊的資料視覺化報告，或是執行數據分析來滿足解讀期待，已成為此大數據世代的關鍵能力。

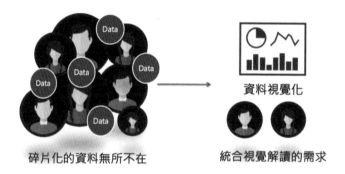

大數據時代，資料散布在各處，如何將其重製為視覺化成果，或是統合為好閱讀的分析案例，已成為此世代的職能重要能力

　　大數據相關議題很多，如資料儲存、雲端傳輸、資料處理等，而本書主要著重在視覺化工具與相關視覺化分析等議題，因此，本書的第一章將會介紹大數據與視覺化觀念，例如：視覺化工具、視覺分析技巧，以及我們該如何挑選合適的視覺表達形式。

　　歡迎讀者跟著本書一起展開資料視覺化的旅程。

CHAPTER.01
大數據與視覺化的重要觀念

　　大數據時代，資料量爆炸，海量的數據海讓我們迷惘，深怕錯過了重要數據，行駛錯誤的方向。因此，我們都需要培養「資訊降維」的技能，所謂的「資訊降維」，指的是將數據進行整理，去掉所謂的噪音，留下有價值的資料的相關流程，把重要的資訊過濾出來，用優秀的視覺化方式呈現，讓閱讀者能夠更好解讀其意義。

　　「資訊降維」能夠幫助我們過濾業務真正重點數據，讓我們可以再思考數據當中的關鍵資料，並做進一步分析。而「資訊降維」最常見的技巧，就是將資料進行視覺化包裝。大數據時代，現在的人們除了加強數據技術的處理能力之外，另外一個重點目標，就在於如何讓別人看懂這些碎片化的數據，節省閱讀時間，將大數據做視覺化處理，就好像在茫茫大海中樹立一座燈塔，在資料迷霧當中指引人們方向。

透過「資訊降維」的程序，可幫助人們過濾重點資訊，而視覺化就是其中一項重要方法

大數據×視覺化優點

　　過去在將資料做視覺化處理時，大多是透過一些統計資料產製圖表，如長條圖、線圖等，主要目的在於將資料轉換成人們更好理解的呈現形式，不過在大數據時代，視覺化的必要性更為提升，由於數據量龐大，如果不透過視覺化進行摘要處理，我們將只能看到一堆文字，較難窺知背後的有趣資訊。

不過，原本就已經有意義的數據，為什麼我們還要辛苦轉換成各式各樣的視覺圖表呢？將資料做視覺化處理到底有什麼好處呢？以下分享一些視覺化的優點介紹：

視覺化優點❶：能夠讓我們更容易理解數據

人體五官與大腦辨識處理的能力是有限的，但大數據的特性就在於超大量、多元性、動態變化等，常常不小心就超過人類可消化的複雜度等級。人類的所有感覺器官中，「視覺」對於複雜資訊的反應能力是最好的，我們生活當中無時無刻，都透過視覺取得大量的資訊，所以同樣的一批資料，透過視覺圖表呈現，將大為降低解讀的複雜度。

例如：網頁伺服器的存取記錄，在尚未視覺化的 log 階段，是非常難以理解的，但將同樣的數據視覺化之後，即使是一般人也能掌握這些數據，並解讀背後的意義，推導出後續的業務邏輯，可大為提升人們對資料的理解力。

左邊是一般網頁 log 的記錄表，尚未視覺化之前並不容易閱讀；右邊則是 google 將其資料視覺化的結果

視覺化優點❷：可提升決策的信心，降低決策門檻

數據本身具有模糊性，不同人看同一批數據可能產生不同的解讀。傳統的數據大多透過表格進行呈現，但數據量只要稍微大一點，就不容易進行閱讀，甚至容易誤判，因此當決策人員需要更多的經驗來進行判斷時，就可能錯失決策時機。而當大量的數據成為組織的戰略性資產時，如何分析數據便成為關鍵。因此，對於企業來說，如果資料能夠妥善的視覺化，可協助人們做出更好的決策，降低決策門檻，也能提升決策的信心。

例如：「g0v 中央政府總預算網站」使用視覺泡泡圖，將各類政府數據視覺化，讓一般民眾也能參與決策，輕鬆看懂預算的分配狀況。

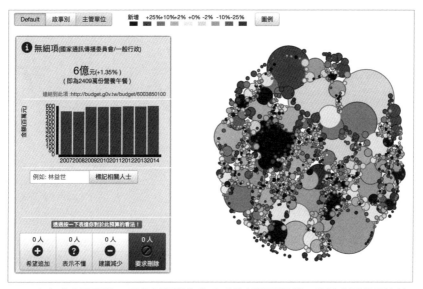

g0v 中央政府總預算，用資料視覺化的方式降低閱讀門檻，邀請人民共同決策

※ 資料來源：http://budget.g0v.tw/budget

視覺化優點❸：可提升閱讀意願

視覺化技術也能讓業務數據故事說得更清楚，無論是在執行募資簡報時，或是盤點公司各類數字時，視覺化的能力可讓我們更容易看出問題的本質，減少資訊吸收的壓力。而在溝通商業問題時，如果只是透過口語或數字，常常會因為不同人的溝通邏輯差異，導致誤會。為了降低主觀性的錯誤決策，我們通常會透過視覺化將數據進行處理，來強化溝通。

好的視覺化呈現，能夠吸引人閱讀，透過顏色、形狀、對比的視覺暗喻，能夠讓人覺得這些資料不再冷冰冰的，而是能夠跟人親近的分析結果，並使我們的數據意涵更容易傳遞，更可以搖身一變成為數據說書人，結合視覺化技能的輔助，來讓分析的過程變得更有趣，也可讓報告更有視覺吸引力，使得更多人對內容主題感興趣，以成功傳遞資訊的價值。

以下是 The New York Times 針對從 1900 歷年來三振出局數據所製作的資料視覺化圖表，透過圖表我們清楚的觀察到相關數據的改變，或是在 2012 年達到最大值等。如果同樣的數據改成用原始資料表格呈現，人們閱讀的意願可預期會大幅降低。

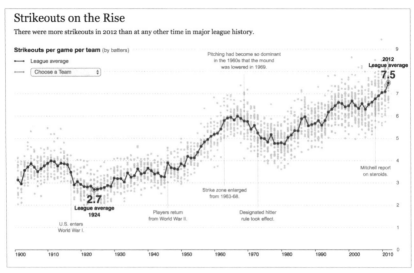

大聯盟各隊平均一場比賽的三振數

※ 資料來源：http://www.nytimes.com/interactive/2013/03/29/sports/baseball/Strikeouts-Are-Still-Soaring.html?_r=0

關於資料視覺化

▌怎樣是一個好的視覺化成果

　　而怎樣才算是一個成功的資料視覺化呢？許多人提出了他們的看法，本書想要分享著名資料視覺化專家 David McCandless 所提出的定義，David 在他的著作《Knowledge is Beautiful》當中，提出了以下這張圖，標題是：「一個好的視覺化包括了哪些面向？」（What Makes a Good Visualization ？）

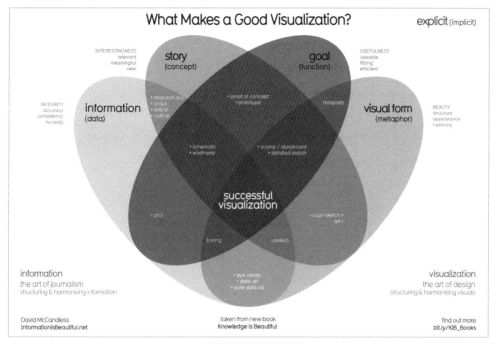

成功資料視覺化的關鍵

※ 資料來源：http://www.informationisbeautiful.net/visualizations/what-makes-a-good-data-visualization/

在 David McCandless 的圖中，可以看到一個成功的資料視覺化強調的四大關鍵：訊息（Information）、故事（Story）、目標（Goal）、視覺表現（Visual Form），而各自也有對應的暗示（implicit）說明，即資料（Data）、概念（Concept）、功能（function）、隱喻（Metaphor）等。

資料視覺化的四大成功關鍵

成功關鍵	說明
訊息（Information）	在資料視覺化中扮演了非常重要的角色，保證了視覺化成果的準確性、誠實性、一致性。
故事（Story）	強調如何創造與讀者之間的連結，讓閱讀者覺得這些圖表對他們來說是很有意義的。
目標（Goal）	強調的是視覺化成果必須要有用，例如：是否提出了某個有用的洞見，是否能夠提出一個讓人印象深刻的結論等。
視覺表現（Visual Form）	如其名，重點放在美學的呈現，強調結構的設計、整體的協調性等。

在 David McCandless 的圖中，特別有意思的部分是點出許多視覺化的問題，亦即若是資料視覺化成果缺漏某個重要因素的話，將會導致怎樣的結果呢？例如：就算做出了非常漂亮以及很多資料的視覺化結果，但如果缺乏目標的話，就會導致圖表沒用的結果，類似的情境案例還有很多，讀者可參考下表的可能結果整理。

資料視覺化的各種排列組合

項目	資訊	故事	目標	視覺表現	可能會導致的結果
1	YES	YES	YES	NO	概要（Schematic） 框線圖（Wireframe）
2	YES	YES	NO	YES	圖表沒用（Useless）
3	YES	NO	YES	YES	圖表無聊（Boring）
4	NO	YES	YES	YES	草率的（Scamp） 故事板（Storyboard） 細部草稿（Detailed sketch）
5	YES	YES	NO	NO	研究文件（Research Doc） 腳本（Script） 文章（Article） 大綱（Outline）
6	NO	NO	YES	YES	樣板（Template）
7	YES	NO	NO	YES	花瓶（Eye candy） 資料藝術（Data art） 純資料視覺（Pure data viz）
8	NO	YES	YES	NO	概念驗證（Proof of concept） 雛形（Prototype）
9	NO	YES	NO	YES	草圖（Rough sketch） 藝術（Art）
10	YES	NO	YES	NO	分配（Plot）

※ 資料來源：http://www.informationisbeautiful.net/visualizations/what-makes-a-good-data-visualization/

選擇正確的視覺化圖表

除了使用順手的工具之外，我們也需要謹慎挑選視覺圖表！視覺圖表的種類非常多，並且每個圖表都有它的個性與角色，Data Visualization Catalogue 網站上就列出了數十種的圖表類型：

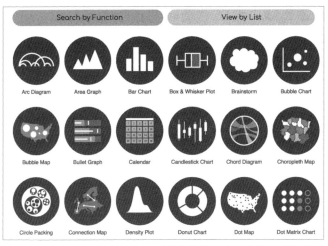

Data visualization catalogue 網站整理了許多類型視覺圖表

※ 資料來源：http://www.datavizcatalogue.com/index.html

我們很容易選擇到不適合的視覺圖表，例如：應該用線圖呈現的數據，卻選擇了熱度圖，或是應該用雷達圖的需求，卻使用了泡泡圖等。這主要是因為許多人單從自身習慣、自我美學、資訊觀點等進行資訊圖表的繪製，這種觀念其實是不正確的，我們應該先分析使用者真正想要看到的資訊，再透過視覺規格的確認，來挑選真正合適的視覺圖表。vizualism.nl（http://vizualism.nl/）網站，就提供了一張視覺維度圖，讓我們可以從 WHO / WHERE / WHEN / WHAT / WHY / HOW 等面向來挑選合適的圖表。

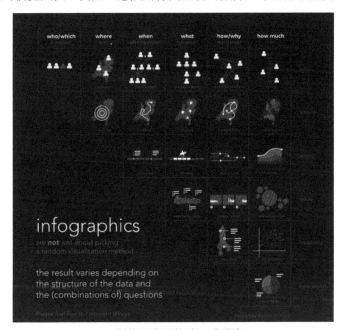

用對的圖表說傳達正確訊息

※ 資料來源：http://vizualism.nl/

▌視覺化常見迷思❶：表格不是好的呈現方式

資料視覺化是否包括「表格」的形式呢？許多人覺得表格不美，讓人不好親近，所以選擇不用，然而許多資訊其實是適合用表格呈現的，例如：資料的細部文字，或是我們想要細部檢視資料正確性時，表格檢視的方式也可以幫上很大的忙。

此外，也可以考慮採用綜合性的呈現方式，例如：上面放視覺圖表，並且在同個畫面下方則放置該圖表所使用的數據表，資料閱讀者既可閱讀乾淨的視覺圖，也可同時確認細部的資料表格。

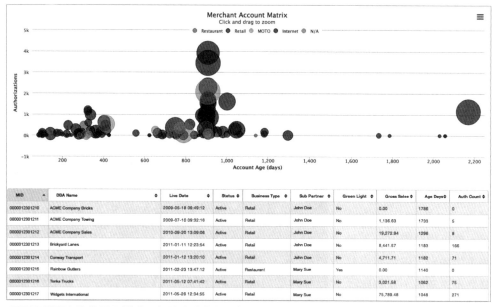

用圖表搭配表格的顯示樣式，很適合做資料視覺化的顯示組合，有抽象的摘要，也有確切的細節

※ 資料來源：http://www.kernelops.com/beautiful-data-with-reportifi-com/

▌視覺化常見迷思❷：長條圖、圓餅圖都太普通不好用

隨著視覺化技術的蓬勃發展，有些人特別喜歡把圖表弄得既華麗又複雜，但有時候這反而會違背視覺化的初衷，也就是「讓資料更容易被解讀」，與其繪製超華麗的花瓣圖、3D圖、資訊圖等，有時使用簡單易懂的圖表也是不錯的策略。

另外，通常閱讀者花在單一張視覺圖表的耐心不會太長，尤其是放在簡報上的數據或海報上放置的數據等，圖表閱讀者不一定想花費太多腦力，來讀懂你精心設計的視覺圖表，

如果我們沒有充裕時間進行圖表講解，可以考慮直接使用好懂的統計圖表（例如：長條圖、圓餅圖、線圖等），以縮短閱讀者吸收的時間。

也就是說，對於資料圖表來說，許多時候「好理解」是最重要的事情之一，我們儘量避免過度設計，可大膽使用基本的統計圖表，來幫助閱讀者快速判讀。

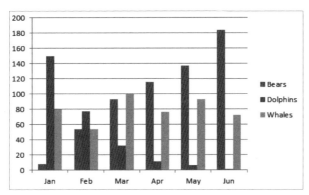

使用標準的統計圖不一定不好，讀者能夠很快進入狀況

取得視覺化資料的方法彙整

讀者會不會好奇，有哪些取得資料的方法呢？雖然我們號稱大數據時代已經來臨，但其實多數資料都是屬於未開放的「組織內部業務資料」，分析專案遇到的第一個挑戰，就是沒有合適的資料可使用，也很難進行後續的業務整合，因此，以下介紹一些常見的資料取得方式，給讀者參考：

內部業務資料或是跨單位合作資料

多數數據都是組織內部管理的，如果是其他公司的業務資料當然就更難取得了，但即使是自己公司的資料，也並非一定可順利取得，其中可能會遇到政治問題（不一定有權限取得相關資料），也可能遇到技術性的問題（內部儲存的格式不符合視覺化的期待），前者需要依賴跨單位的溝通，來整合彼此對於業務上的共同目標，後者則需透過資料的整理技巧進行修正。

透過第三方 API 取得資料

另一種資料取得方式，是透過第三方服務取得，多是透過 API（指提供資料窗口）的方式來進行，例如：Facebook 就開放讓開發者在取得使用者的同意之下，取得特定使用者的朋友名單、Email、興趣等個人資訊，並存放於企業資料庫當中。

手動製作資料

初期如果真的找不到適合的資料的話，由人工或是程式重新累積也是一種選擇，例如：

❏ 聘雇一些人參與實驗來累積統計數據。

❏ 請人現場進行紀錄，人工記錄收集數據。

❏ 用程式的方式模擬可能產生的行為數據。

❏ 人工編輯資料表來產生結構化資料。

手動製作資料的最大好處在於「流程透明」，我們能夠很清楚的知道目前資料產出的邏輯，對於數據分析或是視覺洞察很有幫助。我們也可以考慮用外包的方式產生數據，像是委託第三方公司產生數據，或是取得社群的支援來累加數據等，都可以製作出可供後續利用的資料。

撰寫網路爬蟲程式來取得資料

所謂的「網路爬蟲」，指的是透過程式方法全自動進行外部資料撈取，例如：Google就透過無數的爬蟲無時無刻在更新資料庫的數據狀態，整理後便能夠建立龐大的檢索系統，讓使用者輸入關鍵字後，取得過濾後的有價值資訊。

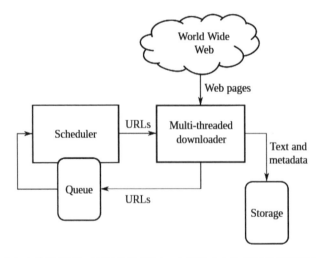

網路爬蟲的流程圖，透過排程機制，定期前往目標網頁下載資料回來

※ 資料來源：https://zh.wikipedia.org/wiki/ 網路爬蟲

資料×視覺化領域相關專有名詞

▌原始資料（ Raw Data / Log ）

　　原始資料指的是尚未經過人工／程式處理的資料，例如：尚未取樣過的機器數據，或是自然累積的使用者行為數據，原始數據通常包括最多的資料細節和證據，但通常龐大、雜亂、難以分析，需要進一步執行資料清理。

```
1  datetime,AMB_TEMP,CH4,CO,NMHC,NO,NO2,NOx,O3,PM10,PM2.
   5,RAINFALL,RH,SO2,THC,WD_HR,WIND_DIREC,WIND_SPEED,WS_HR,statio
2  2016-01-01 00:00:00,17.0,2.0,0.49,0.08,1.3,10.0,12.0,44.0,89.0
   .9,3.6,古亭
3  2016-01-01 01:00:00,16.0,2.0,0.45,0.07,1.5,9.3,11.0,43.0,82.0,
   7,3.5,古亭
4  2016-01-01 02:00:00,16.0,1.9,0.39,0.05,1.3,7.7,9.0,42.0,87.0,4
   5,3.6,古亭
5  2016-01-01 03:00:00,16.0,1.9,0.35,0.06,1.0,6.1,7.1,41.0,79.0,3
   4,3.1,古亭
6  2016-01-01 04:00:00,16.0,1.9,0.33,0.04,0.9,5.6,6.5,40.0,69.0,3
   7,3.2,古亭
7  2016-01-01 05:00:00,16.0,1.9,0.36,0.05,1.2,6.9,8.1,37.0,58.0,3
   0,2.6,古亭
```

原始資料代表的是尚未清理過的資料，通常不太容易閱讀

▌資料節點（ Data Node ）／資料列（ Data Row ）

　　我們會用「資料節點」或是「資料列」來稱呼單一筆數據，大多代表的是「一筆資料」或是「一個種類」等，是視覺化的數量單位，一筆資料可能擁有全部欄位的資料，也可能只有部分欄位的資料，熟悉 Excel 的人應該對這個概念很熟悉。

# GuanYin_... F1	📇 GuanYin_CircleCircle_Algorith... Time	# GuanYin_CircleCi... Circle Id	# GuanYin_Circl... Score	⊕ GuanYin_C... Lat	⊕ GuanYin_CircleCirc... Lon
112,297	2017/3/2 上午4:19:00	35	5	25.0432	121.13530295
Data Row	2017/3/5 上午2:24:00	35	6	25.0432	121.13530295
112,622	2017/3/5 上午2:25:00	35	6	25.0432	121.13530295
112,624	2017/3/5 上午2:27:00	35	6	25.0432	121.13530295
112,625	2017/3/5 上午2:28:00	35	6	25.0432	121.13530295
112,628	2017/3/5 上午2:31:00	35	5	25.0432	121.13530295
112,630	2017/3/5 上午2:33:00	35	5	25.0432	121.13530295
112,631	2017/3/5 上午2:34:00	35	5	25.0432	121.13530295

分析前的資料，大多是用資料列或是資料節點的方式呈現

▌資料距離（ Distance ）

　　資料的缺點在於視覺上不好閱讀，為了讓人們更了解其分布方式，也為了強化人們的閱讀性，有時會將資料處理進入二維或是三維空間中，例如：使用一個物件代表一筆資料或

是一個類別等，節點之間的距離則是用彼此的差異性來表達，常見的距離計算方法有曼哈頓距離、歐基里德距離、餘弦距離等，算出距離後便能夠轉化為視覺上的距離，輔助人們判斷資料，不過距離計算的方法介紹並不在本書討論的範圍當中，讀者可另外找尋相關讀物來輔助學習。

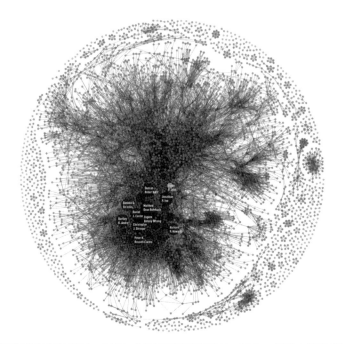

蘋果電腦公司的專利協作視覺圖，上面一個圓圈節點就代表一個人，節點之間的距離（distance）則可視為彼此的相似性距離，越近代表越相似

※ 資料來源：https://medium.com/kineviz-blog/visualizing-node-link-graphs-84a40a9b2fcc

▌維度（Dimension）

「維度」一詞，在資料科學（Data Science）領域時常會被提到，指的是資料屬性數量的單位。如果我們說「一維資料」是表示我們擁有的類似於一個單純的數字序列，如「1,2,3,4,5」。當進階到「二維資料」，則我們的資料可能是類似「{1,2}，{2,3}」等，即每個節點擁有兩個資料屬性，按照相同的邏輯，可由此往後類推到 N 維的資料。

維度的概念，為什麼和資料視覺化有關聯性呢？因為維度可套用真實世界視覺空間概念來聯想。「零維」代表的是「一個點」，沒有長度；「一維」則是「線條」，只有長度；「二維」代表「平面」，由長度和寬度（或曲線）形成面積；「三維」是二維加上高度形成的「體積面」；三維以上依然可持續往上增加維度數量，但視覺呈現的結果對人類來說較難理解。

不同維度數量所代表的視覺空間關係

※ 資料來源：https://zh.wikipedia.org/wiki/ 維度

在資料視覺化的領域，如果想要表達三維以上的觀念，我們可以再加入視覺輔助資訊，例如：顏色、時間軸、圖層等。愛因斯坦甚至提過一個「四維時空」觀點，即我們所居住的時空有四個維度（包括三個空間軸和一個時間軸），而宇宙是由時間加上空間所構成的，時間軸是一條虛數值的軸。

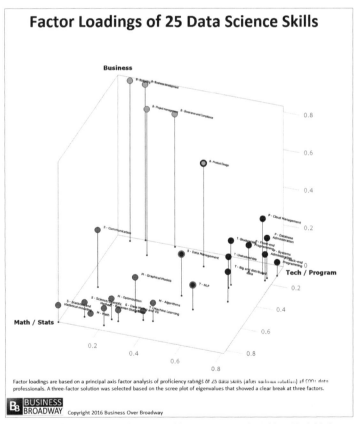

三維立體空間再加上顏色、形狀等標記，即可表達第四維度的資訊

※ 資料來源：http://junkcharts.typepad.com/junk_charts/2016/02/showing-three-dimensions-using-a-ternary-plot.html

連續／離散資料（continuous / discrete data）

數據屬性可大致區分為「連續」與「離散」的資料類型，我們要避免在圖表當中使用了錯誤的資料類型，因為背後的意義是有差異的，選用的圖表也會不太一樣。我們通常使用長條圖來代表離散資料，或是使用線圖來代表連續資料等，以下分別解釋其定義：

連續資料

指在一個區間內的任何數值，通常會包括其順序性資訊（所以不能任意改變其順序）、大小資訊等。例如：一季的雨量或是一個人的身高變化、體重變化等，資料之間呈現的是一個線性變化的關係。

離散資料

又稱「類別資料」或是「離散型資料」。資料區分明確的單位或方便計算個別的數值，每個資料都是一個獨立事件，例如：比賽的得分數、Facebook 按讚數等，每個離散資料都能夠獨立計數。

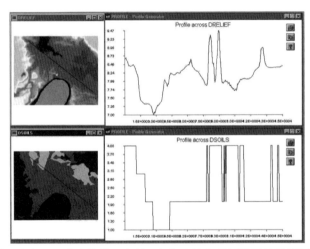

上方為連續型資料，下方為離散型資料，顏色表達與資料波形的視覺呈現都有差異

※ 資料來源：http://elearning.algonquincollege.com/coursemat/viljoed/gis8746/concepts/bitbyte/discrete.htm

絕對數據（Absolute Data）與相對數據（Relative Data）

在資料視覺化領域中，絕對數據與相對數據是要小心處理的。舉例來說，對於井底之蛙來說，井的高度是非常大的，但對於地球來說，井的高度就小得多了，同樣的一組數字，在不同的比較標準之下，會產生截然不同的結果解讀。

視覺化專家 David McCandless 在 TED 演講上示範了一個視覺欺人的例子，一開始先放了一張全球國防預算圖，從圖中的「絕對數據」很容易解讀出美國的國防支出是全球最高的。然而，如果改成用「相對數據」來觀察，即用「國防支出除上 GDP」的數據來比較，美國的排名就掉到了第八名，所以如果是「美國是全球投入國防最高比例的國家」這樣的的命題，會有不同的解讀方式，我們要避免絕對數據與相對數據所導致的誤判。

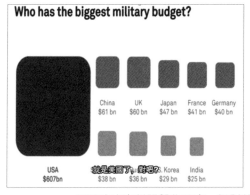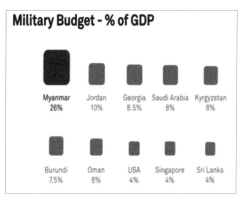

國防支出資料視覺化圖表，絕對數值與百分比會有截然不同的解讀

※ 資料來源：https://www.ted.com/talks/david_mccandless_the_beauty_of_data_visualization

結構化／半結構化／非結構化資料

結構化資料（structured data）

結構化資料表示資料擺放整齊，在當初收集的時候就已經有完整的定義，且均是依照一致的收集邏輯進行，不論是欄位、格式、順序等都是相同的，非常容易理解，不太會有意外。

結構化資料通常是透過程式所產生，多數是從傳統的關聯式資料庫取出，清楚明瞭，可直接提供相關軟體進行後續利用，也是視覺化作業的最優起跑點。

非結構化資料（unstructured data）

非結構化資料，從名稱就可以看出其麻煩之處，也就是「沒有特別結構」的資料屬性較難以處理，有各式各樣的變異性等，但還是有可能存在著一定的規則性，所以仍可歸類在資料的範疇當中。

這世界存在著非常大量的非結構化資料，甚至包括許多需要被人類定義的非結構化資料。舉例來說，網路上大量的部落格文章，就可以算是一種非結構化資料，每個人會有各

自的寫作風格，每個人也可能使用不同工具進行文章的撰寫等，然而，這些部落格依然可以根據某些特定資料屬性的定義，而被 Google 之類的檢索工具所檢索到，例如：「文章中有特定關鍵字」、「常常被人們點閱」或是「部落格文章使用的語言」等，也就是說，雖然乍看之下是非結構化資料，但只要經過人類的定義，就有可能是寶貴的資料資產。

半結構化資料（Semi-structured data）

有些資料格式屬於「半結構化資料」，從名稱可以看出介於「結構化資料」與「非結構化資料」之間，為什麼會有這樣的格式呢？因為這世界許多資料累積的狀況並沒有辦法像結構化資料如此完美，例如：某些屬性只存在部分資料，或是某些欄位的資料可能存在多種格式等。相對之下，非結構化資料更有邏輯性，但還是需要整理過才能拿來使用。

▌資訊圖表（InfoGraphic）

「資訊圖表」近幾年在資料視覺化領域被大量提及，該字詞主要是由「Information」與「Graphic」兩個字所組成，代表的是傳達訊息的視覺圖表，相對於資料視覺化，更強調必須有一個可讓閱讀者容易解讀的趨勢或是模式，能夠突出重點，增加故事性。

資訊圖表能幫助我們提升對資料的興趣與閱讀意願

※ 資料來源：http://visual.ly

小結

　　本章主要介紹一些大數據與視覺化的優點介紹，以及相關領域的專有名詞等，面對大數據熱潮，許多人都希望能夠自在操作這些數據，而不是被爆量的數據推著走，為了達到這項目標，其中關鍵祕訣就是把資料進行視覺化，將資訊進行降維，進一步萃取出知識。

　　大數據時代的視覺化角色和過去不同，過去只是單純地將數據轉換為好懂的視覺格式，但現在的視覺化工具還需要考慮數據清理議題，以及資料來源的介接程度等，甚至也需要將軟體工具處理效率納入考量。過去只透過 Excel 一招打天下的時代已經不在了，我們都需要升級相關視覺化工具的操作能力與處理流程，來提升日趨重要的數據視覺化素養。

CHAPTER.02

視覺分析技巧

　　大數據分析，指的是分析數據，並從中找到有趣的訊息，過程當中會有許多技術性流程，如數據清理、轉換、建模、統計等，最終獲得對數據洞察的一連串過程，可協助相關人士進行決策。「數據分析」是大數據的核心技巧之一，也是數據應用的關鍵所在，大數據當中蘊含許多內藏價值，但需要透過數據分析的過程，找出背後潛藏的數據價值，並推理驅動決策改變的證據。

　　然而，從茫茫數據海中萃取有價資訊是深具挑戰的，我們需要反覆在分析過程自我答辯，包括像是：是否已經確認分析目標？使用者真正想要看到的訊息是什麼？我們想要透過怎樣的手法進行論證？而最終又想要傳達怎樣的訊息給閱讀者？隨著呈現手法的不同，閱讀者吸收到的資訊也會有所差異。

　　大數據分析的方法五花八門，其中「視覺分析」便是一項超重要的技巧，可在許多數據分析流程當中帶給我們幫助，本章主要介紹其中的三個環節：

❏ 透過視覺技巧，幫助我們釐清分析目標。

❏ 透過視覺手法，輔助我們進行數據解析。

❏ 透過視覺傳達，講述正確的數據故事。

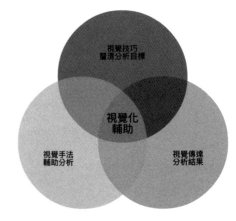

本章分享的視覺化輔助大數據分析三大面向

透過視覺化技巧來釐清分析目標

大數據分析的第一大問題是「釐清分析目標」。如果一開始的分析問題定義錯誤，後面的方向很容易偏移軌道，真正有感的分析任務應該要和業務問題產生重要連結，而分析結果則需要實質對業務帶來幫助。

分析目標　　→　透過視覺技巧　　　確立分析
曖昧不清　　　　輔助溝通　　　　　　目標

在釐清分析目標階段加入視覺化技巧的輔助

數據分析的目標包括許多細節，可能每個人心中所想也不完全相同，舉例來說：

❑ 數據分析的最後的目標族群為何？

❑ 分析結果是想要給誰看呢？

❑ 這些人想要看到的是什麼呢？

一連串分析問題包括了目標統一與溝通的過程，以下介紹幾種視覺化輔助技巧，能夠幫助我們更快釐清分析目標：

▌金字塔法：確立分析目標階層

拿到一批數據後，因為可以分析的問題與方向有太多排列組合，很容易陷入數據當中無法自拔，最好能先確認視覺化最後的目標為何，想要給誰看？這些人想要看到的是什麼？怎樣呈現能夠把故事說得最清楚？透過以上的需求分析，我們才可分辨我們應該挑選的資料屬性，或是使用的圖表類型等。不過，許多時候在初期很難定義出視覺化情境，我們應該保持好奇心，提出更多的問題，所有的問答都可能用來協助判斷後續圖表的選用。

不過，有沒有好用的技巧可以幫助釐清問題呢？這裡介紹的「金字塔法」很適合幫助我們進行目標、問題的溝通與釐清任務。

金字塔法是透過「最大目標」>「次要目標」>「分析任務」的任務拆解技巧，以金字塔形狀的視覺呈現，在一個畫面中彙整我們感興趣的分析問題。金字塔方法可以區分多層，而最常見的是分成三個階層，分別是：

❏ 第一層：確認分析上層願景。

❏ 第二層：列出重點議題與假設。

❏ 第三層：列出每項議題需驗證的細部分析問題。

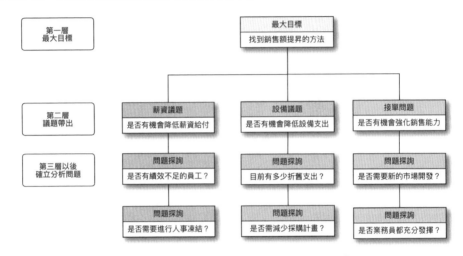

透過金字塔視覺呈現方法，確立分析目標與問題

　　金字塔呈現的是一個普羅大眾都能讀懂的重要性任務階層，所以是一個非常好用的溝通工具，在數據分析的初期可先放進簡報當中，拿來與相關人員進行溝通與目標確立，也能快速引導出有趣的分析問題。

視覺化數據側寫：視覺化業務相關統計數據

　　需求分析後，我們應該要能得到類似這樣的期待：「希望能夠看到 XX 年度 XX 類別的數據變化」、「希望能夠透過視覺化結果發現 XX 數據異常的圖表樣式」、「希望能夠取得一個能夠代表總體數據變化的圖表，不一定要精確」，更進一步，我們也可配合紙筆輔助，手繪草圖來確認雙方視覺化規格認知。

　　如果我們一開始不知道從哪裡著手分析，可先進行視覺化數據側寫任務，指的是針對部分數據直接進行統計圖表的製作，如長條圖、線圖、地圖等基本圖表即可，這裡的重點在於「利用短時間製作出基本圖表」，避免跳進太深的分析問題當中，這些繪製任務必須在很短的時間內完成（可透過 Excel、Tableau 等視覺化工具達到），但很有機會引導我們找到許多有趣的分析議題。

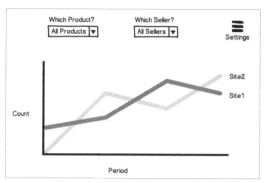

除了視覺化訪談之外，我們也可用鉛筆簡單勾勒出視覺化樣式，透過簡單的視覺統計圖表側寫，能夠幫我們快速找出有趣的研究議題

█ 便利貼紀錄法：留住每一個精彩的點子

數據分析過程中，常常會有非常多的點子與問題產出，當我們透過溝通、討論得到一些感興趣議題的同時，務必當下把這所有好點子完整記錄下來，這些素材都可能成為未來分析的養分。

然而，傳統的「會議紀錄」或是「大腦記憶法」很難有效率的收錄相關細節，它比較像是一個討論的黑盒子，由於會議紀錄通常是私人所有，只會有某些特定的人才能看到，所以與會者可能較無法深入參與討論與確認點子的過程，所以這裡推薦可用「便利貼」作為點子溝通的紀錄與分享工具。

便利貼的強項在於能夠快速產出，也能快速改變資訊的排列組合，或是快速修正點子（揉掉就好了），最強

數據分析討論的超好用視覺輔助工具—便利貼

大的部分則是快速可視化大家的分析點子，引導所有人充分思考，相較於傳統的私人「會議紀錄」，透過便利貼來進行點子的溝通交流，是數據分析溝通與點子紀錄的好用技巧。

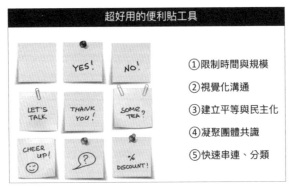

小小便利貼擁有許多強大優點

視覺雛形設計法：強化溝通素材

透過前述的金字塔法、數據側寫法、便利貼法等的腦力激盪之後，我們應該已經可以訂出若干分析目標，例如：

☐ 希望能夠看到近半年的訂單數據變化。

☐ 希望能夠同時觀察訪客性別與下單轉換率之間的關聯性。

☐ 希望能夠同時比較忠實用戶與訪客之間的比較。

☐ 希望能夠看到各個業務銷售額比較表。

然而，看起來合情合理的分析目標，細節還是有許多可琢磨之處，舉例來說：「希望能夠看到近半年的訂單數據變化」這句話，指的是哪一個數據呢？或是：「希望能夠看到各個業務銷售額比較表」，這個分析目標指的是希望看到最近的結果嗎？還是想要看數年長期的績效報表呢？

也就是說，就算是大家都點頭同意，或是白紙黑字紀錄下來的分析目標，對於實際進行數據分析任務的人來說，依然存在許多模糊地帶，我們如果直接就開工，有可能在一開始就制定了錯誤的方向，為了解決這樣的問題，我們可以透過「視覺雛形」的技巧來釐清，主要是透過紙筆輔助繪製手繪草圖，視覺化溝通並確認分析規格。

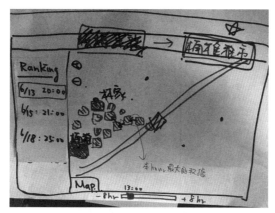

確認視覺化目標的時候，可先用手繪的方式簡單勾勒視覺樣式，如此可以帶來更多的討論，釐清更完整的分析細節

　　草圖的關鍵在於是否有將呈現的形式展開，例如：想要用哪種形式呈現分析結果，如長條圖、線圖、地圖，以及列出概要的資料格式，甚至就真的把實際數據寫在上面，來確認顯示的方式是否有感。

▌走出辦公室法：帶著視覺圖與關鍵人物溝通

　　數據分析並非全然是一項邏輯技能，許多時候「情報」更是帶來重要觀點的分析技巧，尤其當我們自己並非該議題的專門人士的時候，務必找到該議題的關鍵意見領袖，透過優秀的溝通與訪談技巧取得許多有趣的數據故事與情報。

　　然而，許多人基於各種原因，並沒有把與關鍵人物溝通的任務放進分析流程中：

❏ 受限於實驗室或是辦公室的框架，出門需要上級同意。

❏ 還要特別安排出差行程，流程好麻煩。

❏ 要和不認識的人接觸，但是我天性害羞。

❏ 我自己看過數據，我知道我在分析的是什麼。

❏ 會不會對方覺得我的分析問題大有問題，如果是的話怎麼辦。

避免讓辦公室的框架減少了我們了解問題的好奇心，大膽走出舒適圈吧

　　以上種種，都讓許多分析人員選擇較輕鬆的執行方式，也就是「待在辦公室裡面，想像使用者的反應，並做出改善」，由自己定義各種分析問題，缺少重要人物的觀點。在此強烈建議在數據分析的過程中，務必使用「走出辦公室法」找人聊聊天，不論是銷售人員、一般民眾、路人、可疑對象等，可以約在一個舒服的咖啡廳環境，聽聽對方的想法，透過溝通的過程釐清分析問題，很可能成為數據分析的重要觀點。

　　然而，由於直接與目標對象進行訪談有時容易太發散，建議可以整合上面的「視覺雛形設計法」，將設計出來的分析雛形給對方看，作為溝通工具，對方就能直接針對現有資訊說出「好」與「不好」的地方，幫助我們取得關鍵分析情報。

透過視覺統計雛形圖表，能夠引導對方快速進入重點分析問題的討論

視覺輔助數據解析六大心法

　　數據分析並非單一方向的邏輯推論，更像是複雜與交錯的驗證過程，在實際分析階段，視覺技巧能夠幫助我們釐清許多思路，看出資料之間有趣的故事。以下介紹若干手法，讓我們利用強大的視覺技巧進行分析。

▌心法❶：宏觀與微觀視覺階層切換法

　　進行數據分析任務時，很容易和真正的答案擦肩而過，例如：我們很容易分析到錯誤的時間區段，可能觀看的是分鐘的變化，但真正數據特性卻出現在小時變化或是秒值變化時；又或是地理資料的分析，特性故事只會出現在特定的地理階層中，但我們常常會查看過大或是過於細節的地理位置層級。

　　也就是說，執行數據分析任務時，我們需要不斷切換「宏觀」和「微觀」層面，用交互式的方式探索並發現數據出現價值的地方，下表整理了兩種觀點的分析特性：

宏觀與微觀視覺

觀點	分析特性	說明
宏觀觀點	觀察	透過更廣域的空間、時間、地理特性，觀察數據的摘要特性。
微觀觀點	解析	鎖定細部的分析議題，如特定區域、特定時間、特定資料的細微觀察，找出細節數據特性。

　　數據探索時，我們可不斷在宏觀層面與微觀層面之間進行切換，不需要侷限自己的分析框架，如果我們解析資料的細節卡關時，不妨跳脫出去，拉到更大的地理區域，或是更長的時間區段，有時資料的故事便會自己浮現！

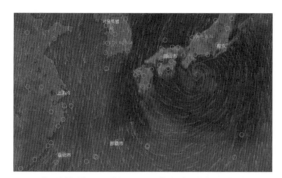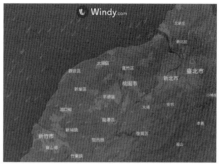

不同觀點的地理視覺階層，資料能夠解釋的故事也不同，此圖為知名的氣象資訊網站─Windy

※ 資料來源：https://www.windy.com

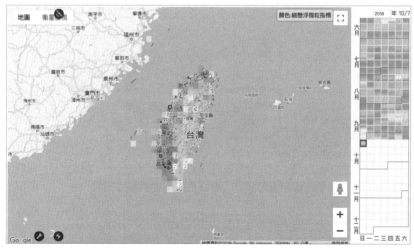

紫豹在哪裡，顯示的是台灣的空污數據，右邊區域並列全年的空污指數資料視覺化，用時間的「宏觀」觀點進行大範圍資訊呈現

※ 資料來源：https://purbao.lass-net.org/

心法❷：嘗試多種呈現形式

取得資料後，同一份資料可以嘗試多種呈現形式，例如：從線圖改成地圖的方式呈現，或是將表格改成用熱度圖的方式呈現等，有時即使是一些細小的設計改變，例如：色彩配置的變化或者對某個變量的視覺呈現方式等，都可能可以看出截然不同的資料特性。

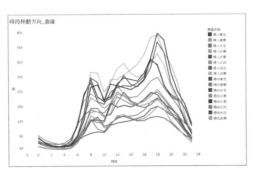 

同樣的資料採用不同的呈現方法，分析與解讀結果都會有很大的不同

心法❸：視覺聚焦與過濾法

當一張圖同時藏有太多資訊時，我們可以使用視覺聚焦的技巧，來幫助大腦過濾重要資訊，這個技巧非常簡單好用，也就是忽略整張圖出現的大部分資訊，刻意只觀察其中一個區塊，或是乾脆將和目前分析問題無關的資訊都隱藏起來，這樣可以讓我們的大腦更專心解析眼前資訊，降低額外的心智負擔。

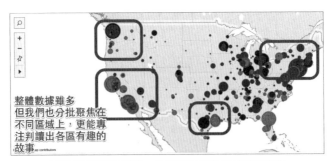

專注觀察局部資訊，有時更能捕捉到數據細節

視覺聚焦法的目標在於「資訊降維」，其中可以使用的技巧：

❏ 隱藏部分資訊圖層。

❏ 透過過濾器關閉部分資訊。

❑ 重點顯示局部資訊。

❑ 只觀察局部資訊。

我們可以找到畫面當中閱讀者想要看的資訊，如果畫面中的資訊並不能帶給閱讀者更多洞見，可以考慮移除或是改變呈現的形式，讓圖表中每個元素均為不可或缺的重要資訊，也可直接進行重點數據標記，把特別感興趣的資訊做重點標記，或是畫面中乾脆只留下想要觀察的特定資訊。

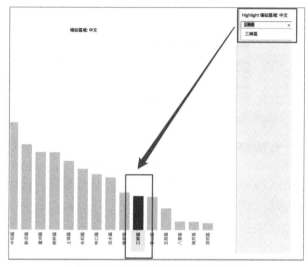

重點顯示（Highlight）的呈現形式

心法❹：留心反常與極端值

一般而言，如果是和機器或人有關的數據，大多隱藏著某種慣性，將資料視覺化之後，我們可以特別留心那些和平常長得不太一樣的圖像，因為之中可能隱藏著某個精彩的數據故事。

這裡舉幾個反常的分析情境，例如：

❑ 整天就只有這個小時的數據特別高。

❑ 這三個月都呈現穩定的數字變化，但是其中一天出現一個極大的變異值。

❑ 全區都是男性參與者較多，但只有這一區是女性參與者較多。

此外，「反常」也可延伸為極端值的議題，如觀察績效表現特好或特不好、數據特多或特少、地理位置最偏遠或最近等，可作為其中的分析重點，我們可以搭配許多軟體都內建的排序功能，來撈出這些極端資料，而我們總是會對這些反常的數據特別感興趣。

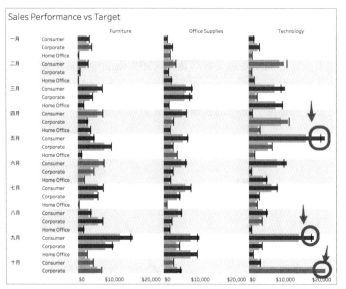

我們可以特別觀察一些特別高或是特別低的極端數據，觀察其特性，常常會有有趣的訊息

　　這裡分享「柏拉圖」（Pareto Chart）方法，又稱為「排列圖法」，是資料品質檢驗上常用的方法，透過長條圖顯示問題原因發生頻率的排序，並以遞減的方式呈現，同時透過線圖，也可以觀察累進的百分比例，簡單而易用，我們可以應用此觀念來分析許多問題。

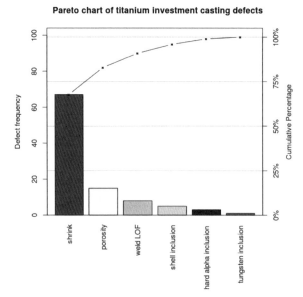

柏拉圖方法圖就是應用排序找極端值法，來找出重大品質問題

※ 資料來源：https://zh.wikipedia.org/zh-tw/ 帕累托图

如果是地理資料的視覺化分析，我們也可只顯示較重要、較多的數據，來避免資訊的過度呈現，提升決策與判讀的能力。

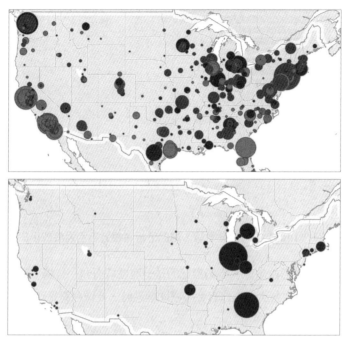

上圖是完整數據，下圖則是排序後只顯示高利潤比例的資料點，我們通常會對這些資料特別感興趣

心法❺：輔助使用參考線或參考區間

如果我們想要快速比較一些整體資料差異性，或是區域資料的差異性時，可以善用參考線或參考區間的方法，用視覺元素標記參考資訊，來強化分析者的判讀速度。

參考線是在畫布當中放置一條讓分析者參考的數據常數線，例如：我們可以設定一個「分數=60」的水平線，如此一來，只要位在該線以下的都是不及格的學生，或是在畫布當中標記一些統計資訊的參考線，例如：平均值、中位數、最大值、最小值等，分析者能更快看出許多有趣的資料故事。

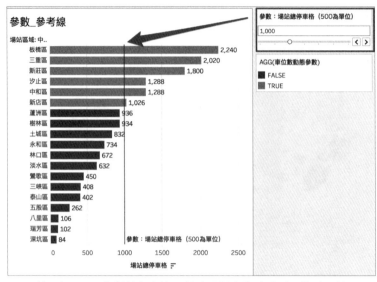

拉一個 1000 的常數參考線，幫助分析者快速識別大於或小於

　　參考區間的概念和參考線很像，不過標記的是一塊區域而非一條線，常用於幫助離群值或是資料的分布狀況，這些資訊在沒有參考區間輔助時，要做判斷是比較辛苦的。

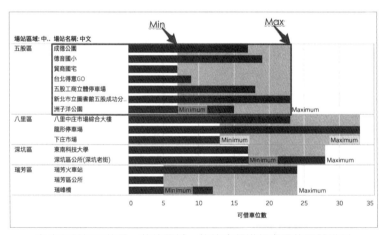

參考區間標記的是一整塊區域，能夠方便進行資訊的區間識別

▌心法❻：切換圖表與資料階層

　　不過，如果如果每批資料都需要重新寫程式產生，是相當耗時費力的，這時我們能夠透過一些好用的視覺化軟體，例如：Tableau，只要準備好資料，定義好資料類型，同樣一批

數據可透過軟體介面快速試驗，並切換不同數據圖表結果。嘗試越來越多次後，量變產生質變，常常能夠找到更滿足業務數據期待的視覺化結果。

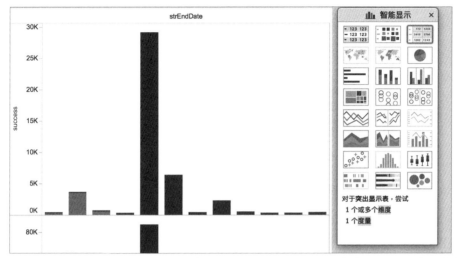

好的軟體工具可讓我們更快切換不同圖表，例如：Tableau 提供了「智能顯示」視窗，讓我們可以快速切換圖表，且不需要重新寫程式

此外，同樣一批資料藉由不同的視覺化維度，可能產生截然不同的結果，以時間資料為例，切換年度、月份、分鐘等單位進行分析，甚至秒數為單位進行分析，都是不同的結果。又或者我們也可挑選不同欄位交互組合，也有可能創造出自己都沒想到的絕妙結果。

強化視覺化傳達能力

視覺化的技巧，對於資訊揭露影響重大，就算是極佳的分析成果，如果使用了錯誤的表達形式，也會對閱讀者的吸收程度大打折扣。這裡分享一些視覺成果分享的心得法則，供讀者參考。

多用簡易圖表傳達觀點

隨著視覺化技術的蓬勃發展，有些人特別喜歡把圖表弄得既華麗又複雜，但有時候會違背視覺化的初衷，也就是「讓資料更容易被解讀」，與其繪製超華麗的花瓣圖、3D 圖、資訊圖等，有時使用簡單易懂的圖表也是不錯的策略。

通常閱讀者花在單一張視覺圖表的耐心不會太長，尤其是放在簡報上的數據或是海報上放置的數據等，圖表閱讀者不一定想花費太多腦力讀懂你精心設計的視覺圖表，如果我們

沒有充裕時間進行圖表講解，可以考慮直接使用好懂的統計圖表（例如：長條圖、圓餅圖、線圖等）。數據視覺化的目標，並非只是做出漂亮的圖表，而是能夠有效傳達正確資訊的圖表，因此在考慮數據視覺化設計方案時，我們要先問問自己：「目前的呈現方式，會比一般圖表（長條圖、線圖等）清楚嗎？」

長條圖雖然簡單，卻是最好理解的視覺化形式

在進行多項數據大小比較時，很少有其他呈現方式比長條圖更好，原因包括：

❏ 不需要學習，多數人都看得懂。

❏ 製作容易，所有統計工具都內建相關功能。

❏ 人類非常擅長使用長度進行大小的比較。

❏ 呈現方式簡單、簡潔、俐落，較不會傳達額外的、錯誤的資訊。

我們在視覺圖像上有許多選擇，如果是希望能夠快速吸引目光，可以考慮使用許多新奇酷炫的表達形式，但如果真正的目的是希望讓閱讀者能夠吸收到正確的資訊，長條圖很可能是最佳的策略。

此外，表格也非常好用，很適合展示大量證據，許多讀者可能會好奇，「表格」算是資料視覺化的形式嗎？這個答案當然是YES。表格最強大的地方在於能夠忠實的將結果陳列出來，把資料整整齊齊的排放在一起呈現，如果能夠適當加入一些顏色或是視覺上的輔助，既清楚又有說服力！

Sales by Product Category

		一月	二月	三月	四月
Furniture	2014	$6,243	$1,840	$14,574	$7,945
	2015	$11,740	$3,134	$12,500	$10,476
	2016	$7,623	$3,926	$12,801	$13,212
	2017	$5,964	$6,866	$10,893	$9,066
Office Supplies	2014	$4,851	$1,072	$8,606	$11,155
	2015	$1,809	$5,368	$15,883	$12,559
	2016	$5,300	$6,794	$17,347	$10,647
	2017	$21,274	$7,408	$14,550	$15,072
Technology	2014	$3,143	$1,609	$32,511	$9,195
	2015	$4,625	$3,449	$10,344	$11,161
	2016	$5,620	$12,259	$21,568	$14,891
	2017	$16,733	$6,027	$33,429	$12,383

表格本身即是一個超好的視覺化呈現手法，也可根據數字改變標記顏色的深淺，來幫助人們閱讀

對於資料圖表來說，許多時候「好理解」本身就是一件很美的事情，如果要避免過度設計，可大膽使用基本的統計圖表吧，如此一來，圖表閱讀者不需要花費腦力來消化收到的資訊，而可直接用既有經驗進行判讀。

圖表簡化很好，但不能過頭

當呈現的訊息量比較大的時候，或是當使用者看不懂的時候，就會忍不住抱怨圖表是不是設計得太複雜，甚至我們可能會被要求將圖表再簡化，然而我們要小心這一類的建議，因為有時候簡化過頭，會導致資訊的破碎化、不完整性。

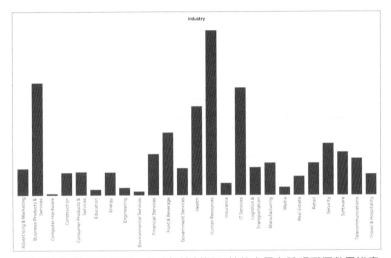

簡化了 Y 軸座標的說明，導致無法判斷 Y 軸數字是在說明哪個數量維度

當閱讀者表示資訊不好吸收的時候，不一定是圖表設計得太複雜，而是少了一些幫助判斷的關鍵資訊，例如：圖表的顏色說明或是 X、Y 軸使用的維度說明等。好的資料視覺化設計，不是單純簡化資訊而已，而是配合人類的視覺理解力，在圖表當中給予合適的視覺提示，太多或是太少都不好，避免為了資訊的簡化，而導致圖表的錯誤解讀。

善用視覺提示框強化論點

對於分析者來說，每張圖表都經過精心設計並反覆觀看過，因此對於畫面所有資訊都了然於胸。然而，對於初次閱讀者來說，通常會期待能夠在很短時間就看懂你設計的圖表，不然很可能會產生挫折感，甚至放棄閱讀！因此，建議可以在圖上添加重點視覺提示框，記得儘量放在背景乾淨的位置，讓提示資訊清楚可讀，其有關鍵的引導性作用，提升閱讀者對於圖表的理解力，也提升理解信心。

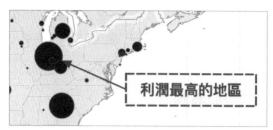

利潤最高的地區

小小的提示框，能夠帶給閱讀者莫大的信心

挑選合適顏色

　　顏色可以在我們看到影像的瞬間，甚至是還沒有開始思考之前，就已經進到我們的腦神經當中，所以色彩是影響人們感受最重要的因素之一。顏色為我們帶來情緒，不同的顏色暗示著不一樣的個性、感覺、聯想、情緒等，透過色彩的運用，可以讓人感覺到快樂、悲傷、冷淡等情緒。舉例來說，早上起床時如果看到黃色的陽光，我們便會感覺到溫暖，或是晚上走在燈光不亮的街道上，我們會感受到恐懼。

　　為了讓視覺圖表傳達正確的情緒給使用者，我們可以善用顏色當中所呈現的情緒，下表就整理了一些情緒與其對應的顏色。

色彩&情緒對照表

表情	說明	對應顏色
質感	令人覺得現代、想擁有	白色、銀色、無色、黑色
可愛感	令人覺得可愛、天真	亮粉紅色、奶油色
輕快感	令人覺得輕鬆、快活	原色、黃色、橙色
清爽感	令人覺得輕鬆、舒爽	原色、藍色、綠色
莊重感	令人覺得穩重、沉著	深藍色、深咖啡色、深橄欖色
安全感	令人覺得安心、信任	綠色
少女感	令人覺得柔和、可愛	粉紅色
引入注目感	令人覺得強烈、大膽	紅色
高級感	令人覺得素雅、漂亮	藍色、紫色
樸素感	令人覺得溫柔、樸素	米色、咖啡色
自然感	令人覺得淡雅、清爽	嫩草色
優美感	令人覺得雅致、優美	玫瑰色、淡紫色
科技感	令人覺得摩登、亮眼	藍色、黑色、銀色
能量感	令人覺得迫不及待	橘色
懸疑感	令人覺得好奇、緊張	黑色、深色、白色、灰色

在設計視覺呈現結果時,最好能先進行色彩上的妥善規劃,但色彩選擇的難度,就在於沒有標準答案。同樣一個顏色,每個人看起來都會有不同的感受,甚至會隨著時間、心情、成長背景、種族、性別等不同,帶來相當大的感受差異,有時候需要針對閱讀者的背景進行解析,來給予合適的色彩規劃。

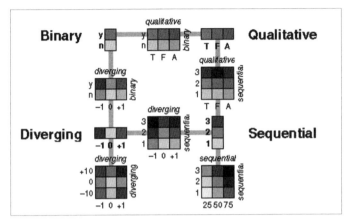

資料視覺化顏色使用的四種風格

※ 資料來源:http://www.personal.psu.edu/cab38/ColorSch/Schemes.html

我們在執行資料視覺化任務時,在顏色的選擇上,一般會有四種風格可供選擇,分別是二元風格(Binary)、質化風格(Qualitative)、序列風格(Sequential)、兩極化風格(Diverging)。下表彙整此四種風格的使用特色:

數據視覺化的四種顏色風格

風格名稱	示意圖	說明
二元風格 (Binary)		表示只分為兩類顏色,明度最好能夠對比大一點,更容易閱讀,也能明顯進行地理位置的劃分、資料特性的切分等,很適合用來做「勝與負」、「是與否」之類的資料視覺化對比。

風格名稱	示意圖	說明
質化風格 （Qualitative）	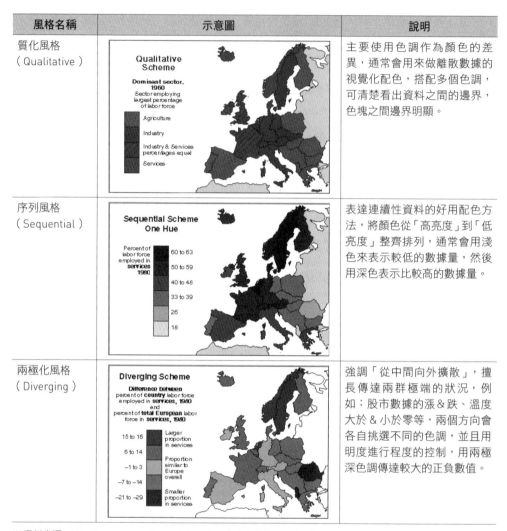	主要使用色調作為顏色的差異，通常會用來做離散數據的視覺化配色，搭配多個色調，可清楚看出資料之間的邊界，色塊之間邊界明顯。
序列風格 （Sequential）		表達連續性資料的好用配色方法，將顏色從「高亮度」到「低亮度」整齊排列，通常會用淺色來表示較低的數據量，然後用深色表示比較高的數據量。
兩極化風格 （Diverging）		強調「從中間向外擴散」，擅長傳達兩群極端的狀況，例如：股市數據的漲 & 跌、溫度大於 & 小於零等，兩個方向會各自挑選不同的色調，並且用明度進行程度的控制，用兩極深色調傳達較大的正負數值。

※ 資料來源：http://www.personal.psu.edu/cab38/ColorSch/Schemes.html

小結

　　數據分析任務包括了許多環節，本章主要介紹的是視覺技巧的輔助，人類的視覺系統會自動幫我們選擇想要看的內容，這是視覺系統的天性，我們無法完整控制我們所吸收的內容，也容易被閃動的、顯眼的彩色所吸引，這也是為什麼將資料視覺後，人們會覺得比較容易消化相關的結果，也能夠幫助人們讀懂數據分析結果的原因。

　　大數據分析的成果，有時會讓人看起來好像理所當然，但其實所有的論述要確立下來，需要反覆的檢視，分析者如果沒有足夠經驗，要勝任這項工作並不容易。視覺化的相關技巧，除了一開始能幫助我們釐清分析目標之外，也能在分析階段提供許多輔助，最終幫助我們產出更容易理解的分析成果，期待讀者們都能善用相關的方法，產生深具影響力的視覺分析成果。

CHAPTER.03

資料視覺化的六大類型

　　無庸置疑的，人類是視覺性的生物，視覺對資訊的反應速度是最快的。人們每天透過 Web／報紙／廣告招牌吸收著大量的資訊，讓人們都變成了視覺導向的人，視覺資訊就好像施了魔法一般，輕易的、不知不覺間注入我們腦中。

　　因此，我們如果想要傳遞知識，如果讓對象直接看數字本身，很容易只是一堆的數字和不相干的線索，但如果是用整理後的資訊圖表來傳達，許多有趣的事件都會浮出來。資料視覺化解決了人們對於資訊吸收困難的問題，即使是龐大、可怕的資訊，一旦改造成為美麗的視覺，或是消化為清楚的摘要資訊，將能大大幫助人們快速理解。

　　網路上有各式各樣的資訊圖表，從系統後台到行銷報告等，然而並不是每張資料視覺化都能得到關注，很有可能的原因是選錯了視覺圖表類型，例如：想要強調關聯關係，卻誤用了擅長表達階層關係的圖表，而導致讀者解讀資訊的失誤。

六大類型的數據視覺表達形式

　　本篇根據資料視覺化的類型，整理了以下用途表單，共六種類型，適用於不同的情境當中，各位可以根據需求進行挑選。本處所說的「情境」是指「資訊本體」、「對象」等，也就是說，隨著我們想要傳達的資訊內容不同、受眾對象不同、想要強調的資訊不同等，同樣的資料都可以透過不同類型的圖表進行表達。

資料視覺化的六種類型與其目標

	圖表目標	常見圖表	說明
一、 強調關聯	強調網絡關聯關係	網絡關係圖	表達兩者或是多個項目之間的關聯性
	強調類別關係	類比關聯圖	區分類別的表達資訊，能夠強調不同單位的對比關係
	表達範圍關聯	標籤雲	將同個主題對應的相關子集合囊括起來，用標籤的方式在同一張圖進行呈現
	強調二維或多維關聯關係	散佈圖	散佈圖是相當常見的統計圖表，善於表達多個維度之間的關聯性變化。
二、 強調順序性	表達時間序列關係	線圖	同樣是強調順序，但此處指的是時間序列的順序，單位隨使用情境也會有差異，像是以 年／月／日／秒 或是更小的單位
	表達上下階層關係	數據漏斗	把資訊階層化，不論是從上到下或是從左到右，能夠看出項目之間的歸類關係
三、 強調地理位置	強調國家或地區關係	世界地圖	通常用世界地圖或是地區圖來表達，能夠清楚看出區域與區域之間的差異性
	強調街道資訊	街道層級地圖	更細緻到街道的資訊視覺，通常能夠看出街道的相對關係
四、 強調比較關係	強調大小的比較	長條圖	將同類型的個體擺放在相同衡量的維度單位上，能夠清楚看出其對應的大小關係
	強調佔比的比較	圓餅圖與細胞組織圖	將整體資料切分成多個項目，並用 % 表示，全部疊加起來就是 100% 的比例
	表達輻射比較	放射狀圖	將資料從中央呈放射狀顯示，通常中心代表是一個最大的個體，或是資訊的核心
五、 強調綜合性資訊	表達多重資訊	儀表板	將多個資訊圖表整合在同一張儀表板上，一目瞭然掌握多項關鍵資訊
	表達故事型資訊	數據故事網頁	用圖表表達情境，並輔佐說明文字，來傳達一個完整的議題故事
六、 純客製化	不規則客製化型	無，皆為客製化	沒有特定的規則，根據特定情境所繪製的資料視覺化圖表

本章選錄的資訊圖表案例，都至少包括三個目標：

❑ 擁有清楚的資訊。

❑ 擁有讓人記憶的視覺輔助。

❑ 閱讀起來沒有壓力。

以下，就讓我們分別欣賞以下各類圖表目標的整理說明和視覺化案例。

第一類：強調關聯關係

▍網絡關聯

為了表達兩者或是多個項目之間的關聯性，我們很常會使用網絡關係圖之類的視覺圖表，清楚整理資訊後，將資料節點之間的線接起來，就能夠清楚看出資料節點之間的多對多交叉關係。

2016 年的金馬獎就做了一個「JINMA 來跨」動態網站，清楚的表達「電影人」、「電影」以及這些節點之間的關聯性，例如：下圖就能夠清楚的看出「張嘉輝」與「六弄咖啡館」、「北京遇上西雅圖之不二情書」以及「葉問 3」電影之間的關聯性。這類型圖表最棒的地方就在於，如果我們對某些節點有興趣，可以依序點下去，便能夠快速、清楚的吸收所需資訊。

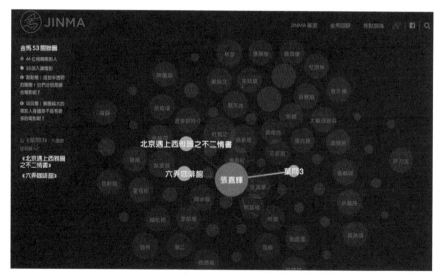

JINMA 來跨

※ 資料來源：http://jinma.today/relations

類別關聯

資訊圖表也很常用來表達分類概念，而且可以針對各個類別來表達資訊，強調不同單位的對比關係，因為同張圖表上都是相同的類別知識，所以人們能夠很快地透過「比較」來看出細節差異。

台北市都市更新處發布了一張「色彩大道 Color Avenue」的視覺圖表，針對台北市行道樹進行色彩分析，並在同一張圖中標記各月份樹木的色彩資訊，也特別補充了台北大安區和東京表參道的樹木資訊等，圖表不但賞心悅目，且資訊分類非常清楚。

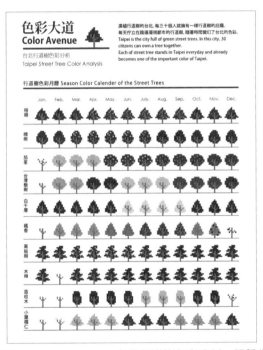

「色彩大道 Color Avenue，台北行道樹色彩分析」視覺化結果

※ 資料來源：http://www.cityyeast.com/passion_show.php?newstype_id2=72&news_id=802

範圍關聯

網路上常見的標籤雲（Tag Cloud），能夠將同個主題對應的子集合囊括起來，用標籤的方式在同一張圖同時呈現，有時候用來表達部落格的相關 Tag，有時候則是維基百科關鍵字的相關集合，透過標籤雲讓我們對於某個議題快速掌握輪廓，耐心的讀者更能看出魔鬼的細節。

Wordle（http://www.wordle.net/）是標籤雲線上產出服務，標籤雲是一個很特別的視覺化型態，和常見的量化方法不同，是將「出現頻率」作為次數的維度，並用其作為文字大小的設定，同時在畫面中也一併呈現同份文件的相關字詞，並展示在同一張畫布上，讓人們一眼就看到相關議題關鍵字。標籤雲如果要自己製圖有一點麻煩，但透過 Wordle 或是 Wordart 工具，就能快速完成整個流程，而且很漂亮！

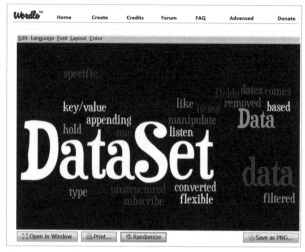

透過 Wordle 產出的標籤雲視覺化，看一眼就大概知道議題的大略範圍

二維或多維關聯

散佈圖很適合表達多個維度的相關性，主要用來表現兩個度量值的相關性。其透過資料點位置的標記，帶領我們判讀資料的特性，如資料的正相關、負相關、弱相關、強相關、不相關等。另外，散佈圖也能夠幫我們快速判讀離群值，或是展現迴歸與最佳化關聯關係。

如果要繪製散佈圖，我們需要成對的資料點（例如：X 與 Y），通常會用垂直 Y 軸表現數據度量，並用水平 X 軸表達相關因素數值，搭配呈現維度之間的兩兩對應關係，例如：「下雨機率」與「氣壓」之間的關係，或是「銷售能力」與「年資」之間的關係等。

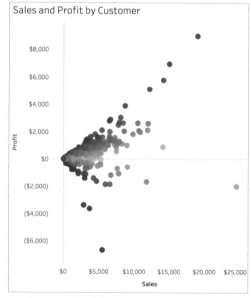

觀察散佈圖呈現的結果，就可大略看出其 X,Y 維度的關聯關係以及離群值資料點

第二類：強調順序性

▌時間序列關係

　　同樣是表達順序，但此類別強調的是時間序列的順序性，常見的圖表如時間軸圖表、折線圖、散佈圖、月曆圖、甘特圖等，使用情境也有許多差異，像是以 年 / 月 / 日 / 秒或是更小的單位，也可能不按照固定的時間維度來切割，但順序性會被保留下來。

　　如果我們希望呈現資料隨著時間序列的改變，最好的表達形式是折線圖，線圖很適合呈現如市場的變化、成本的變化等，能清楚呈現指標數據變化。

　　此外，線圖也很適合呈現未來的數字預測，前方用實線繪製已經發生的資訊，後方則搭配虛線或是較淺的顏色，暗示尚未發生的預測數值，視覺上可在中間加入中斷，或是在未來預測區域加上數字的上下誤差區間，幫助閱讀者判斷未來可能的數字預測變化。

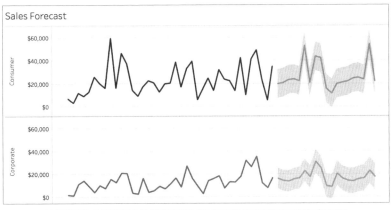

線圖很適合呈現目前數據變化與未來的預測等相關時序關係

▌上下階層順序關係

　　有時同樣的資訊如果放在同一層並不容易吸收，這樣的資訊就適合再進行階層化拆分。階層化後的圖表除了能夠幫助我們進行決策的推估之外，也能看出項目之間的歸類關係，把資訊切割多階層，閱讀起來容易，邏輯上則相對清楚。

　　數據漏斗很適合展現資訊上下階層順序的轉換與過濾，我們在分析數據時，很常使用數據漏斗進行呈現，如戶註冊轉化漏斗、電商網站下單漏斗、頁面操作漏斗等。漏斗圖擅長判斷不同階層流失的數據（訂單、註冊人數等），讓我們可以有效鎖定設計上的重大瑕疵，並挑選重大問題做進一步的成因分析，最佳化每一個業務流程的轉換效益。

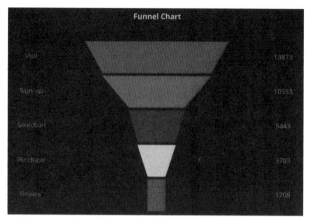

數據漏斗能夠幫助我們判斷每一層的數據轉換

※ 資料來源：https://moderndata.plot.ly/funnel-charts-in-python-using-plotly/

第三類：強調地理位置

▌表達國家或地區關係

在許多的研究報告中，如政府報告或是企業市場報告等，我們很常會看到用世界地圖或是地區圖表達的資訊，因為此類圖表特別容易看出區域之間的差異性，也很常會用顏色深淺作為資料量大小的表達方式，一目瞭然。

案例部分，這裡選擇了 Howmuch.net 網站所製作的「美國各區前 1% 的平均薪資圖」，透過實體地理位置的背景描述，我們能夠很快的找到每一個區域的位置，並且結合顏色深淺的維度後，能夠清楚看出各區域數字大小的差異，顏色越深的部分代表收入越高的地區，可快速看出資訊的區域性。

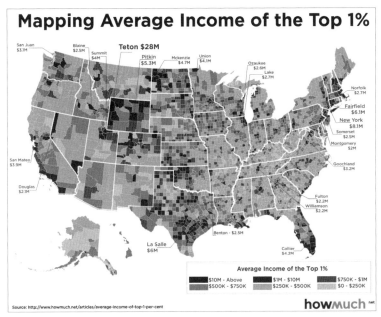

美國各區前 1% 的平均薪資圖

※ 資料來源：https://howmuch.net/articles/average-income-of-top-1-per-cent

▍表達街道關係

　　地區關係的圖通常表達的是較為廣大的地區，但有時候我們會需要更細緻的地理資料，來表達物件與街區的關係。最常見的莫過於 Google Map 和各種車用導航設備的街道資訊了，結合 GPS 資訊，讓我們清楚掌握自己與其他物件的相對位置，取得最即時的環境資訊。

　　很久以前，人們就已經知道可以透過圖表來標記街道資訊，進而判斷兩地的差異、大概距離等。這裡舉一個街區圖的常見案例：17 世紀時有一位 John Snow 醫生，在地圖上標示出霍亂患者的位置，當資訊被視覺化之後，幫助人們釐清了霍亂發生的相關可能性，也進一步找出了霍亂疫情發生的源頭所在。

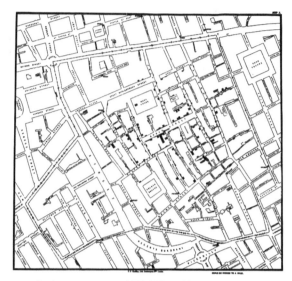

1854 年由 John Snow 所繪製的倫敦霍亂疫情統計地圖

※ 資料來源：http://www.techbang.com/posts/7280-moves-appreciation-live-chart-infographics-information-technology-complex-and-simple-visual-arts-meng-continue

第四類：表達比較關係

▌大小的比較

　　Emporis 做了一張「世界摩天大樓高度比較」視覺圖表，主要放上高度數據，搭配各個建築物的名稱、外觀意象，既美觀也容易記憶。

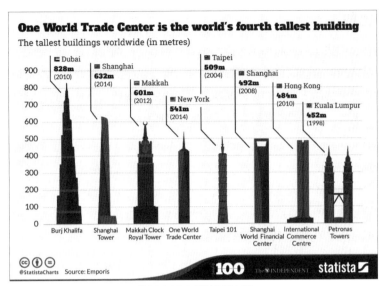

世界摩天大樓高度比較

※ 資料來源：https://www.statista.com/chart/2917/tallest-buildings/

占比的比較

占比的重點在於將整體資料切分成多個項目，並用 % 表示，常見的圖表如圓餅圖、細胞組織圖、區域圖、玫瑰圖、堆積圖等。我們很常需要表達占比的圖表，因為全部疊加起來就是 100% 的比例，讓我們能夠掌握同一個議題的相關參與者，以及有關係的項目數量與對應總體的分配比例。

Howmuch.net 發表了一份「全球最富八人與貧窮人士占比圖」，此張圖表非常清楚的表達出財富分配的極度差異，世界上八個最富有的人共擁有約四千二百六十億美元。每人平均 532.5 億美元，對比圖的下半部分，窮人的集體財富平均值每人則不到 120 美元，占比的視覺幫助我們快速看出極端數據的差異。

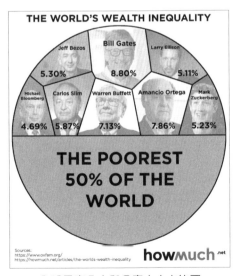

全球最富八人與貧窮人士占比圖

※ 資料來源：https://howmuch.net/articles/the-worlds-wealth-inequality

▌輻射的比較

有些圖適合從中央呈放射狀顯示，通常是因為中心是一個相對最大的個體，或是議題的核心，往外擴散後的資訊則傳達了關聯性物件，但通常相對數字較小，或是相對不重要。此類視覺圖表能夠協助人們更加專注閱讀聚集於中間的個體，因為他們可能是帶來相關優勢或是威脅的個體，但也能透過輻射關係掌握此議題相關的參與物件。

同樣是由 Howmuch.net 網站所發布的圖表，「國債雪球」圖表表達了各國國債數字的資訊，此圖把國債最高的國家：「日本」放在中心位置，讓人無法忽視。透過此圖也可快速觀察到聚集於中間的國家大多為已發展國家，也能進一步去推論可能多數投資者較信任富裕國家能償還債務，所以導致這些國家的債台高築。但雖然貧窮國家相對較少債務，但真正的主因可能是大家不太敢借錢給這些國家。

本張圖的另一個特色在於，每個物件用其國土形狀來表達，所以台灣雖然占的面積不大，但透過形狀的辨識，讀者會發現並不難找到台灣的位置。

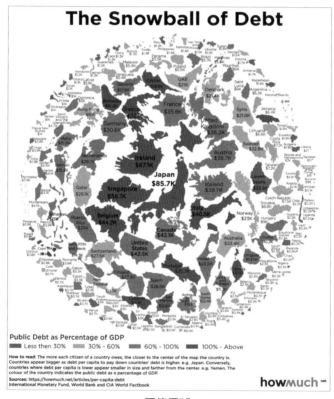

國債雪球

※ 資料來源：https://howmuch.net/articles/per-capita-debt

第五類：強調綜合性資訊

█ 儀表板資訊

　　如果是系統化後的資訊，我們很常會用「儀表板」作為視覺呈現的載體。儀表板將多個資訊圖表放在同頁資訊進行顯示，幫助我們一目瞭然掌握多項資訊。除了系統後台之外，我們也常常在運輸設備的控制中心，或是電影裡的戰情中心看到資訊儀表板的使用。

　　「資料儀表板」指的是在同一個畫面中同時呈現多種數據內容，放在同一個畫面的好處在於，讓認知降維，使人們減少圖表切換的動作，也同時減少相關切換所導致的智力損耗，運用超強大腦看出跨數據的整合特性。

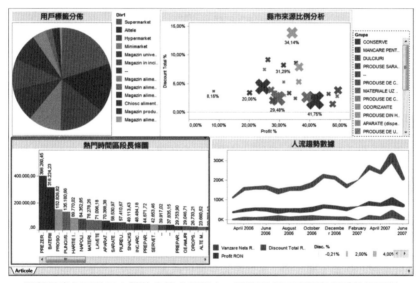

視覺儀表板可善用大腦的多維分析能力，讓使用者同時觀察多重數據關係

　　許多網站製作的人員都有使用過Google Analytics（GA）這套工具的經驗，原本的網路封包就像黑盒子一般難以理解，但GA完整的將後台數據連線紀錄，轉換成清楚的儀表板視覺，讓維運能夠快速掌握相關數據。

Google Analytics 網頁流量分析工具

※ 資料來源：https://tribulant.com/extensions/view/46/google-analytics

▋數據故事型資訊

如果要傳達一個完整的故事，我們可以用完整的報導或是網頁，結合照片、文字和資訊圖表（可以是任意類型）來表達，這時候資料視覺化的技巧便成為一個輔助工具，幫助讀者在圖文並茂的環境之下，探索某個議題，以更加強報導的可信度。

「報導者」媒體針對高雄中油關廠事件，做了一個完整的故事報導網頁：「高雄廠煙下中油工人的最後一天」。網頁當中包括了時序類型資訊、地理資訊等，而這些資訊都被轉換成一幅幅美麗的插圖，讓人們了解此議題從歷史過去一直到現今的最新狀態。

「高雄廠煙下中油工人的最後一天」故事型網頁

※ 資料來源：https://www.twreporter.org/i/fifth-plant/

第六類：不規則客製化型

當然，並不是所有的視覺化都是按照規則進行的，只要能夠幫助閱讀者更容易理解資訊，「完全客製化」的視覺圖也是一種選擇，例如：我們常見的「化學元素表」就是一個客製化圖表經典案例，它並沒有按照一個標準的視覺規則進行整理，反而是在同一張圖去表達其分類、遠近、順序等概念。

以下是 ptable 網站所提供的元素週期表圖，可看出該網站對此圖做了變形，並附加了一些資訊上去，但不影響到其資訊品質。

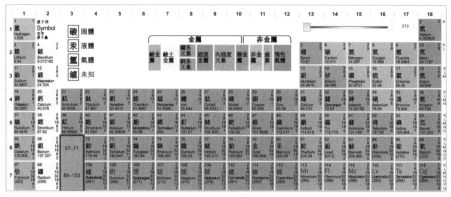

元素週期表

※ 資料來源：http://www.ptable.com/?lang=zh-tw

　　客製化圖表當中，「捷運路線圖」也是視覺圖表的經典，捷運路線圖最傑出的地方在於「並沒有真正遵守實體街區之間的距離與相對位置」，而是用人們最好吸收的排版方式，將站與站之間的相對關係表達清楚，讓人們搭車時不容易失誤。

小結

　　數據有各式各樣的呈現形式，好的方式能夠幫助人理解，但不好的資訊圖則可能會引導人們錯誤解讀資訊。本篇文章提到了六大類型的視覺化應用，每一種類型都有其適用的情境與傳達目標，只要我們選擇了正確的圖表，並善用設計（Design）技巧，將數據（Data）重新包裝，能夠幫助我們能夠把數據故事（Story）說得更清楚！

PART 02

推薦好用的
視覺化工具

對於資料視覺化的強大需求，催生了一些世界級的產品如 Tableau、PowerBI 等，許多公司積極安排員工進行教育訓練，務必讓員工學習更好的視覺化工具，以便跟上世界的腳步，做出更好的決策。

市面上視覺化工具非常多，相信許多人覺得琳瑯滿目吧！不過比較可惜的是，現在的辦公室軟體中，許多人還是維持只用 Excel 的熟悉舒適圈，可能是因為選擇過多、懶得改變，也可能還不知道其他工具的能耐，這是蠻可惜的一件事情。其實，還有許多的視覺化工具可選擇，例如：強化商業分析的工具、幫我們管理數據專案的工具、擅長網路流量資料分析的工具，甚至還有透過手動拖拉就完成資料清洗以及資料科學的工具。這些視覺化工具正等著我們去探索！

本篇彙整了許多工作上的好用視覺化工具，讓你在進行工具決策或是內部溝通時，能夠有一個參考的準則，也對於每項工具特性擁有更多的了解。

Let's Go，來了解有哪些好用的視覺化工具吧！可先參考下表的整理：

視覺化工具整理

工具名稱	工具特色	本篇介紹的工具
視覺化整合分析工具	某種可以輸入資料、呈現資料、分析資料且視覺化的完整分析環境。	❑ Excel ❑ PowerBI ❑ SAS ❑ Rapidminer ❑ Tableau
雲端視覺化管理工具	在視覺化專案工作流程中，給我們許多幫助，能夠即時分享專案進度與成果，協助專案成功的相關雲端工具。	❑ Evernote ❑ Google Sheet ❑ Asana ❑ Draw.io ❑ Google Slides ❑ Google Doc
網路流量數據分析工具	透過網頁瀏覽數據，例如：點閱次數、人次資料、國別資料等，了解整個網站動向的決策工具。	❑ GA ❑ similarWeb
資料視覺化整合設計環境	一個線上可登入的設計環境，通常會包括資料上傳或是串接的功能，也可線上即時編輯，最終也會提供分享與嵌入的功能。	❑ Google Sheet ❑ Google Data Studio ❑ Plotly ❑ plotDB ❑ Highcharts Cloud ❑ DataHero ❑ Lyra

工具名稱	工具特色	本篇介紹的工具
地理空間製圖工具	地理空間屬於比較特別的資料型態，資料必須要輸入經緯度地址，能夠在相關地圖上面疊加相關資訊，或是轉換為地理資料格式等。	❑ Mapbox ❑ Datamaps.co ❑ ArcGIS ❑ CARTO ❑ geojson.io
線上資訊圖表設計環境	透過線上工具，可將數據繪製為資訊圖表，說一個好的數據故事。	❑ Piktochart ❑ Infogr.am ❑ Quadrigram

CHAPTER.04

整合分析數據視覺化工具

對於專案經理或是許多辦公者來說，如果要做大數據分析，通常需要一個視覺化整合分析工具的幫助，即某種可以輸入資料、呈現資料、分析資料、並且製作為視覺化成果的完整環境。目前大多數的工作者都是採用 Excel 為主，然而，還有許多很棒的工具能夠達成類似的任務目標，也是本章主要介紹的內容。

本章將會介紹 Excel、PowerBI、SAS、Rapidminer、Tableau 五套視覺化整合分析工具，下方先提供一個比較表給讀者參考，因為本書後續的實戰主要採用 Tableau 工具進行講演。本章後面也會介紹 Tableau 與 Excel 的比較，兩套都是很棒的工具，讀者可根據自身需求進行選擇。

整合分析數據視覺化工具比較表

工具名稱	核心優點	核心缺點
Excel	最多使用者人數的工具，容易與既有工作流程結合。	對巨量數據支援度較差，如要執行高端數據分析步驟也較為繁瑣。
Power BI	知名大廠所推出，操作介面熟悉且社群完整，有雲端版本。	不支援 Mac 作業系統。
SAS THE POWER TO KNOW.	功能完善，內建完整分析機能，歷史悠久。	整體功能與操作較為複雜，價格高昂。
rapidminer	簡易上手的資料科學工具。	較不知名，使用者數較少，社群較小。
tableau	所見即所得的直覺操作介面，優異視覺表現，使用者數眾多，學習容易。	進階資料科學功能較為陽春。

Excel

網址 https://products.office.com/zh-tw/excel

特色 市占率第一的整合軟體，使用者眾多

一般人最常見的整合分析工具就是 Excel 了，只要預先定義好欄位，就可以輕鬆轉換成統計圖表，也是一般人最常用的視覺化工具，已經在市場廣泛使用了數十年。許多人從學生時期就開始使用，不但對初學者來說很容易上手，對於進階使用者也提供很大的靈活性，搭配巨集或是函式庫後，也可做出進階統計圖表。

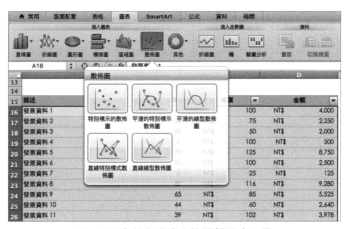

Excel 本身就內建強大的視覺圖表工具

Excel 也擁有各類好用計算功能，例如：日期與時間函數、資料庫函數、財務函數、統計函數、三角函數、文字函數等。

豐富好用的公式是 Excel 很重要的特色

此外，Excel 也提供巨集（Macro）的功能，可以錄製自動化腳本，透過 Visual Basic for Applications（VBA）程式碼錄製下所有步驟，包括像是文字或是數字的輸入、選擇儲存格、設定格式、從外部讀取資料等，之後如果遇到相同需求的操作，我們便能根據當初建立好的巨集腳本，重新執行一次指定任務。

Excel 因為同樣屬於微軟辦公室軟體系列，產出圖表也相容於 Powerpoint 和 Word，頗為方便。Excel 近幾年增加了許多新功能，例如：「Excel Online」的線上操作版本，或是「Power Map」之類的地理空間視覺外掛，以及「PowerQuery」、「PowerPivot」等資料處理工具，增加了更多數據操作組合可能性。

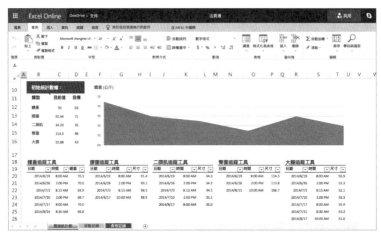

Excel Online 可以線上執行文書作業

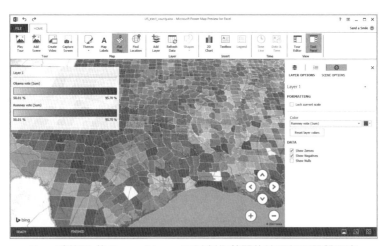

Excel 新加入的 Power Map，可以製作華麗的地圖類型視覺圖表

※ 資料來源：http://www.mapping-tools.com/howto/mappoint/introduction/excel-power-map/

但 Excel 也有一些缺點，例如：視覺圖表不夠漂亮、不擅長與外部程式介接，且對於初學者來說不容易處理複雜數據、進階功能學習門檻高等缺點，所以雖然它是軟體的龍頭，但不一定是讀者的唯一選擇。

Power BI

網址 https://powerbi.microsoft.com

特色 整合微軟生態系的視覺化套裝軟體，功能完整性高，行動裝置支援度高

　　Power BI 和 Excel 都是微軟的產品，不過 Excel 比較偏向數據分析，而 Power BI 則相對精簡且更強化資料視覺化的設計，兩者之間的整合性頗高。Power BI 的操作介面承襲了微軟標準架構，對於熟悉微軟相關軟體的使用者來說，相對容易上手。

Power BI 提供了大量的視覺化圖表，也能設計出華麗成果

※ 資料來源：https://powerbi.microsoft.com

　　Power BI 最大的特色在於數據分析相關功能整合度高，內建完整的資料視覺化的共通管理需求，例如：多重資料匯入、拖拉操作、資料儀表板、協同作業機制、企業方案等，但

如果要使用一些進階功能，就需要額外付費了。對於企業來說，使用此類商業軟體，可以減少手動執行作業的工作，等於省掉許多數據分析所花的時間，更快滿足需求。

PowerBI 可整合超過 100 種的外部資料來源，工具完整度超高

※ 資料來源：https://powerbi.microsoft.com/zh-tw/

另外，PowerBI 對於行動環境的支援度也很高，擁有完整的 Pad、Mobile 管理與呈現環境，這是有些視覺化軟體支援度較差的。

PowerBI 對於行動環境的支援度高

SAS

網址　https://www.sas.com/

特色　歷史悠久的老牌軟體，統計相關功能完整，服務生態系完整

　　SAS是商業分析市場的龍頭軟體，《財富》雜誌全球500強企業中，包含金融、製藥、電信與餐飲服務等類別，許多公司皆導入了SAS，全球客戶超過80,000個，SAS相較於Excel、Tableau等軟體擁有更完整的統計功能，且能夠支援完整系統部署需求，可以部署在雲端環境，也可部署在企業私有雲當中，應用情境相當彈性。

　　同樣的，SAS也提供了豐富、互動式資料視覺化功能，可提供有效的商業智慧與預測性分析。商業類型的使用者，可更快地從資料中挖掘新洞見。

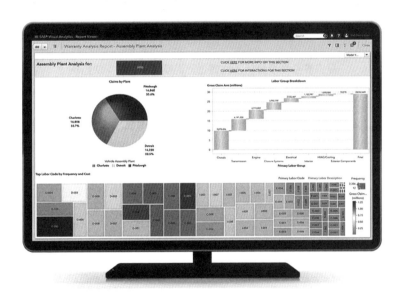

SAS提供多樣視覺化分析圖表功能，資料整合功能完整

※資料來源：https://www.sas.com/

　　SAS的功能完整，包括：基本報表整合、SQL語法整合、程式效率檢視等程式面的功能，也包括線性迴歸分析、類別分析、分群分析、時序分析等統計分析模組，也有像是決策樹分析、信用評分卡、梯度下降分析等大數據功能。

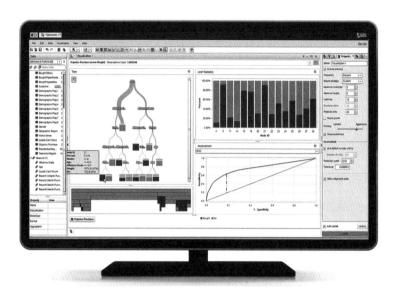

提供許多商業分析的視覺化呈現模組，例如：決策樹

※ 資料來源：https://www.sas.com/

　　SAS 相較於 Excel，更偏向商業分析的整合性需求，由於功能完整，整體服務導入需更完整的部署與配置。整體來說，SAS 比較像是一個企業整體性的解決方案，能夠和企業想要推動的相關系統需求進行整合，適合建置整體大數據分析環境，提供高效率的記憶體內分析、部署私有雲及公有雲、分散式計算環境等相關支援。讀者如果是想要在組織導入整套商業分析系統的話，可考慮 SAS 的解決方案。

RapidMiner

網址　　　　https://rapidminer.com/

特色　　　　方便好用的圖形化介面，分析與機器學習功能完整

　　RapidMiner 相較於 Excel、SAS、Tableau、PowerBI 等，主打的是資料科學面向應用，可透過易上手的視覺化介面，拖拉建立完整的資料分析流程功能，包括 ETL、前處理、視覺化、模型建立、模型驗證等，也可與 Python、R 語言及 Keras 整合。視覺拖拉連接運算模組，內建分析模組完整，從資料處理到模型建立都可拖拉完成，演算法模組也是內建的，不需要自行撰寫程式，只需配置，即可完成一系列的分析工作流程。日後也可重複使用已建立的模組，減少未來重新建立流程的時間。

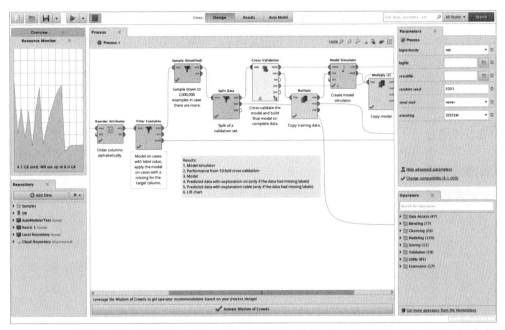

Rapidminer 視覺化呈現處理流程，易於上手，使用者可快速理解整個分析過程，更可透過智慧導覽模組，自動化生成大數據處理流程，非常方便

※ 資料來源：https://rapidminer.com/products/auto-model/

Rapidminer 可串接多種資料來源，包含許多常見的檔案格式及資料庫，支援 Hadoop 及 Spark 等大數據平行運算架構，也可引入非官方的資料分析模組，資料共享機制頗為強大。

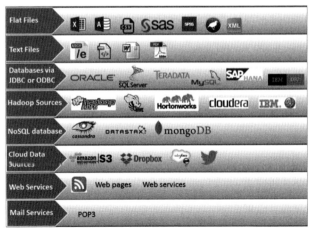

RapidMiner 可支援諸多種類的資料格式

※ 資料來源：http://www.cappius.com/services/rapidminer/

RapidMiner 最強大的部分在於可依據資料特性及使用者目的，自動化生成一套建議的工作流程，提出智慧化的流程修正建議，並透過清楚的視覺化模組呈現。而後使用者只需要手動加以修改為所需的工作流程，可加快分析流程建立，對於不熟悉模組的用戶來說，此功能等於是範例教學，避免一開始不知從何下手的窘況。

Tableau

網址 https://www.tableau.com/

特色 極佳的操作體驗，資料視覺化功能完整

Tableau 軟體發展多年，現已成為許多企業指定使用的資料視覺化工具，Tableau 從北美的商業分析市場起身，2004 年於美國西雅圖成立，十年後在納斯達克上市，成為軟體界的翹楚。Tableau 近期甚至連續五年（2013 ~ 2018）被 Gartner 商業智能平台報導為領先的分析工具（Gartner's Magic Quadrant for Analytics）。

Tableau 於 2013 ~ 2018 連續六年被 Gartner 商業智能平台選為分析領先工具

※ 資料來源：https://www.tableau.com/about/blog/2018/2/tableau-named-leader-gartner-magic-quadrant-six-years-row-82534

Tableau 提供極佳的操作經驗與直覺的拖拉手勢操作，即使是新手，也能快速學會基本操作，可在不撰寫程式的情況下完成洞察任務，例如：以下行為都可透過滑鼠簡單點擊完成，不用撰寫程式，不需要定義行為，也不用安裝外掛。

❑ 透過 Tableau 連結資料庫。

❑ 透過 Tableau 產生視覺圖表。

❑ 透過 Tableau 分享設計成果。

❑ 透過 Tableau 過濾數據。

❑ 透過 Tableau 深入資料層級。

值得特別一提的是，Tableau 的豐富圖表功能，相較於其他軟體，能夠提供更多視覺化輔助，即使是新手，也能夠過智慧化功能自動生成報表，設計也非常漂亮，隨著工具熟悉度的提升，可創作出超專業視覺圖表。

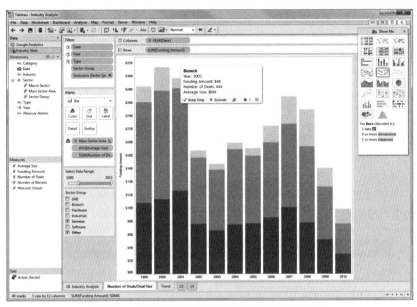

Tableau 軟體的操作介面與視覺圖表呈現功能

※ 資料來源：https://docs.treasuredata.com/articles/tableau-desktop-odbc

▌Tableau 版本介紹

「Tableau」是一系列產品的總稱，旗下主要包括五種類型的產品，其中「Tableau Public」、「Tableau Desktop」、「Tableau Online」是編輯環境，「Tableau Server」則是圖表主機解決方案，而「Tableau Prep」則是 2018 年新推出的資料整理工具。

Tableau Public

網址 https://public.tableau.com/s/

特色 可使用 Tableau 多數功能

費用 免費

Tableau Public 的主要限制是資料成果一定要公開，且不能存檔在自己的電腦，資料也有 100 萬筆資料上限的限制，但如果只是輕量的分析需求，Tableau Public 已經可以滿足，功能和付費的 Tableau Desktop 類似。

Tableau Public 版本可以免費／非商業使用，讀者可以下載來試玩看看

　　透過 Tableau Public 製作的作品，如果進行上傳，將會被上傳到 Tableau Public 的線上環境中，供全世界瀏覽。

透過 Tableau Public 設計的作品，將會被上傳到雲端供全球觀看（要注意資料隱私問題），我們也可查看別人設計的成果

Tableau Desktop

網址 https://www.tableau.com/products/desktop

特色 擁有商用分析的完整功能

費用 付費

Tableau Desktop 是一個完整的桌面版本設計環境，能夠匯入許多資料來源，也能做出各類分析圖表，可本地儲存，是 Tableau 最主要提供給團隊／公司進行商業化導入的解決方案。

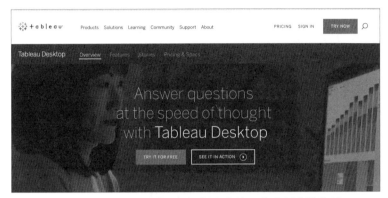

Tableau Desktop 是專門設計給企業使用的分析套裝軟體

Tableau Online

網址 https://online.tableau.com/

特色 可直接透過瀏覽器進行視覺圖表的編輯

費用 付費

Tableau Online 提供一個月租／年租型的線上分析環境，可於雲端集中管理資料，將檔案線上分享給老闆或同事，也可透過公開分享讓別人查看視覺化報表，不過因為是在雲端上執行，編輯效能較 Desktop 低。

Tableau Online 提供了線上數據分析的環境

Tableau Server

網址　https://www.tableau.com/products/server

特色　可供企業私有雲的方式儲存資料與圖表

費用　付費

　　Tableau Server 可部署在企業的內部環境中，或是放置在公開的雲端伺服器如 Amazon、Azure、GCP 主機等，提供專屬的企業環境使用，可讓 Tableau 桌面版本上傳設計成果到此，完全的私密保存，擁有中央權限管理相關機制，如使用者、群組管理等，也可線上管理 Tableau 相關設計成果（Projects、Workbooks、Views 等），以及資料來源（Data Sources）的管理。

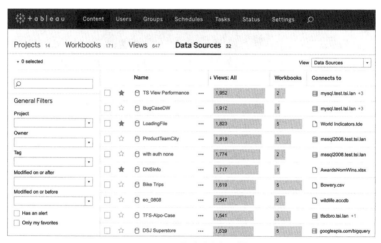

Tableau Server 的資料來源管理介面

Tableau Prep

　　Tableau 在 2018 年新推出了關聯產品：「Tableau Prep」，主要期待能夠補足原本 Tableau 較不涉獵的資料整理機能，例如：數據合併、組織數據、清洗數據等，並可將整體的數據處理過程模組化，可供重複利用，可縮短產出數據洞見的時間。

　　許多人都了解，大數據分析的前置作業複雜，可能 80% 的時間都在整理資料，而真正能夠用在分析的時間只佔了 20%，甚至有時需透過撰寫程式，來完成高端資料整理任務，Tableau Prep 也是在這樣的痛點之下所產生的，期待能夠讓更多人透過內建的資料連接模組、資料透視模組、資料聚合模組等，輕鬆透過視覺化介面完整資料整理的過程，能夠以更快的速度、更高的執行效率來獲得所需要的資料。

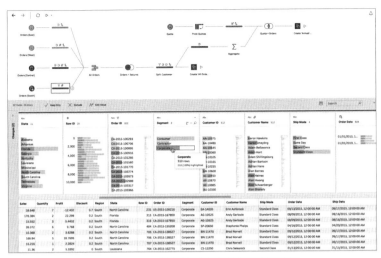

Tableau Prep 所見即所得的資料整理過程

※ 資料來源：https://www.tableau.com/products/prep

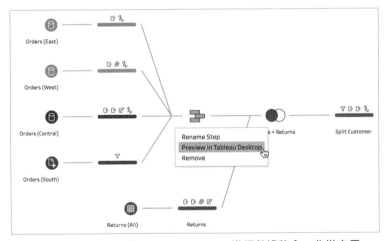

Tableau Prep 可以和 Tableau Desktop 進行數據整合，非常方便

※ 資料來源：https://www.tableau.com/products/prep

▌Tableau 線上教學

線上課程網址 https://www.tableau.com/learn/training

　　你看完以上的介紹後，若有意願使用的話，建議可先下載免費的 Tableau Public 版本玩玩看，如果需要較深層的企業分析應用，或是有內部不能曝光的數字，則可購買 Tableau Desktop 或是 Tableau Server 版本，但費用不低，可確認真的有需求時，再開啟相關採購行為。

另外，Tableau系統軟體對多數人來說都是新的嘗試，但網路上已經擁有豐富的線上教學課程與社群，有興趣的讀者不妨先在線上免費學習／試玩。

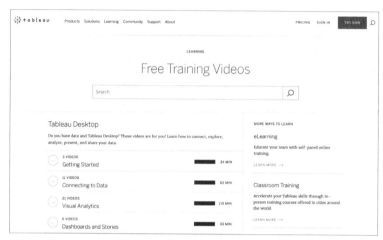

Tableau 提供免費線上課程

關於Excel / Tableau的使用時機

數據分析工具當中，全世界最普及的依然是Excel，跟隨著Windows作業系統深入全球每個人的家中，許多人從小到大已經用得非常習慣，然而Tableau沒有過去的功能包袱，貼心且優異的設計擁有其獨特性，值得嘗試看看。

下表做了Tableau與Excel的比較，提供讀者參考。

Tableau & Excel 比較表

項目	Tableau	Excel	推薦軟體
基本資料檢視功能（排序、列表、過濾器）	有完整功能	有完整功能	皆可
資料清理	有基本的過濾功能，但是軟體重心主要放在視覺化	完整的資料清理功能，也可透過VBA進行進階處理	Excel
建立小型表格	不擅長，不適合	適合快速建立與編輯資料表	Excel
軟體普遍性	較低（但逐漸提升）	較高（全球都在使用）	皆可
視覺圖表豐富度	圖表豐富度高，且許多設計細節可客製化	圖表也很豐富，但設計限制較多，操作也較複雜	Tableau

項目	Tableau	Excel	推薦軟體
視覺圖表互動性	提供大量互動性設計	較少互動性功能，或是需要擴充設計模組，較為麻煩	Tableau
視覺圖表洞察性	提供智能功能，可幫助使用者判斷使用哪種視覺圖表	洞察功能也相當完整，不過較依賴經驗進行判斷與操作	皆可
承載數據量	能夠輕鬆的匯入幾百萬筆資料量	在龐大資料量時，軟體穩定性會降低，需要擴充增益集	視需求而定
學習門檻	可拖拉完成許多任務，且容易學習	基本功能容易，但進階操作學習門檻較高	Tableau
資料介接來源（靜態）	可使用許多種類的資料，如 csv、excel、pdf 等	支援較少的資料格式（以 Excel 本身格式為主），需要擴充增益集	視需求而定
資料自動更新（動態）	可直接對接許多種類資料庫，點選完成，流程直覺	也可對接部分資料庫，但是流程較為複雜	Tableau
數學公式使用	也有許多公式可使用，但尚不及 Excel 的完整性	擁有大量豐富公式可使用，VBA、巨集等功能完整	Excel
資料融合	可用手動拖拉的方式，做資料融合，操作較容易	也可達成，但可能需要自己下公式（Ex. VLOOPUP）融合資料，或是透過增益集完成	視需求而定
發布到網路上	可將圖表發布為網站格式，也可嵌入其他網站	可將圖表發布為網站格式，也可嵌入其他網站，但流程較為複雜	Tableau
價格	如果想使用非 Tableau Public 版本，需要額外採購支出	一般企業皆已經採購，較不需額外花費	視需求而定
作業系統支援	Mac、Windows 皆支援	Mac、windows 皆支援，但 Windows 功能較為完整	皆可

▊整合使用 Excel 與 Tableau

本書後續實戰練習，主要以 Tableau 為主，相信許多讀者都會好奇，到底何時適合使用 Excel，又是何時適合使用 Tableau 呢？

相較於 Excel，Tableau 是一個較新的軟體，但其實兩套工具有許多功能重複之處，整體來說，Excel 對數據的處理功能更為完整，而 Tableau 則是視覺呈現功能使用起來非常順手，但兩者之間並非全然的取代關係，也可協同進行使用。相較於 Excel 對資料處理的完整性，Tableau 定位更偏向新興好用的商業分析工具，兩個工具很適合交叉使用，我們可先在 Excel 彙整好收集到的資料，進行若干 ETL 資料清理之後，再丟給 Tableau 進行更直覺的視覺邏輯圖表製作。

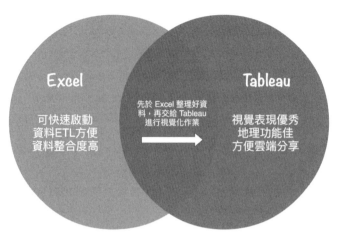

Excel 與 Tableau 的協作關係

不過，Tableau 在 2018 年也針對其 ETL 的弱項，推出了 Tableau Prep 這套資料整理工具，來減少對於其他軟體前置作業的依賴，本書在後續章節也有安排關於 Tableau Prep 資料清洗的實戰教學，讀者可嘗試看看。

何時建議使用 Excel？

雖然本章介紹了許多 Excel 的替代性工具，但 Excel 依然是歷史悠久的數據處理工具，除了許多人熟悉度較高之外，還有以下的情境會建議讀者使用 Excel：

希望減少組織衝擊，或有需與既有業務流程高度整合時

使用 Excel 的第一個考量是組織特性，Excel 在市場上存在已久，通常都是各組織的核心工具，多數公司都有採購其授權，而多數人這些年都在靠 Excel 吃飯的，所以如果 Excel 已經高度融入整體業務流程當中，也較好執行跨組織溝通，此時就不一定適合更換工具。

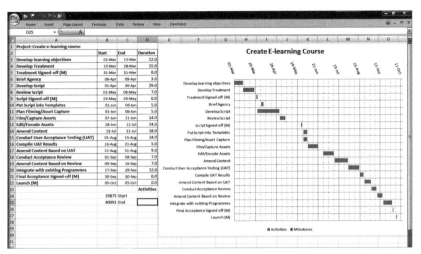

組織中 Excel 常常已經和業務流程相互綁定，不好更換，此圖為 Excel 甘特圖案例

※ 資料來源：https://ianjseath.wordpress.com/2009/06/03/how-to-create-a-half-decent-gantt-chart-in-excel/

希望與相關微軟體系的工具高度整合時

使用 Excel 的第二個原因，是相關支援工具體系的整合，由於微軟體系的軟體相當全面，除了 Excel 之外，Word 與 PowerPoint 都是辦公軟體的主要首選，而現今也有 PowerBI 這樣的大數據工具，這些工具之間有許多功能可以互相介接使用甚至交互編輯，格式之間彼此也能連動，各自的編輯成果也能直接貼到另外一個工具上面展示，十分方便。

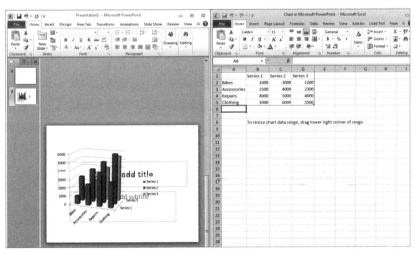

微軟旗下的文書軟體之間很能夠互通有無，例如：PowerPoint 和 Excel 就有許多協作關係

※ 資料來源：https://social.msdn.microsoft.com

想快速創作小型資料表格時

Excel 相當適合快速創作小型、單次性的業務表格，實際的商務世界中許多資料不一定是龐大數據，而是一些基本業務數據，只是需要改成表格的形式呈現，此需求透過 Excel 提供的「儲存格」概念可以快速完成，也可針對原始資料或是設計成果快速編輯，完成後輸出為 PDF、JPG 等主流格式，而同樣的流程較不適合在 Tableau 工具上執行，因為 Tableau 的強項在於將現有的大量數據進行一致性的數據邏輯整理，而非針對特定資料列表進行編輯。

Rep	Team	January	February	March	April		
George	SG	$4,100	$3,200	$1,000	$2,900	☆	
Jacob	JJJ	$3,100	$2,400	$3,500	$2,400	☆	
Schmidt	SG	$2,600	$1,800	$1,000	$2,000	☆	
Jinglehiemer	JJJ	$3,700	$2,200	$3,000	$1,200	☆	
John	JJJ	$1,200	$2,000	$4,000	$1,100	☆	
Total		$14,700	$11,600	$12,500	$9,600		

Excel 在編輯小型資料表格的時候非常好用

※ 資料來源：https://blogs.msdn.microsoft.com

想進行輕量資料清理（ETL 程序）作業時

如前幾章所介紹的，Excel 很適合進行大量資料清理（ETL 程序）作業，資料清理通常需要進行許多複雜的公式設計，或是針對特定的字串（String）格式、時間（Time）格式、地理（Location）格式資料進行轉置處理。

舉例來說，我們可能會想要調整原本的時間資料，將「2017/3/1 上午 8 點 39 分」這句話轉換成「2017/03/01 08:39」的標準時間格式，此類操作在 Excel 當中有提供大量的公式或是字串處理功能可供使用，且 Excel 線上社群與 Blog 也提供了大量的教學說明，讓我們很容易 Google 或是參考前人的經驗。

雖然 Tableau 也提供許多資料整理的功能與公式使用，但發展比較晚，且軟體定位比較偏向視覺化任務，對於需要龐大複雜操作的資料清理程序來說，相關支援功能尚不夠完整，建議可先將資料於 Excel 處理好之後，再丟進 Tableau 來發揮它的強項：資料視覺化。

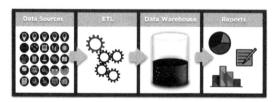

ETL 程序重點在於將不同資料來源整併成乾淨、一致的格式，供後續視覺化報表或是資料倉儲格式使用

※ 資料來源：https://datafloq.com/read/how-to-offload-the-etl-bottleneck-with-hadoop/2333

小結

大數據時代來臨，對於專案管理人員或是分析師來說，必須因應全世界的資料量不斷增長的議題，也催生了許多新興型態的資料分析任務。本篇介紹了多項工具，都是在大數據時代的好用工具，其中 Excel 普及性高，PowerBI 有微軟體系的加值，SAS 與 Rapid Miner 則擁有更完整的視覺化與數據分析功能，Tableau 則對於視覺化任務格外上手，讀者們可根據各自工作屬性來選用。

此外，由於市面上已經有許多 Excel 專書有完整的功能介紹，本書分配更多篇幅在 Tableau 工具的介紹，後續實戰任務將主要以 Tableau 作為示範工具，Tableau 入門容易，只要將資料製作成指定的 key-value 格式（例如：.xls .csv 數據）後，丟進軟體就可以自動生成各類視覺圖表，對於新手來說能快速產生成就感，甚至輸出為網頁格式，馬上分享給其他人瀏覽，鼓勵讀者可以去下載免費的 Tableau Public 版本嘗試看看。

然而，工具之間許多時候可以交互使用，而非完全的替代關係，例如：我們就可以透過 Excel 做資料清洗，並且將清洗結果由 Tableau 做呈現，因 Excel 擁有完整的資料處理機能，而 Tableau 則能夠用更直覺的視覺邏輯創造精彩圖表，如果讀者還想要做進階的資料科學處理的話，還可以再加上 SAS、RapidMiner、PowerBI 這類的工具導入。

期許各位都能找到適合自己的視覺化整合分析工具。

CHAPTER.05
好用的雲端視覺化管理工具

　　本章主要分享如何透過雲端視覺化工具，協助管理大數據專案的技巧，特別推薦使用雲端工具的原因，在於數據時代「資訊共享」的重要性。現在的資訊交流速度與議題更新的速度越來越快，當我們透過 Excel、Word 等離線工具打完修改內容的時候，說不定有些人已經做好分析結果並寄送給別人，甚至已經取得別人的反饋意見了，所以雲端化管理的核心優點就在於「資訊共享的強化」，減少資訊不對稱的狀況，並提升溝通效率，這在數據議題協作的時候格外重要。

雲端的強項在於資訊同步，提升溝通效率

雲端化工具的好處

　　傳統上，團隊通常是在自己的電腦裡完成被分派的工作，再透過 Email 傳送成果給別人，這種作法會少了許多過程的訊息透通，而大數據分析是一個需要大量協作的工作任務，如果訊息交換不夠頻繁，不容易產出高價值的成果，因此讀者可以考慮嘗試在組織中導入本文分享的雲端協同作業流程，或是挑選部分工具引入工作流程中，來提升整體分析成果品質。

　　數據分析類型專案，常常有訊息爆量的特性，依賴一來一往的溝通，會有很大的生產力下降問題，如果透過傳統的溝通流程，可能會有多到不行的 E-mail 來往，不只損害生產力，也會讓相關執行人員疲於奔命，甚至想要簡單了事。

　　本章想要分享的就是筆者在大數據專案的管理面上，如何透過雲端工具做各種分析資訊的紀錄與分享，透過各類視覺化介面來強化溝通，並達成訊息更快同步的好處，激盪更多反饋的發生。

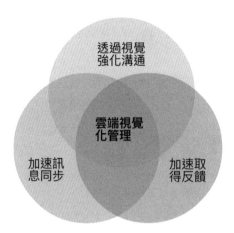

數據專案雲端化管理的三大優點

　　顧名思義，所謂的「雲端協同作業」就是將所有專案的資訊紀錄、交付項目，甚至是工作進度等，透過雲端的方式同步，能夠有效增加許多訊息的透通度，尤其適用於數據分析的任務，因為數據分析專案通常會有大量的訊息，整理如下表：

數據專案常見的訊息整理與資訊同步需求

溝通類型	說明
訪談得到的各類訊息	數據專案為了找到洞見，通常會收集許多訪談意見，這些意見都對於分析結果有重大的影響，需要持續彙整。
資料修正建議	許多數據可能會有一些清理上的議題，需要有人持續提供修正建議，或是釐清資料上的問題，也需要持續記錄。
圖表修正建議	建立好的數據圖表，通常給人看過後，會丟出更多分析的議題，也常常會給予圖表修正建議，也需要同步給相關的人。
新的圖表洞察發現	同樣一張圖，不同人觀察可能會看到不同的訊息，需要有一個共通的地方，持續累積洞察發現。

　　以上的訊息，如果是透過 E-mail 的被動方式來做訊息交換，則流程冗長，反饋速度較慢，不如透過各種雲端工具來輔助，讓資訊更加透通，並讓工作更順暢的完成。

大數據×視覺化雲端工具彙整

　　針對以上的資訊同步需求，有許多好用的雲端視覺化工具可以在大數據分析工作流程中給我們幫助，如Realtime Board、Google Doc、Google Spreadsheet、Draw.io、Asana等，可分別在專案的不同階段，幫助我們即時分享專案進度與成果，串連眾人的知識，協助專案成功。

本章分享的雲端視覺化專案管理工具彙整

工具名稱	logo	用途
Evernote	EVERNOTE	快速記錄各類訊息，可自己查閱，也可分享給別人。
Realtime Board	Realtime Board	視覺化統合大家的數據分析目標，並將工作拆分細項。
Google Sheet	Google Sheets	雲端版本的 Excel，可管理並建立數據測試案例，訊息即時同步。
Asana	asana	可透過網站，進行細部資料修正的細緻派工。
Draw.io	draw.io	繪製視覺化草圖。
Creately	creately	好用的雲端流程圖繪製工具。
Google Slides	Google Slides	可協同編輯資料視覺化重點標記。
Google Doc	Google Docs	整理並規格化各類文件。

雲端資訊記錄

▌Evernote：收集與分享分析素材

Logo	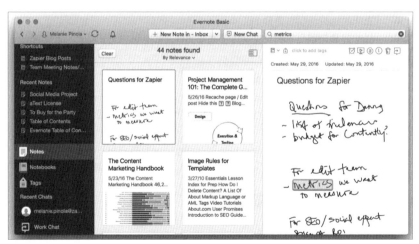**EVERNOTE**
工具網址	https://evernote.com/
工具使用重點	透過雲端筆記本的概念，可快速紀錄、共享、協作重要訊息與分析成果
任務目標	聆聽、記錄、管理各種視覺化所需的意見與資訊
傳統作法	記錄在自己的紙本筆記本上，或是透過 Word 之類的離線工具進行記錄
傳統作法缺點	不好分享資訊、記錄較麻煩、不好分類等

　　由於數據分析或是視覺分析專案的特性，通常包括超大量的統計資料、領域知識等，Evernote 的特性非常適合管理這些訊息，串通資訊流，相較於 Word 之類的文件軟體，Evernote 更像是輕量的筆記軟體，快速記錄閃爍即逝的想法，討論記錄，或是做分析重點的整理等。

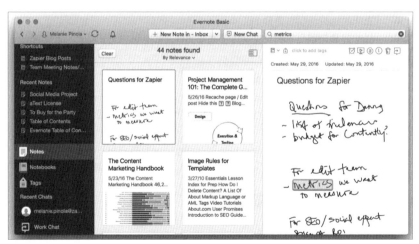

數據專案初期，可以大量使用 Evernote 彙整各類資訊

※ 資料來源：https://zapier.com/blog/how-to-use-evernote/

　　此外，Evernote 也有超好用的快速連結產生功能，我們可以將彙整過的資訊，透過雲端的方式分享給其他人。

Evernote 可快速產生超連結，有利於筆記資訊的分享

以下彙整 Evernote 工具與數據專案流程整合的若干情境：

透過 Evernote 工具彙整數據專案相關資訊的使用方式

使用情境	使用技巧
需求訪談時	❏ 可快速紀錄訪談重點 ❏ 可離線使用，不怕網路環境不佳，因連上線之後訊息一樣會同步回雲端
資訊整理時	❏ 易於進行重點標記、顏色標記等 ❏ 幫助知識自我消化、整理相關訊息 ❏ 易於進行重點排序，把較常用的訊息往前排列 ❏ 易於添加超連結，由於支援網頁連結功能，便於彙整相關聯知識 ❏ 易於進行歸類，例如：可將「訪談成果」、「分析成果」、「設計成果」區分開來等
訊息分享時	❏ 易於進行筆記分享，將分析的訊息分享給專案夥伴們

▋Realtime Board：組織分析議題

Logo	Realtime Board
工具網址	https://realtimeboard.com/
工具使用重點	線上便利貼工具，紀錄初步議題討論紀錄。
任務目標	找到合適的分析主題目標
傳統作法	召開會議進行討論，用發散式討論與會議紀錄的方式完成相關決議
傳統作法缺點	討論容易過於冗長，針對初步數據分析議題的抽象性，缺少視覺溝通，也較不好收斂，容易產生衝突

　　顧名思義,「數據分析」是從一堆數據當中來找洞見,也就是說我們手上可能會有許多的數據,然後我們再根據手上的數據,看看能從當中挖掘出什麼議題?這種方式常見於以舉辦駭客松(hackathon)的方式,在短時間內的腦力激盪來看能從數據中萃取出什麼?又或者是說,也可能從「我想要解決什麼問題」開始,然後再去看我想要解決的這個問題背後,需要哪些資料?總之,大數據分析的第一步,就是有效率地做資訊的彙整,問對的問題。

　　專案一開始時,最重要的就是彙整所有人對於分析目標的理解,並確立視覺化分析目標,筆者建議在此階段可以透過便利貼進行相關分析的發想、協調,透過討論的方式,找出共同好奇的分析議題,凝聚向心力,建立敏捷式修正的環境,並將相關資訊進行分類。

數據分析初期需要釐清許多資訊,初步很適合用便利貼進行資訊彙整與討論

　　然而,便利貼所記錄的成果,通常還需要轉成數位化,或者有時候討論時,可透過數位工具達成類似的溝通,讓相關內容可以有一個可以快速統合的地方。筆者在這邊推薦RealtimeBoard工具,它是一個雲端版本的便利貼工具,可以雲端使用,也可以離線存取,可快速分類或是進行各種便利貼的標記等,在做發散式討論或是需求彙整的時候特別好用!

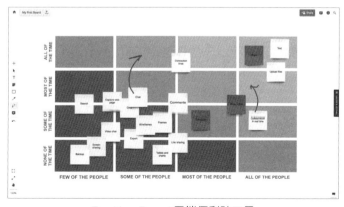

RealtimeBoard 雲端便利貼工具

※ 資料來源:https://www.youtube.com/watch?v=BD1c3XqT4lY

雲端議題追蹤工具

▌Google Sheet：資料品質管理與分析議題追蹤

Logo　 Google Sheets

工具網址　https://www.google.com.tw/intl/zh-TW/sheets/about/

工具使用重點　雲端管理資料的測試案例（test script）

任務目標　管理資料的品質，進行持續性的修正與派工

傳統作法　透過離線的 Excel 紀錄測試案例（test script）

傳統作法缺點　不好調整對應的測試案例，會有比較大的異動成本

　　「資料品質的確保」是很細密、複雜性、變異性高的任務，我們需要不斷優化對應的資料品質表單與檢驗標的。資料類型專案中，由於資料量龐大，我們較不容易用肉眼進行資料的檢查工作，需要透過測試案例（Test Script）的方式，列點來進行資料檢核作業。

傳統大多使用 Excel 管理測試案例（Test Script）

※ 資料來源：https://goo.gl/LzPL7B

　　然而，在數據類型的專案中，例外狀況三天兩頭就會產生，我們需要不斷拓展測試案例的數量，傳統的文件管理法可能需要不斷的 v1,v2,v3…下去，容易讓管理者疲於奔命，且每個人的電腦可能都有不同版本，也需要花額外的時間確認。

　　相較之下，筆者建議可改用雲端環境管理測試案例（Test Script），我們能夠更方便更新對應的測試項目，也擁有較低的管理成本。

我們要如何透過 Google spreedsheet 進行資料品質的確認呢？和 Excel 的操作很像，或者也可以說它是線上版的 Excel，操作功能十分類似，但在 Google Sheet 所做的調整，都會自動雲端同步到主機上，其他人可 1 秒內即時看到更新的版本，也可做到多人同步編輯。

	A	B	C	D
		檢測項目日期	測試結果	測試案例
2	#1	2017/12/11	通過	轉換幣別的公司應該是：金額換算加總 != 各輪次加總金額的公司
3	#2	2017/12/12	通過	必須有一個幣別是 $ 符號，或是 ¥ 符號)
4	#3	2017/12/13	通過	總額&投資數據加總額差距，必要要差距 > 1.05 的公司
5	#4	2017/12/13	通過	如果只有一筆投資紀錄，就直接用 total 額美金計算（parser 要補抓）
6	#5	2017/12/13	通過	如果只有揭露一筆投資紀錄，就直接用 total 額美金計算（parser 要補抓）
7	#6	2017/12/15	通過	判斷要轉換後，再跟總額比對 < 1.05 才算轉換是正確的
8	#7	2017/12/16	未通過	看國家資料，進行幣別轉換
9				

使用 Google Sheet 可讓多人在雲端環境完成資料檢核的任務

此外，雲端的特性也讓 Google spreedsheet 很容易快速重用測試案例，我們可以每天重新複製一個頁籤，並加入新的檢測標準，即可快速產出一份專屬於今日的檢測條列，既快速又方便。

Google Sheet 也有許多雲端權限設定的好用功能，例如：我們可以開立特定表單權限給某些人，甚至是控制某些人的修改位置權限等，也可直接在雲端作業環境指派任務給別人，非常好用。

Google Sheet 可快速執行線上派工任務

此外，Google Sheet 的「探索」功能也是非常好用的工具，它會自己分析目前的資料集中，有哪些是可以觀察的圖表，我們可透過這些自動產生的圖表，看出一些資料面的特殊分布，盤查資料品質，或是可以協助我們進行資料除錯工作。

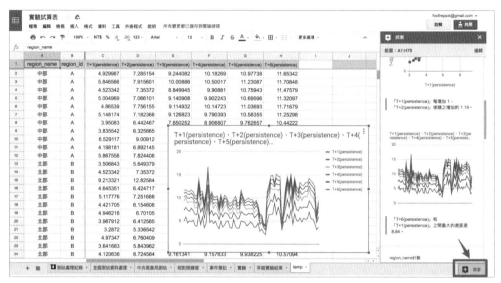

Google spreedsheet 的右下角「探索」功能非常好用，可以用來檢視許多有趣圖表

Asana：管理追蹤細部任務

Logo

工具網址	https://app.asana.com/
工具使用重點	進行細緻、細微的派工，並即時收取回饋
任務目標	確保相關資料修正議題都有持續追蹤
傳統作法	用 Excel 管理派工表單，用 Email 派送修改任務
傳統作法缺點	離線工具，較難追蹤修改任務的進度，也通常需要更多的管理溝通成本時間

資料專案常有爆量的資料面議題，我們需要有一套好用的工具同步大家的認知。Asana 是這方面的能手，該工具特別為了大量任務執行了最佳化，可方便記錄、調整與派工、不容易遺漏重要任務，也可全雲端管理、全雲端派工、使用行動裝置 APP 閱覽。

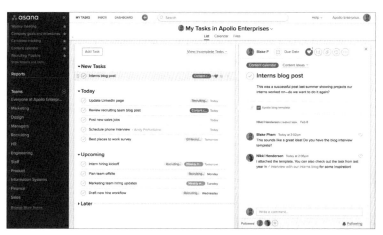

Asana 是非常好用的雲端任務管理工具

　　Asana 方便的地方在於，可以設定相關任務的分類、到期日等，並且能夠雲端指派處理的人選，對於專案管理的主控者來說十分方便，等於有一個地方能夠一覽所有的工作進程，尤其適合使用於資料修正的階段，較不怕有事情遺漏，也可指派不同人來進行分工合作。

Asana 的派工功能，能夠讓團隊更快速整理對應的任務清單與負責處理人員

在 Asana 透過「Completed Tasks」功能，來縱覽目前已完成的任務事項

Asana 好用的地方在於可「非同步作業」。所謂的「非同步作業」就是兩人可以同步進行各自的任務，並降低彼此的溝通相依等待時間，當任務派送出去之後，如果被指派的人完成任務，則發派者就會收到一個「任務完成」的通知。如此的好處在於我們不需要重複詢問：「做完了嗎」這個問題，而是可以靜靜等待一段時間，當對方完成之後，只要在 Asana 上面勾選「完成」，你就會知道這件事。可以減少溝通的成本，這點在資訊來往頻繁的資料修正階段格外重要。

雲端繪製圖表工具

▌Draw.io：建立分析結果草圖

Logo	🔺 draw.io
工具網址	https://www.draw.io/
工具使用重點	繪製雲端視覺草圖，較易於分享
任務目標	繪製視覺化雛形
傳統作法	透過手繪或是口述需求
傳統作法缺點	較不好修改，也不好保存

傳統上，我們常會透過手繪或是口述的方式，描述視覺圖表的繪製需求或圖像，但有時我們也可直接透過雲端工具繪製，數位化視覺雛形，有利於分享、可視化或是擴散。

Draw.io 是一款免費的好用工具，能夠直接線上做出若干視覺分析草圖等，也可雲端分享、容易管理、雲端協作等，也很容易分享與修改，並做線上確認。

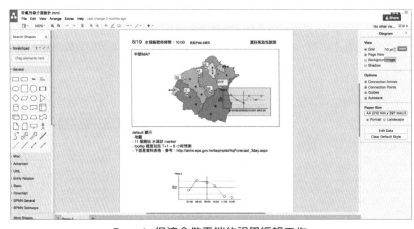

Draw.io 很適合做雲端的視覺編輯工作

　　Draw.io擅長建立一系列的分析圖像，相較於手繪能夠比較專業感，但又不像專業軟體般難以操作，對於拉視覺雛形很有幫助，大家也都可透過雲端協同編輯成果，非常方便。

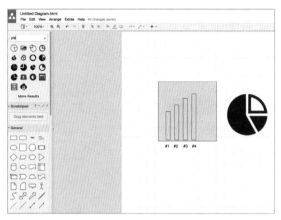

Draw.io內建有許多方便的圖表，可直接拖拉使用

▌Creately：線上製圖工具

Logo	creately
工具網址	https://creately.com/
工具使用重點	透過線上工具，快速製作並且分享
任務目標	好用的雲端圖表繪製工具
傳統作法	用紙筆或是簡報軟體，透過幾何形狀建立處理流程圖
傳統作法缺點	不容易產製漂亮圖表，且許多精緻造型的繪製成本較高

　　Creately是歷史悠久且是世界最知名的幾套線上繪圖工具之一，有非常多圖形樣板可供直接套用，例如：流程圖、組織圖、網站介面圖、心智圖、甘特圖、工程圖、SWOT分析圖、資訊圖表等，也可使用各類視覺元件繪圖，並提供多人同步編輯的功能。

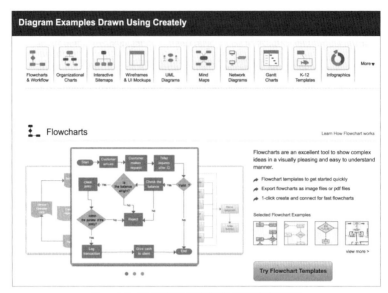

Creately 提供非常多視覺樣板可直接使用

※ 資料來源：https://creately.com/Draw-Organizational-Charts-Online

我們可以透過 Creately 建立各類數據專案管理流程，例如：資料清洗流程、資料圖表品管流程、資料流程等，並且透過雲端的方式分享給別人。

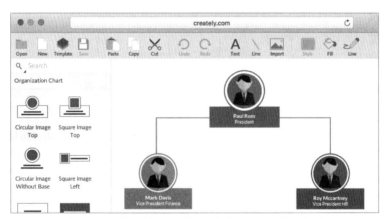

Creately 的設計介面清爽簡單，新手也能快速上手

※ 資料來源：https://creately.com/Draw-Organizational-Charts-Online

雲端文件化工具

Google Doc：持續性建立分析產出

| logo |  Google Docs |

任務目標	做視覺成果彙整
傳統作法	直接產生視覺圖片，或是透過 Word 進行彙整
傳統作法缺點	不夠完整，或是不好調整
工具網誌	https://www.google.com/docs/about/
工具使用重點	整理並規格化釐清專案需求

對於一個資料專案的最終成果彙整時，通常有兩種作法：

❑ 直接將做好的視覺圖表（圖片檔案）E-mail 傳送給對方。

❑ 提供完整的報告給對方。

筆者比較建議走第二種方式，原因是我們需要透過報告的形式，完整交代視覺圖表的來龍去脈，也較能夠補充重要的輔助資訊。我們可以透過傳統 Word 之類的工具進行彙整，來做出一份完整的分析報告，或是改用線上版本的 Word 來進行文件的雲端編輯，最有名應該是 Google Doc，它是一款優秀的雲端文件編輯工具，提供即時多人編輯的機制，也可使用 Word 許多核心功能，而且全部免費。

雲端工具 Google Doc 主打可隨時隨地存取文件，也有推出專屬 APP，主打多人雲端同步作業，資訊同步化

但在數據專案的成果彙整階段，分析成果可能來自不同的人，傳統的 Word 工具需要在各自完成之後，才透過 E-mail 傳送給某個人進行彙整，但如果改採用雲端編輯的方式，則

一開始大家在同份文件上共享各自的成果，訊息也可更透明，甚至最終彙整的時候，大家也可以在同樣一份檔案上協同編輯，提升製作效率。

文件雲端化之後，任何地方任何地點，只要有網路都可進行編輯與瀏覽

▌Google Slides：線上視覺加工

Logo	Google Slides
工具網址	https://www.google.com/slides
工具使用重點	用 Google slide 多人協同作業，添加描述資訊，更彈性於線上調整
任務目標	製作視覺分析成果，添加引導資訊
傳統作法	透過 PowerPoint 編輯，或是透過小畫家、Photoshop 等軟體加工
傳統作法缺點	需要有額外彙整的工作，且後製完的圖像，不好進行調整（已經是合成好的檔案）

Google slide 的第一個重要好處就是協同作業，傳統上我們大多透過 PowerPoint 編輯各自的內容，這樣的作法在後期彙整時會蠻辛苦的，主要原因：

❏ 大家用的簡報樣板不一。

❏ 大家不知道彼此製作的內容，彙整時還需要整理一次。

❏ 彼此的邏輯不容易串起來。

協同作業代表大家透過同樣的作業環境進行最終成果的製作，這種工作流程本身就可以省下後期可觀的整合工作量，是一項非常好用的技巧。過去我們大多透過 PowerPoint 等簡報工作來進行，而在雲端時代則可以試試看 Google Slides 這類型的好用雲端工具，可以多人同時閱讀一份文件，也可各自標記覺得重要的部分，避免因為檔案傳來傳去的多餘溝通成本。

協同合作，效率倍增

Google 簡報可讓所有人共同編輯、瀏覽同一份簡報。

與任何對象共用表單

即時進行編輯

即時通訊與註解

透過 Google slide 很適合彙整與協同編輯視覺成果

分析結果產出之後，我們可能會需要在圖表上添加一些備註資訊，可能是分析的背景，可能是資料的前提，也可能是分析的結論等，幫助閱讀者進行更深層的閱讀。這些行為過去也常常發生在設計軟體或是傳統的簡報軟體中，但在視覺化專案中，我們可以考慮改為在 Google slide 等雲端軟體上完成此操作，優點是可以很彈性的製作與修改，也可多人協同編輯，減少傳統圖表彙整上的麻煩。

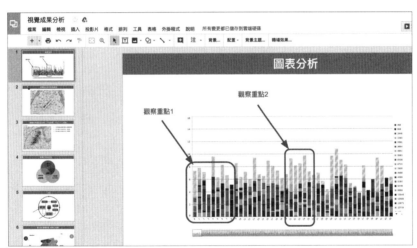

在雲端環境製作訊息的標記（例如：圖中的「觀察重點」），更容易進行調整，或是多人協同標記重點

小結

本章主要為一些專案管理面向的技巧分享，透過整個工作流程的雲端化，來提升大數據專案的品質，以下彙整雲端工具整合的六大優點：

❑ 多人即時同步編輯，減少後期彙整的時間成本。

❑ 任意地點皆可瀏覽內容，強化資訊調用的效率。

❑ 資料即時備份，較不用擔心遺失問題。

❑ 多數軟體皆為免費，整體成本較一般軟體更低。

❑ 所有資訊可在線上快速透過超連結互相查閱，資訊比對較容易。

❑ 與傳統工具格式交叉相容，方便進行交互轉換。

　　相關流程對數據處理相關專案非常有幫助，不過實際導入會需要看各個組織的運作狀況而定，也可將部分流程改為雲端作業，但其他部分則維持原有流程，各位讀者可視狀況而定。

　　期待各位讀者在管理數據專案時，都能夠善用這些雲端工具，強化專案資訊同步機能。

CHAPTER.**06**

其他數據視覺化工具

　　除了前幾章介紹的常見視覺化工具之外，還有許多好用的工具選擇，本章整理了一些線上數據設計環境工具、網路流量分析工具、地理空間製圖工具，以及線上資訊圖表設計環境，讀者閱讀內容後可觀察是否合適整合到自己的工作環境中，以協助大家說一個漂亮的數據故事。

線上數據視覺化環境

▌Google Sheet

網址　　　https://www.google.com/sheets/about/

特色　　　知名公司產品，功能完整

　　前一節內容有介紹 Google Sheet 是一個很好的雲端管理工具，其實它同時也是一個很棒的資料視覺化工具。Google Sheet 是僅次於微軟體系的第二文書選擇，相信許多人都有使用其進行線上文書處理的經驗，內建多項視覺圖表繪製工具，如長條圖、圓餅圖、線圖等都有支援，最新的功能甚至整合了機器學習的概念，用人工智慧幫使用者畫圖。

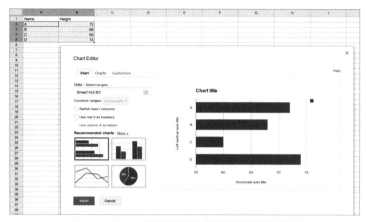

Google Sheet 提供多樣化的資料視覺化工具

※ 資料來源：https://developers.google.com/chart/interactive/docs/spreadsheets

Google Data Studio

網址　https://datastudio.google.com/navigation/reporting

特色　資料處理能力完善，Google 生態系綁定

　　Google Data Studio 是 Google 大神所推出的數據分析工具，但與 Google Sheet 應用情境不太相同，Google Data Studio 想要創造的是完整的數據視覺化整合環境，使用者可以直接在線上完成所有工作，例如：設定資料來源、設定畫布、設定圖表樣式等，最強的部分在於能夠與非常多的資料來源進行綁定，也可以直接套用 Google 生態系的功能，如權限的設定、資源的共享等，是一套不可錯過的好用工具。

透過 Google Data Studio 製作的視覺圖表

※ 資料來源：https://datastudio.google.com/

▌Plotly

`網址` https://plot.ly/

`特色` 強調社群分享與資料交流

　　Plotly 是一套知名的視覺化平台，具備完整的線上圖表編輯功能，特色是其同時也是社群視覺作品平台，可以輸入關鍵字進行檢索，也能針對圖表類型進行過濾，我們可看到發布者的帳號與作品。此外，Plotly 有一項特色功能是「Fork」，類似程式碼管理平台 GITHUB 所提供的機制，當我們看到別人發表有趣的資料或是圖表，可以執行 Fork 來複製一份到我們自己的編輯環境中，後續再轉換利用。

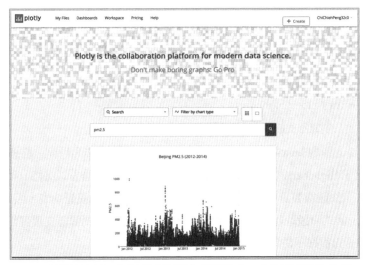

plotly 的社群主頁，可以進行視覺化圖表檢索，也能看看網友作品

※ 資料來源：https://plot.ly/feed

▌PlotDB

`網址` https://plotdb.com/

`特色` 台灣開發，簡單好上手，豐富的色彩調色盤

　　由台灣團隊開發的 PlotDB，功能完整，是線上資料視覺化工具的佼佼者，輕鬆好上手的操作介面，還能直接切換英文／繁體中文顯示，圖表方便切換不同色彩主題，快速創作出讓人驚艷的視覺圖表。

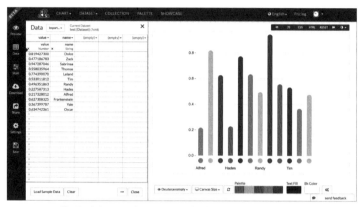

plotDB 的設計介面，常用工具在左邊，右下角則是色彩調色盤

※ 資料來源：https://plotdb.com/

Highcharts Cloud

網址 https://cloud.highcharts.com/

特色 對於瀏覽器支援度高，行動裝置相容度高

　　Highcharts 是老牌的 JavaScript 圖表視覺化函式庫，發展多年，世界上許多專案都有導入，近期推出了 Highcharts Cloud 雲端產品線，視覺邏輯承襲過去的風格，新增了線上資料編輯介面，可快速複製資料並貼到雲端畫面，幾秒之間產出視覺圖表。因為 Highcharts 是由 JavaScript 函式庫設計起家的，所以視覺圖表的產出對於瀏覽器支援度很好，也將行動裝置相容性做得很好，是其一大賣點。

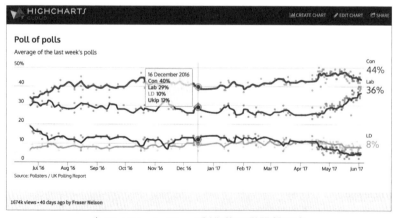

由 HighCharts Cloud 製作的互動視覺圖表

※ 資料來源：https://cloud.highcharts.com/show/alojife

DataHero

網址　https://datahero.com/

特色　外部資料串接完整

　　顧名思義，DataHero強大的地方在於資料串接的功能完整性，可串聯許多常見第三方服務，例如：Facebook、GA、Dropbox、Google Drive、Github等，將第三方資料導入讓DataHero進行介接與視覺化。其他特色包括：操作容易上手、配色工具很完整等，但缺點是分享的圖表供人觀看時，需要對方註冊或是登入。

DataHero的圖表編輯介面，清楚明瞭

※ 資料來源：https://app.datahero.com/

Lyra

網址　http://idl.cs.washington.edu/projects/lyra/

特色　視覺編輯彈性高

　　Lyra是由學校實驗室所製作的，也是視覺化整合設計環境，不需要程式碼基礎，可以線上修改視覺元素，彈性高是其主要特色，有點介於繪圖工具與資料視覺化工具之間，能滿足線上繪圖的需求，也能整合資料加入視覺化，操作性雖然不像一般商用工具流暢，但Lyra是全免費且開放原始碼的專案。

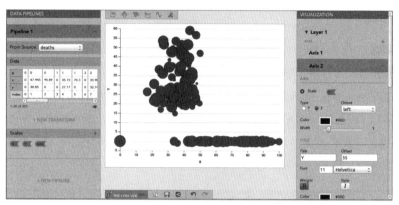

Lyra 的視覺化編輯介面

※ 資料來源：http://www.vislives.com/2014/03/lyra-interactive-visualization-design.html

網路流量數據分析工具

在「網路流量分析」部分，主要介紹二套視覺化工具：Google Analytics、Similar Web，兩套都是此領域的霸主。

Google Analytics

網址 https://analytics.google.com/analytics/web/

特色 世界網路流量分析最有名的工具，且免費提供

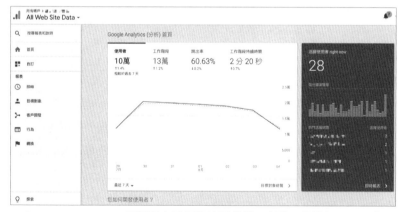

Google Analytics 工具提供大量網路流量數據可瀏覽，非常好用且免費

Google Analytics 又稱 GA，是大數據專案常用的工具，因為其好用又免費的特性，是世界上做網路數據的第一把交椅，GA 幾乎是所有網站最基本必裝的網站分析工具，不論提供的是線上服務，還是電子商務網站，GA 都能夠協助我們分析許多流量的狀況，主要功能包括以下：

❑ 使用者統計（Demographics）。

❑ 使用者行為（Behavior）。

❑ 使用者多層檢視（User Explorer）。

❑ 網頁熱門字詞與搜尋關鍵字狀況（Keyword）。

❑ 網頁速度資訊（Speed）。

❑ 計算轉換（Conversions）。

❑ 使用者區隔（Customer Segmentation）。

GA 能夠幫助我們了解他們是從什麼管道搜尋或是連結前來，以及使用者如何使用你的網站，內容是否吸引人等，且相關數據皆透過圖示呈現資料，一眼就可以看出想要的數據結果。GA 已經在市場存在許久，讀者如果對相關技術感興趣的話，可翻閱相關書籍來了解。

SimilarWeb

網址 https://www.similarweb.com/

特色 累積全球數以百萬計的網站訊息及用戶瀏覽數據的專業數據洞察工具

SimilarWeb 提供網站排名以及網站競爭度數據，讓使用者視覺化了解自己與競爭對手的網站流量概況，以擬定更好的網站行銷企劃與解決方案。

Facebook.com 與 twitter.com 在 SimilarWeb 上的比較圖表

SimilarWeb 的核心功能主要有：

❑ 網站流量狀況報表（Traffic Review）。

❑ 流量地區報表（Traffic by countries）。

❑ 流量來源資訊（Traffic Sources）。

❑ 推薦流量資訊（Referrals）。

❑ 搜尋流量資訊（Search）。

❑ 訪客的興趣類別資訊（Audience Interests）。

❑ 競爭對手與相似網站情報（Competitors & Similar Sites）。

SimilarWeb 有免費與付費的版本，免費的版本可讓使用者在搜尋列輸入想要觀察的網站，然後會出現相關的流量資料，資料內容區分為全球、網站所在國家、網站類別的排名狀況，付費之後則可以解鎖完整功能。

不過 SimilarWeb 並非如 GA 一樣，是直接安裝在網站中做統計，而是透過搜尋引擎的技巧來了解各個網站流量狀況，數據有時較不準確，若只是想要了解網站的概況，SimilarWeb 提供的數據可給網站管理者大量參考，也能夠參考相關競爭者的數據資訊來做出決策制定，是一套強大的網頁流量視覺化工具。

地理資訊數據視覺化工具

▌Mapbox

<table>
<tr><td>網址</td><td>https://www.mapbox.com</td></tr>
<tr><td>特色</td><td>開放街圖的資料</td></tr>
</table>

Mapbox 是近幾年 OSM（開放街圖 OpenStreetMap）概念的一個經典應用，提供完整的線上管理介面，可供外部圖像嵌入，不過定位屬於較專業軟體應用，標語是「The location platform for developers and designers」（給設計師與工程師使用的地理圖資平台）。Mapbox 的產出結果可供 iOS、Android、Web、Unity 等專業平台工具進行整合，也能夠與許多第三方服務整合圖層顯示，已成為地理資料視覺化的殺手級應用。

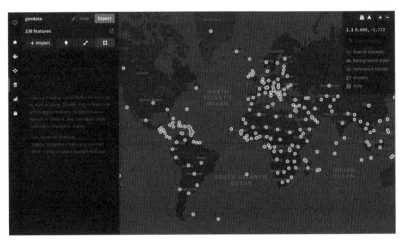

Mapbox 結合資料的地圖顯示介面

※ 資料來源：https://www.mapbox.com/

▌Datamaps.co

<table>
<tr><td>網址</td><td>https://datamaps.co</td></tr>
<tr><td>特色</td><td>免費且輕量的地圖資料視覺化，包括台灣區</td></tr>
</table>

Datamaps.co 的優點為輕量且容易上手，支援空間或是地理類型的資料，只要打開網頁就可以馬上設定地理空間數據集，資料則以上傳或人工輸入的方式來達成。圖像完成之後，可轉輸出為 SVG 或是 PNG 等格式來供後續應用。

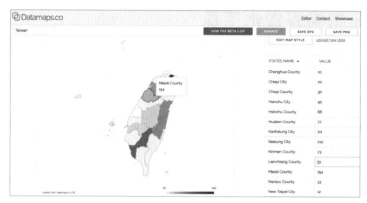

用 Datamaps.co 繪製台灣區的資料視覺化圖

※ 資料來源：https://datamaps.co/editor/taiwan/edit-data

ArcGIS

網址　　　　　　https://maps.arcgis.com/

特色　　　　　　強大的地理資訊視覺化平台工具

ArcGIS 是 GIS 地理空間視覺化的老牌工具，已經發展多年（可見維基百科：https://zh.wikipedia.org/wiki/ArcGIS），擁有多套相關產品，近期也從原本的桌面版本發展出雲端即時操作的版本，可疊加多重地理資料圖層，根據地理位置疊加豐富資訊上去，適用於需要大量地理圖資操作需求的專案。

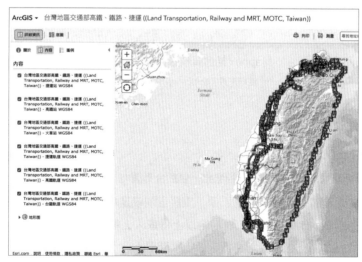

透過 ArcGIS 製作的台灣區路網資料視覺化

※ 資料來源：https://www.arcgis.com/home/webmap/viewer.html?layers=d91ce4cf4a1146519c935eb5c99c85c1

CARTO

網址　https://carto.com/

特色　功能完整，容易上手

　　CARTO 提供地理類型的資料上傳功能，之後順著指示即可完成視覺化作業，上手容易，比 Datamaps.co 功能來得完整，但是又不像 ArcGIS 和 Mapbox 如此困難。此外，CARTO 平台效能經過許多調整，現今已經可支援大量數據的視覺化作業，也擁有眾多成功案例。

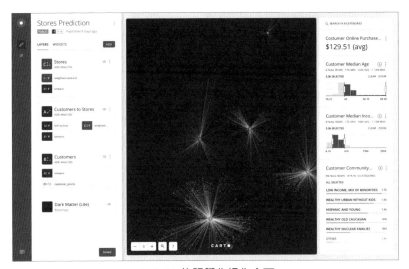

CARTO 的視覺化操作介面

※ 資料來源：https://carto.com/

geojson.io

網址　http://geojson.io/

特色　超直覺設定地理區間並產出地理資料格式

　　geojson 是常見用來作為地理資料的格式，geojson.io 則是將其操作介面視覺化，透過直白的滑鼠圈選區域，即可產出對應的地理圖資格式，如 Geojson、KML、Topojson、SHP、CSV、WKT 等，相當方便。

geojson.io 的所見即所得操作介面

※ 資料來源：http://geojson.io/

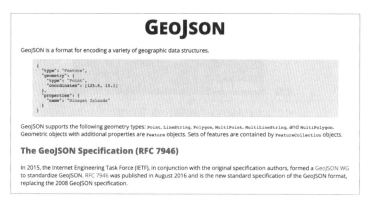

geojson 的標準資料格式

※ 資料來源：http://geojson.org/

線上資訊圖表設計工具

▌Piktochart

網址　　　　https://piktochart.com/

特色　　　　線上製作資訊圖表，有許多樣板供使用

資料視覺化的其中一個分支，就是製作「資訊圖表」。一般來說，這類圖表都是委任設計師專門設計，但近幾年陸續出現一些線上編輯工具，降低了門檻，讓一般人也可以自行設計，Piktochart 就是其中特別知名的一套。透過簡單的編輯畫面，讓許多人親手設計美麗的資訊圖表，也能夠自己上傳資料，並轉化為視覺圖表，加入到故事當中。

Piktochart 的資訊圖表編輯頁面

※ 資料來源：https://magic.piktochart.com

| Infogr.am

| 網址 | http://infogr.am/ |

| 特色 | 超容易理解的線上操作介面 |

Infogr.am 和 Piktochart 工具的用途類似，也能夠線上製作資訊圖表、編輯資料或是客製化自己的畫面等，最終可下載 PNG 或 PDF 格式。Infogr.am 做的單鍵快速發布功能強大，可輸出動態互動圖，也能嵌入部落格文章或是網站，並且內建分享按鈕。

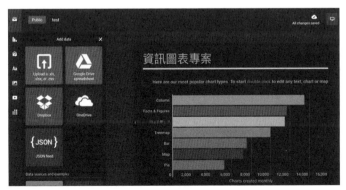

Infogr.am 的線上編輯介面

※ 資料來源：https://infogr.am/

Quadrigram

網址　　　　http://www.quadrigram.com/

特色　　　　完整的線上資料故事編輯器

　　Quadrigram 是一套強大的視覺化說故事工具，提供了類似網頁編輯器的全線上操作介面，主打「線上故事編輯器」，標語是「Quadrigram allows you to engage people by sharing stories that matter」，所以不只是視覺化工具，還可以同時進行資料上傳、圖表設定、網頁元件設定等。故事製作好之後，最終可輸出多種格式，如網頁、嵌入圖表、程式碼，可彈性應用。

透過 quadrigram 線上製作的視覺化網頁

※ 資料來源：http://www.quadrigram.com/

小結

　　近幾年全世界對資料越來越重視，各個企業或團隊都不斷向數據靠攏，也看到各式各樣的資料工具出爐，本章彙整了一些常見的視覺化工具，包括一些線上數據設計環境工具，以及常見的網路流量分析工具，還有若干地理空間製圖工具等，讀者可根據各自工作任務狀況，挑選合適工具進行使用。

PART 03

用 Excel / Tableau
無痛資料清洗

對於企業來說，許多數據類型專案最麻煩的部分可能是「資料清洗」。許多資料產生的初衷並非是為了執行視覺化作業，絕大多數的資料取得後，並無法直接進行分析，資料產出的過程當中，會有各種原因導致資料結構不完整，或是俗稱的「很亂的資料」，需執行如修正錯字、修正格式、彌補空缺等任務，此部分的時間成本容易被低估，在視覺化流程當中，是相對容易被忽略的部分，花費比預期之外更多的時間。

執行相關業務的長官或客戶，一般更在意數據更高層的商業意義，對於資料清洗的重要性與所需時間相對不好奇，導致資料清洗在數據分析的任務過程當中可能被低估，在資料視覺化的任務中，許多專案的清洗時間甚至會占了一半以上，但我們需要投入時間來避免「Garbage-in Garbage-out」的問題，再強大的視覺分析能力，也拯救不了品質不好或定義模糊的資料。

關於雜亂資料

資料很容易雜亂的原因為何呢？我們先來看看雜亂資料可能會有哪些類型，通常我們都會先將資料做一些定義，如資料儲存的結構、欄位的設計等，但通常只要透過人為操作或是時間拉得比較長，甚至是透過機器產生數據的話，都會產生各種資料不完整。舉例來說：

各類導致雜亂資料的可能原因

雜亂資料類型	可能導致的原因
系統設計問題	❏ 某公司的系統在 xxxx 年的某一天更改了幣別格式，從加拿大幣變成美金計價 ❏ 文字上的編碼差異，例如：中文常常就會有顯示的問題。 ❏ 跨平台、跨資料庫的細微格式差異，例如：不同資料庫欄位的格式可能不同，在 A 資料庫是字串，但在 B 資料庫是時間格式。
資料定義變更	❏ 某個業務「王大五」在某一天突然改名成「張大五」了，業績數據變成需累加兩個人名的資料 ❏ 承辦人更換，撰寫數據的規則不同，原本 A 承辦人可能是上班時登記，但 B 承辦人卻是下班時登記 ❏ 不同國家、不同地區、不同時間對於資料的定義不同問題，例如：房價的計算公式定義，在 50 年之間就有許多異動。
資料欄位格式差異	❏ 數值標準改變，時間、地點的描述名稱都有可能在長時間之下調整，例如：原本的高雄縣在 2010 年更名為高雄市，資料也需對應整理 ❏ 幣別名稱差異，例如：新台幣有新台幣、台幣、TWD、$ 等描述方法，如果用符號表示，也會有和美金混淆的問題。 ❏ 財務上的小數點差異，有些會四捨五入，有些會加逗點，但放在一起會無法計算。 ❏ 原本單個欄位包括多個邏輯，需拆分多個欄位，例如：「台北市內湖區」可以拆分為「城市」與「地區」兩個欄位，較好做利用。

雜亂資料類型	可能導致的原因
系統或硬體不穩定	❑ 某筆資料只會在網路通暢時寫入資料，但如果網路不夠穩定，則會中斷寫入，所以會產生空值問題。 ❑ 數據收集硬體中間損壞，所以中間有一大段時間空缺（時間序列的中斷），也無法彌補當時的空缺。 ❑ 有時會重複寫入相同資料，需要去除。
業務整合與認知差異	❑ 跨單位的資料整合問題。 ❑ 針對相同事物，在文字或是描述上的口語差異。
檔案差異	最好用的當屬 excel 或是 csv 等標準格式，但有時候會收到 pdf 格式的檔案，甚至是紙本資料，都會造成處理上的困難。

　　Excel 試算表的格式彈性，就像是一個開放表格，通常不會嚴格定義每一格裡面到底可放怎樣的資訊，所以只要各種人為造成、流程改變或是技術上的限制等，就會造成資料格式異常，許多狀況都會導致雜亂資料的情形。

人為記錄資料

　　除了資料雜亂的問題之外，還存在著人為記錄資料不好整理的困難，例如：一般業務報表的格式，像是「報價單」，相對內容較不結構化，相對困難做後續彙整。以下是一個常見的報價單格式，其中包括了如折數、單價、品項名稱等基本資訊，但這樣的格式如果要執行視覺化作業，可能會讓我們偏頭痛，因為它不是按照序列性的邏輯所編排的，我們除了需要去除多餘字元之外，也需要跳開相關隔線限制等，有時甚至需要手動重新製作。

報價單

客戶名稱：		報價單號：	
聯絡地址：		報價日期：	
聯絡人：	周小姐	負責業務：	
電話：	傳真：	幣別：	
有效期限：	至 92/03/27 止	稅別：	

序	產品編號	產品名稱 / 規格描述	折數 %	單價 / 單位
1	CP-1000	平衡器	95.00%	$118/個
2	CP-1036	36" 迷你型蹦床	100.00%	$408/個
3	CP-1038	38" 迷你型蹦床	110.07%	$809/個
4	CP-1040	40" 迷你型蹦床	100.00%	$725/個
5	CP-1048	48" 迷你型蹦床	95.00%	$614/個
6	CP-1140	製動傳動裝置	110.08%	$1,310/套
7	CP-1240	離合器	119.99%	$1,999/個

業務部分常見的報表格式

從以上的案例就可以得知，好的資料並不是一件容易的事情，在資料收集的過程當中會有太多的可能事件產生，改變了一開始資料收集的初衷，有些資料上的定義，甚至需要多人共同定義，才能讓參與的成員正確詮釋數據背後的意義。

資料亂掉怎麼辦呢？

當資料亂掉時，需要進行「數據清洗」的流程。顧名思義，數據清洗就是將數據整理成方便後續利用的整個流程，其中包括像是：異常值的處理、缺失數據的處理、重複數據的處理、降噪程序等，最終目的通常是產出結構化資料，供後續資料分析或是資料視覺化使用。

針對雜亂資料進行「數據整理」幾乎是每個數據專案的必經過程

適合資料視覺化的資料

那什麼才算是對於資料視覺化作業而言品質良好的資料呢？一般來說，是「定義清楚的結構化資料」，即一個蘿蔔一個坑，且每個坑規格都相同，資料欄位格式也相同，對於視覺化作業就相當方便。

一個適合資料視覺化的結構化資料包括兩大部分：

❑ 資料表頭（第一列，說明該欄的用途）。
❑ 資料本體（第二列以下，擁有相同的格式的資料）。

熱點名稱	地址	緯度	經度
立法院大門會客室	100臺北市中正區中山南路1號	25.043965	121.519581
立法院議場	100臺北市中正區中山南路1號	25.043717	121.520635
國家圖書館2樓參考室	100臺北市中正區中山南路20號	25.03717	121.516567
國家圖書館5樓閱覽室	100臺北市中正區中山南路20號	25.03717	121.516567
國家圖書館6樓閱覽室	100臺北市中正區中山南路20號	25.03717	121.516567
國家圖書館B1樓閱覽室	100臺北市中正區中山南路20號	25.03717	121.516567
國家圖書館閱覽室	100臺北市中正區中山南路20號	25.03717	121.516567
國立中正文化中心國家戲劇院福華劇院軒入口處	100臺北市中正區中山南路21-1號	25.036675	121.519046
國立中正文化中心國家音樂廳售票口左側	100臺北市中正區中山南路21-1號	25.036675	121.519046
國立中正紀念堂管理處堂內大忠門及大孝門服務台	100臺北市中正區中山南路21號	25.0347299	121.521932
教育部一樓大廳	100臺北市中正區中山南路5號	25.042749	121.51915

適合視覺化的資料格式示意

　　上圖示意的是一批乾淨資料集的截圖，但真實狀況常常會遇到的情況，當資料量大了之後，各式各樣資料的變異就會產生，造成後續分析作業的困難，需要進行整理。

[實戰範例] 警政署（即時交通事故資料）

範例下載位置　　[CH7] http://design2u.me/tableau/dataset/traffic.xlsx

範例下載位置　　[CH8] http://design2u.me/tableau/dataset/traffic_csv.csv

原始來源　　https://data.gov.tw/dataset/12818

即時交通事故資料(A1類)

資料集評分：	★★★★★ 平均 4.2 (10 人次投票)
資料集描述：	提供造成人員當場或24小時內死亡之交通事故資料(A1類)
主要欄位說明：	發生時間、發生地點、死亡受傷人數、車種、經度、緯度
資料資源：	CSV　◉ 檢視資料　即時交通事故通報資料(A1類)
提供機關：	警政署
提供機關聯絡人：	郭文正 先生 (02-23219011#6536)
更新頻率：	每週
授權方式：	政府資料開放授權條款-第1版
計費方式：	免費
上架日期：	2015/03/09
資料集類型：	系統介接程式
詮釋資料更新時間：	2018/07/10 10:08
關鍵字：	交通事故
主題分類：	其他
服務分類：	公共資訊
備註：	A1類：造成人員當場或24小時內死亡之交通事故。 A2類：造成人員受傷或超過24時內死亡之交通事故。

即時交通事故資料的資料說明頁面

	說明	欄位屬性	資料範例
1	發生時間	時間	106 年 01 月 01 日 02 時 35 分
2	發生地點	文字	臺東縣長濱鄉樟原村樟原 94 號旁 (附近) 台 11 線 74 公里 000 公尺處東向外側車道
3	死亡 / 受傷人數	文字	死亡 1; 受傷 0
4	車種	文字	普通重型 - 機車

	A	B	C	D
1	資料提供日期：106年07月31日			
2	事故類別：A1類			
3	發生時間	發生地點	死亡受傷人數	車種
4	106年01月01日 02時35分	臺東縣長濱鄉樟原村樟原94號	死亡1;受傷0	普通重型-機車
5	106年01月01日 02時43分	新北市板橋區環河西路4段前0	死亡1;受傷0	普通重型-機車
6	106年01月01日 03時35分	桃園市大溪區復興路文化路(口	死亡2;受傷0	普通重型-機車;計程車-小客車;自用-小客車;普通
7	106年01月01日 06時09分	高雄市前金區村七賢二路前02	死亡1;受傷0	普通重型-機車;行人-人
8	106年01月01日 06時25分	新竹縣竹北市竹義街76巷	死亡1;受傷0	普通重型-機車;行人-人
9	106年01月02日 05時50分	新竹縣新埔鎮文德路三段58號	死亡1;受傷0	普通重型-機車;自用-曳引車
10	106年01月02日 05時53分	彰化縣芳苑鄉台17線永興橋	死亡1;受傷0	營業用-曳引車;普通重型-機車;普通重型-機車
11	106年01月02日 10時25分	彰化縣溪州鄉陸軍路	死亡1;受傷0	普通重型-機車
12	106年01月02日 14時45分	宜蘭縣五結鄉利澤路利澤東路	死亡1;受傷0	自用-小客車;腳踏自行車-慢車
13	106年01月02日 16時20分	臺南市將軍區嘉里南18線6.5	死亡1;受傷0	自用-小客車;普通重型-機車
14	106年01月02日 18時00分	花蓮縣吉安鄉宜昌村中華路二	死亡1;受傷1	普通重型-機車;普通重型-機車;自用-小貨車
15	106年01月02日 22時55分	高雄市芩雅區建國大順路口前	死亡1;受傷0	民營公車-大客車;普通輕型-機車
16	106年01月03日 06時18分	臺南市安南區海佃路二段42號	死亡1;受傷0	普通重型-機車;腳踏自行車-慢車
17	106年01月03日 10時50分	臺南市鹽水區孫厝里南3線公路	死亡1;受傷1	普通重型-機車;普通重型-機車
18	106年01月03日 13時33分	彰化縣鹿港鎮南勢巷頂草路(口	死亡1;受傷0	自用-小客車;自用-小客車
19	106年01月03日 13時50分	雲林縣斗六市明德北路二段43	死亡1;受傷0	普通重型-機車;自用-小貨車
20	106年01月03日 17時33分	高雄市鳳山區村博愛路97之號	死亡1;受傷1	普通重型-機車;普通重型-機車

本資料集的截圖畫面，可以看出格式有點混亂，需要整理

CHAPTER 07

透過 Excel 進行 ETL 資料清洗

實戰任務說明 透過 Excel 整理一批髒資料,轉而用來滿足後續的視覺化分析需求。

Excel 非常適合運用於資料清理的流程,在進行資料視覺化之前,我們常常會遇到各種格式的資料,我們除了透過程式進行處理之外,多數狀況其實只要透過 Excel 內建的功能就可清理乾淨,本章將會教學 10 個常用的資料清理技巧,處理過後的資料會更加結構化,更好供後續分析所使用。

不過,如果真的遇到像是超巨量資料或是很複雜的清理邏輯,可以再透過 VBA 或是 Python 之類的程式語言進行後續處理,或是也可參考下一章的 Tableau Prep 這套資料清洗工具,或是 SAS / RapidMiner 等大型數據工具,綜合考量做使用。

使用Excel進行資料清理的原因

本書雖然花費更多篇幅介紹 Tableau 工具,但 Excel 除了擁有它的完整普及性之外,相對於 Tableau 也更適合執行資料清理作業,且 Excel 通常也是企業預設儲存或是輸出的檔案格式,即 Excel 常常是數據產出來源,也常常是是數據的最終格式。

以下整理 Excel 進行資料清理的五大原因:

Excel 適合執行資料清理的原因

原因	說明
熟悉	多數使用者已經習慣用 Excel 來開啟或整理數據。
系統支持	使用者經常將數據(例如:查詢結果、數據報告等)從其他應用程序導出到 Excel 工作簿,因為許多應用程序提供該選項(畢竟 Excel 還是軟體的龍頭)。

原因	說明
跨單位整合	Excel 是多數團隊的共通格式，例如：人資部門和財務部門如果想要整合資料，透過 Excel 通常是首選。
簡單	整個 Excel 定位的角色就是數據整理工具，上方的功能區提供了大量的功能支援。
不須額外採購	Excel 企業通常已經有採購，或是內建於發配的電腦當中，不需經過冗長的採購流程。

關於ETL

　　許多人也會將資料清理過程稱為「資料 ETL 過程」，代表的是一連串從資料收取到可完整應用的整體流程，因為除了辛苦的資料清理程序之外，我們還可能需要執行如數據載入、數據萃取、數據轉換、數據降維、數據存儲等工作流程。

　　ETL 是提取（Extract）、轉換（Transform）與載入（Load）三個字的簡稱，指的是「從資料庫提取資料，中間進行資料轉換後，轉存入目標數據倉庫供後續應用」的整個流程。

資料來源　　　　　　　　ETL　　　　　　　　資料倉庫

ETL 程序示意圖

ETL：提取（Extract）

　　第一階段的「提取」作業，主要泛指擷取資料的流程，例如：我們下載開放資料、串接異質資料庫、從其他部門取得文件檔案等，都算是類似作業。

提取階段的可能任務

任務	說明
資料洽談	有時啟動資料整合的第一步需要做規格與業務的洽談，釐清彼此對於資料整合的期待與執行方法。
跨資料庫整合	有時 Extract 需執行跨資料庫整合作業，有可能是跨公司或是跨業務部門的資料，例如：有些資料來自銷售部門、有些資料來自生產部門等。

任務	說明
資料過濾	在提取階段先做簡單的過濾，挑選真正合適的資料，或是節錄部分時間段資料等，做一個基本的資料過濾動作。
資料拆分	資料也有可能過於龐大，或許需要等比例拆分資料集等。

▊ETL：轉換（Transform）

ETL 第二階段指的是「轉換」流程，此部分是資料清洗的重點過程，但如果資料本身非常整齊乾淨，可以直接跳過此階段。多數取得的資料會和理想格式有一些落差，需要在此階段進行各類轉換程序。

轉換過程有許多技巧可使用，整理如下表，本章下方也會搭配 Excel 進行實戰演練。

ETL 轉換情境說明

編號	項目	說明與情境
1	切割（Split）	指的是將單一欄位的內容分散到不同欄位，例如：單一欄位若是記錄「國家與城市」，如「Taiwan, Taipei」，我們可以透過切割方式將其分成兩個欄位。
2	修剪（Trim）	移除無意義的空白資料。
3	補值（Append）	將空數據、缺失數據進行補值操作，特別常見於機器數據遺失時，或是人為記錄失誤時。
4	排序（Sort）與篩選（Filter）	有時取得資料後，發現實際上只需要其中部分來後續利用，這種情境可以用排序與過濾萃取其中的重要資料。
5	合併（Merge）	和切割相反，合併指的是取多個欄位的資料，合併為單一欄位，保留其字串完整性。
6	取代（Replace）	字串取代應該是許多人常用的技巧，像是「將男性從 Male 轉換成 1 的代碼」這種常見情境，以解決數據定義對應問題。
7	格式轉換（Format）	欄位格式的轉換，常見於「日期」與「貨幣」格式的轉換，來相容於資料視覺化或是資料倉儲的格式，例如：「201501012210」可能需要轉換成「2015/01/01 22:10」的標準時間格式。
8	移除重複列（Remove）	許多資料會出現同樣的資料列，我們需要將其進行整合，並消滅重複的資料列，避免數據重複計算。
9	轉置（Transposing/pivoting）	許多數據並不是以合適的「欄列」格式呈現，有時需要將其進行轉置作業，將原本的欄換成列，或是將列換成欄。
10	萃取（Extract）	根據特殊條件，抽取欄位中特定的字串資訊。

以上的流程將會以 Excel 進行實作練習，請參見後面的內容。

ETL：載入（Load）

最後是「載入」階段，一般來說指的是將資料載入到資料倉庫的階段，廣義上也可以解釋為介接應用層的部分，整理如下表。

ETL 載入階段的可能任務

任務	說明
串接資料庫	指的是將資料整理結果輸出一份到資料庫當中，也可設定即時連動
輸出檔案	指的是將資料整理結果輸出為檔案格式，常見格式有 XML、CSV、JSON 等
串接 API	指的是將資料整理結果與 API 串接，常見於與外部系統即時串接情境

用Excel做十大常用ETL轉換流程

切割（Split）

施作效益　　「切割」是我們很常使用的處理技巧，主要用來將某個整合在一起的字串切開，因為當初業務上需求所收集的數據，很可能與最終使用方法不同，文字可能會包含前置字元、結尾字元或多個空格字元等，但我們並不需要，所以透過「切割」來完成處理。

[練習任務] 獨立切開縣市資訊以及死亡、受傷統計數字

01 在本次的練習資料中，我們期待能夠將縣市取出來成為一個獨立欄位，或是獨立統計死亡、受傷人數等，但是目前這些資訊被合併在同一個欄位當中，需要將其切開。

資料提供日期：106年07月31日			
事故類別：A1類			
發生時間	發生地點	死亡	受傷人數
106年01月01日	臺東縣長濱鄉樟原村樟原94號旁(附近)台11線74公里000公尺處東向外側車道	死亡1	受傷0
106年01月01日	新北市板橋區環河西路4段前0公尺數華江六路路口	死亡1	受傷0
106年01月01日	桃園市大溪區復興路文化路(口)口(附近)	死亡2	受傷0
106年01月01日	高雄市前金區村七賢二路前0公尺數瑞源路口路口	死亡1	受傷0
106年01月01日	新竹市竹北市竹義街76巷	死亡1	受傷0
106年01月02日	新竹縣新埔鎮文德路三段58號(新竹區監理站)前(附近)	死亡1	受傷0
106年01月02日	彰化縣芳苑鄉台17線永興橋	死亡2	受傷0
106年01月02日	彰化縣溪州鄉陸軍路	死亡1	受傷0
106年01月02日	宜蘭縣五結鄉利澤路利澤東路(口)	死亡1	受傷0
106年01月02日	臺南市將軍區嘉昌里南18線6.5公里路口(附近)	死亡1	受傷0
106年01月02日	花蓮縣吉安鄉宜昌村中華路二段102號-仁里所轄區(附近)台9丙1公里900公尺	死亡1	受傷0
106年01月02日	高雄市苓雅區建國大順路口前0公尺數	死亡1	受傷0
106年01月03日	臺南市安南區海佃路二段42號	死亡1	受傷0
106年01月03日	臺南市鹽水區孫厝里南3線公路孫厝高幹128號前(1.4公里東向)(附近)	死亡2	受傷0
106年01月03日	彰化縣鹿港鎮南勢巷頂華路(口)	死亡1	受傷0
106年01月03日	雲林縣斗六市明德北路二段43號	死亡1	受傷0

02 我們可以透過 Excel 來完成這個任務，首先在 B 欄的右邊先手動新增一欄（之後用來放置切開的資料用），然後先反白想要處理的欄，切換到「資料」頁籤，並選擇「資料剖析」功能。

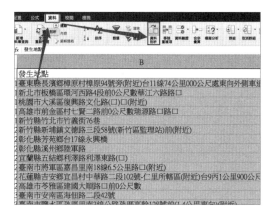

03 因為該欄位無分割符號，所以選擇「固定寬度」功能（觀察到縣市文字都放在前三個字）。

04 手動選擇縣市文字邊界（可預覽位置是否正確）。

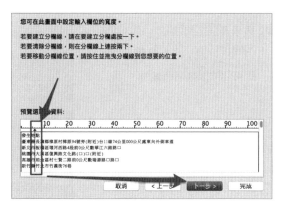

05 選擇「一般」的格式即可（可
預覽範圍）。

06 完成後，即完成欄位的切割。

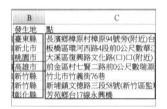

接下來，我們也想處理受傷與死亡人數。

01 首先我們也需要先手動新增一
個欄在右邊，並且透過上面介
紹過的「資料剖析」功能進行。

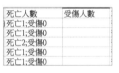

02 透過資料剖析功能，這次可選
擇用「分號」作為分隔符號，
即可切開成為兩個欄位。

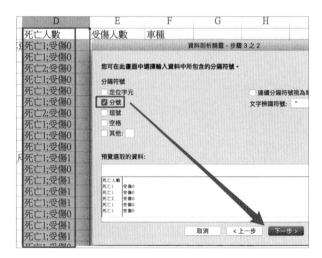

❖ 操作結果

死亡人數	
死亡1	受傷0
死亡1	受傷0
死亡2	受傷0
死亡1	受傷0
死亡1	受傷0
死亡1	受傷0
死亡2	受傷0
死亡1	受傷0
死亡1	受傷0
死亡1	受傷0
死亡1	受傷1

B	C
發生地	點
臺東縣	長濱鄉樟原村樟原94號旁(附近)台
新北市	板橋區環河西路4段前0公尺數華江
桃園市	大溪區復興路文化路(口)口(附近)
高雄市	前金區村七賢二路前0公尺數瑞源
新竹縣	竹北市竹義街76巷
新竹縣	新埔鎮文德路三段58號(新竹區監
彰化縣	芳苑鄉台17線永興橋

成功切開成為指定的欄位分割方式

修剪（TRIM）

施作效益 除了切割之外，資料有時會包括無意義的空白資料，有可能是人工打字失誤導致。透過修剪可移除文字的多餘空格，僅保留獨立一個空格。但如果要完全移除空格的話，則可以改用 SUBSTITUTE 函數，將空格完整取代掉。

[練習任務] 去除掉多餘的空白

01 可以先透過 rawData 手動建立右方的資料表格，來進行修剪技巧練習。

A	B
臺東縣　長濱鄉	臺東縣 長濱鄉
新北市　板橋區	新北市 板橋區
桃園市　大溪區	桃園市 大溪區
高雄市　　前金區	高雄市 前金區

手動建立初始練習表格

Excel：B 欄公式

公式：=TRIM(A1)

說明：去除掉多餘的空白，僅留下一個空白分隔字元。

Excel：C 欄公式

公式：=SUBSTITUTE(A1,CHAR(160),"")

說明：完整將空白取代為空字串。

❖ 操作結果

A	B	C
臺東縣　長濱鄉	臺東縣 長濱鄉	臺東縣長濱鄉
新北市　板橋區	新北市 板橋區	新北市板橋區
桃園市　大溪區	桃園市 大溪區	桃園市大溪區
高雄市　　前金區	高雄市 前金區	高雄市前金區

完成的結果為 C 欄

補值（Append）

施作效益 補值正好和切割相反，如果我們想要填滿數字位數時該如何做呢？例如：許多時候我們需要製作一個統一的數字格式（例如：4 碼數字），或是在前面補上人工字串資訊，這時候我們也有相關技巧可以使用。

[練習任務] 用指定字元進行補值&補字串

01 手動建立初始練習表格。

E	F	G
die	補植	補字串
1		
1		
2		
1		

Excel：F 欄公式

公式：=RIGHT("000"&E2,4)

說明：從右邊起算，用 "000" 進行字串補充，並且結合 E2 欄位的內容補滿 4 個字元。

Excel：G 欄公式

公式：=RIGHT("die:"&E2,6)

說明：從右邊開始補值，用 "die" 進行字串補充，並且結合 E2 欄位的內容補滿 6 個字元。

❖ 操作結果

E	F	G
die	補值	補字串
1	0001	die:1
1	0001	die:1
2	0002	die:2
1	0001	die:1

透過數字做出補值或是補字串的效果

▌排序（Sort）與篩選（Filter）

施作效益　　排序與過濾是 Excel 取值常用的技巧，例如：我們只想要留下特定數字區間、時間區間，或是只選定特定類別資料等，都很適合使用排序與過濾技巧。

[練習任務] 針對資料集進行排序與篩選

01 在畫面右上角找到排序與篩選的功能。

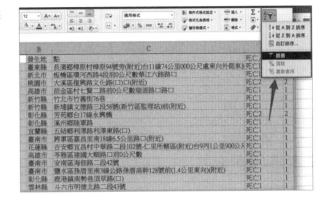

02 開啟「篩選」功能後，許多欄位都可勾選瀏覽特定內容資料。

03 也可以開啟「排序」設定窗格，來設定排序方式，可設定多個排序，並按照階層順序。

❖ 操作結果

	A	B	C
1	發生時間	發生地	地點
2	106年01月02日 14時45分	宜蘭縣	五結鄉利澤路利澤東路(口)
3	106年01月10日 11時49分	宜蘭縣	宜蘭市舊城南路光復路(口)台7線121公里70公尺處東向內側車
4	106年01月12日 05時10分	宜蘭縣	頭城鎮頭濱路二段540號台2線138公里00公尺處西向外側車道
5	106年03月08日 18時32分	宜蘭縣	宜蘭市校舍路林森路(口)
6	106年03月21日 07時21分	宜蘭縣	蘇澳鎮馬賽路一段36巷新城一路36巷旁(附近)
7	106年03月23日 13時00分	宜蘭縣	礁溪鄉育龍路一段127號191線6公里200公尺處南向外側車道
8	106年04月06日 16時10分	宜蘭縣	三星鄉大隱村大埔二路與大隱十一路路口(附近)
9	106年04月08日 12時42分	宜蘭縣	頭城鎮台2線119公里900公尺處北向中內車道
10	106年04月17日 10時30分	宜蘭縣	員山鄉尚深路168巷尚深路(口)宜18-2線3.95公里處(附近)
11	106年04月21日 07時30分	宜蘭縣	三星鄉安農北路2段98號前(附近)
12	106年05月01日 16時01分	宜蘭縣	頭城鎮三和路603號191線1公里800公尺處北向中外車道
13	106年05月05日 07時50分	宜蘭縣	冬山鄉冬山路102巷南興路(口)
14	106年05月09日 00時00分	宜蘭縣	礁溪鄉國道五號35公里800公尺處南向交流道車道
15	106年05月15日 12時40分	宜蘭縣	頭城鎮濱海路七段33號台二線118.5公里(附近)
16	106年06月19日 13時50分	宜蘭縣	羅東鎮中山路一段580巷新群五路(口)
17	106年01月02日 18時00分	花蓮縣	吉安鄉宜昌村中華路二段102號-仁里所轄區(附近)台9丙1公里

成功建立篩選，並依照「發生地」進行排序

合併（Merge）

施作效益　我們取得多個欄位的資料，欲合併為單一欄位，來保留字串完整性，例如：我們想要重新組合姓名、地區的顯示資訊等，讓該資訊可有更佳的應用。

[練習任務] 合併多個欄位

發生地	死亡人數	受傷人數	縣市統計摘要
臺東縣	死亡1	受傷0	
新北市	死亡1	受傷0	
桃園市	死亡2	受傷0	
高雄市	死亡1	受傷0	
新竹縣	死亡1	受傷0	
新竹縣	死亡1	受傷0	
彰化縣	死亡2	受傷0	
彰化縣	死亡1	受傷0	

本練習會用到的欄位資訊（D & E & F欄資訊）

01 在合併時，我們使用的是CONCATENATE函數。概念很簡單，透過欄位的組合，並在欄位之間塞入想要組合的中間連接字串。

Excel：G欄「縣市摘要」公式

公式：=CONCATENATE(D2,"(",E2,",",F2,")")

說明：將 D2、E2、F2 三個欄位內容合併在一起，並在中間加入一些串接字串，整合多個欄位資訊，組合出縣市摘要欄位（例如：D欄：「臺東縣」，E欄：「死亡1」，F欄：「受傷0」）。

❖ 操作結果

發生地	死亡人數	受傷人數	縣市統計摘要
臺東縣	死亡1	受傷0	臺東縣(死亡1,受傷0)
新北市	死亡1	受傷0	新北市(死亡1,受傷0)
桃園市	死亡2	受傷0	桃園市(死亡2,受傷0)
高雄市	死亡1	受傷0	高雄市(死亡1,受傷0)
新竹縣	死亡1	受傷0	新竹縣(死亡1,受傷0)
新竹縣	死亡1	受傷0	新竹縣(死亡1,受傷0)
彰化縣	死亡2	受傷0	彰化縣(死亡2,受傷0)
彰化縣	死亡1	受傷0	彰化縣(死亡1,受傷0)
宜蘭縣	死亡1	受傷0	宜蘭縣(死亡1,受傷0)
臺南市	死亡1	受傷0	臺南市(死亡1,受傷0)

成功手動合併欄位

格式轉換（Format）

施作效益 欄位資料有時需要進行轉換，常見的如「文字轉日期」、「民國轉西元」等，不同情境之下，我們可能會需要轉換資料顯示的內容，例如：過去的縣市名稱和現在的縣市名稱可能已經不同，或是不同國家對於幣別、時間的解釋格式不同時，需要用到格式轉換技巧。

[練習任務] 進行 Excel 欄位格式轉換

01 這裡我們想要練習的是，將「民國」取代並轉換為「西元」的年度計算方式，原因是許多軟體並不支援民國的時間格式讀取。例如：將 106 年更換為 2017 年。

	A	B	
1	發生時間	縣市摘要	發
2	106年01月01日 02時43分	臺東縣(死亡1,受傷0)	臺
3	106年01月01日 02時43分	新北市(死亡1,受傷0)	新
4	106年01月01日 03時35分	桃園市(死亡2,受傷0)	桃
5	106年01月01日 06時09分	高雄市(死亡1,受傷0)	高
6	106年01月01日 06時25分	新竹縣(死亡1,受傷0)	新
7	106年01月02日 05時50分	新竹縣(死亡1,受傷0)	新
8	106年01月02日 05時53分	彰化縣(死亡2,受傷0)	彰
9	106年01月02日 10時25分	彰化縣(死亡1,受傷0)	彰
10	106年01月02日 14時45分	宜蘭縣(死亡1,受傷0)	宜
11	106年01月02日 16時20分	臺南市(死亡1,受傷0)	臺
12	106年01月02日 18時00分	花蓮縣(死亡1,受傷1)	花
13	106年01月02日 22時55分	高雄市(死亡1,受傷0)	高
14	106年01月03日 06時18分	臺南市(死亡1,受傷1)	臺
15	106年01月03日 10時50分	臺南市(死亡1,受傷1)	臺

02 最右邊的時間格式，較能夠被更多軟體讀取。

發生日期	發生時間(轉換)	發生時間	組合時間
106年01月01日	2017/01/01	2:43	2017/01/01 02:43:00
106年01月01日	2017/01/01	3:43	2017/01/01 03:43:00
106年01月01日	2017/01/01	4:43	2017/01/01 04:43:00
106年01月01日	2017/01/01	5:43	2017/01/01 05:43:00
106年01月01日	2017/01/01	6:43	2017/01/01 06:43:00
106年01月02日	2017/01/02	7:43	2017/01/02 07:43:00
106年01月02日	2017/01/02	8:43	2017/01/02 08:43:00
106年01月02日	2017/01/02	9:43	2017/01/02 09:40:00
106年01月02日	2017/01/02	10:43	2017/01/02 10:43:00
106年01月02日	2017/01/02	11:43	2017/01/02 11:43:00
106年01月02日	2017/01/02	12:43	2017/01/02 12:43:00
106年01月02日	2017/01/02	13:43	2017/01/02 13:43:00
106年01月03日	2017/01/03	14:43	2017/01/03 14:43:00

03 為了讓整體環境更乾淨，我們可以先將日期與時間的欄位切開來。開啟資料剖析精靈，透過「空格」區隔日期與時間資料。

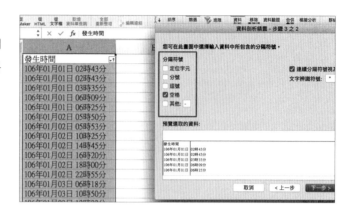

04 被「空格」切開來的日期與時間欄位。

A	B
發生日期	發生時間
106年01月01日	2時43分
106年01月01日	2時43分
106年01月01日	3時35分
106年01月01日	6時09分
106年01月01日	6時25分
106年01月02日	5時50分

05 針對「發生時間」欄位，透過儲存格格式進行設定。

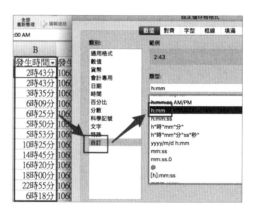

06 時間欄位轉換成「h:mm」的格式。

C
發生時間
2:43
3:43
4:43
5:43
6:43
7:43

Excel：B欄公式

公式：=MID(A2,1,3)+1911&"/"&MID(A2,5,2)&"/"&MID(A2,8,2)

說明：從 A 欄拿取個別日期資訊，並將其合併為乾淨的日期欄位，其中民國則透過 +1911 來對應到西元的年份。

Excel：D 欄公式

公式：=TEXT(B2,"yyyy/mm/dd ")&TEXT(C2,"hh:mm:ss")

說明：組合 B 欄的日期與 C 欄的時間資訊，透過 TEXT 函式整合為標準時間格式字串。

❖ 操作結果

	A	B	C	D
	發生日期	發生時間(轉換)	發生時間	組合時間
	106年01月01日	2017/01/01	2:43	2017/01/01 02:43:00
	106年01月01日	2017/01/01	3:43	2017/01/01 03:43:00
	106年01月01日	2017/01/01	4:43	2017/01/01 04:43:00
	106年01月01日	2017/01/01	5:43	2017/01/01 05:43:00
	106年01月01日	2017/01/01	6:43	2017/01/01 06:43:00
	106年01月02日	2017/01/02	7:43	2017/01/02 07:43:00
	106年01月02日	2017/01/02	8:43	2017/01/02 08:43:00
	106年01月02日	2017/01/02	9:43	2017/01/02 09:43:00
	106年01月02日	2017/01/02	10:43	2017/01/02 10:43:00
	106年01月02日	2017/01/02	11:43	2017/01/02 11:43:00
	106年01月02日	2017/01/02	12:43	2017/01/02 12:43:00
	106年01月02日	2017/01/02	13:43	2017/01/02 13:43:00
	106年01月03日	2017/01/03	14:43	2017/01/03 14:43:00
	106年01月03日	2017/01/03	15:43	2017/01/03 15:43:00
	106年01月03日	2017/01/03	16:43	2017/01/03 16:43:00

成功製作標準時間格式欄位（D 欄）

取代（Replace）

施作效益 文字的定義與描述方式，有時會因為人或時間的不同而改變，有時我們會需要將資料進行一致化的處理，例如：定義同義字，或是將名稱進行統一，以供後續正確計算，這時就可能會使用到「取代」的技巧。

[練習任務] 全面取代指定字串

01 假設我們需要進行一個很簡單的任務，將「口」取代為「路口」字串。

發生地	點
臺東縣	長濱鄉樟原村樟原94號旁(附近)台11線74公里
新北市	板橋區環河西路4段前0公尺數華江六路路口
桃園市	大溪區復興路文化路(口)口(附近)
高雄市	前金區村七賢二路前0公尺數瑞源路口路口
新竹縣	竹北市竹義街76巷
新竹縣	新埔鎮文德路三段58號(新竹區監理站)前(附近
彰化縣	芳苑鄉台17線永興橋
彰化縣	溪州鄉陸軍路
宜蘭縣	五結鄉利澤路利澤東路(口)
臺南市	將軍區嘉昌里南18線6.5公里路口(附近)
花蓮縣	吉安鄉宜昌村中華路二段102號-仁里所轄區(
高雄市	苓雅區建國大順路口前0公尺數

02 透過常用的「取代」功能進行。

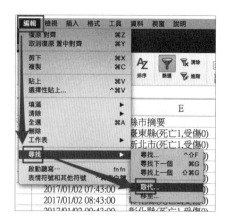

03 設定好取代條件後，按下「全部取代」按鈕。

❖ 操作結果

完成簡單又好用的取代任務

▌移除重複列（Remove）

施作效益　　有的資料會出現重複列的狀況，有可能是重複寫入，或是人工不小心重複鍵入了，但這類型的資料有可能會導致後續分析的錯誤，我們需要自動找到這些重複的列，並將其移除。

[練習任務] 移除重複列

01 資料可能會出現重複的資料（這裡的重複列是手動複製的，主要做練習用途）。

發生日期	發生時間(轉換)	發生時間	組合時間	縣市摘要
106年01月01日	2017/01/01	2:43	2017/01/01 02:43:00	臺東縣(死亡1,受傷0)
106年01月01日	2017/01/01	2:43	2017/01/01 02:43:00	臺東縣(死亡1,受傷0)
106年01月01日	2017/01/01	2:43	2017/01/01 02:43:00	臺東縣(死亡1,受傷0)
106年01月01日	2017/01/01	3:43	2017/01/01 03:43:00	新北市(死亡1,受傷0)
106年01月01日	2017/01/01	4:43	2017/01/01 04:43:00	桃園市(死亡2,受傷0)
106年01月01日	2017/01/01	5:43	2017/01/01 05:43:00	高雄市(死亡1,受傷0)
106年01月01日	2017/01/01	6:43	2017/01/01 06:43:00	新竹縣(死亡1,受傷0)

02 這時候我們可以開啟「資料」頁籤，選擇「移除重複列」的功能。

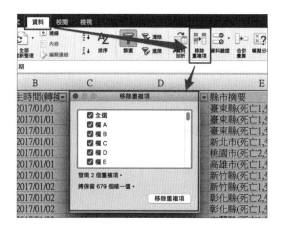

❖ 操作結果

完成後，即可發現重複列已經被清除了。

▌轉置（Transposing/pivoting）

施作效益　我們透過開放資料（Open Data）取到的資料五花八門，有時候對方在儲存資料的時候，不一定會考慮後續應用的用途，而是用人們很習慣的閱讀方式進行儲存，因此需要進行轉置處理。

[練習任務] 進行資料轉置

01 例如：以下的格式就很常見，日期是往右延伸的，雖然人類容易閱讀，但是不利於後續資料視覺化所用。這時候我們可以透過資料轉置（Transposing/pivoting ）功能，轉換成方便視覺化之格式，將「城市」變更為欄位名稱，而「日期」則依照序列的方式往下延伸。

	A	B	C	D	E	F	G
	死亡人數統計	2017/1/1	2017/1/2	2017/1/3	2017/1/4	2017/1/5	2017/1/6
	臺東縣	1	1	2	0	0	1
	新竹縣	2	0	0	1	1	1
	彰化縣	0	1	1	1	1	2

常見的資料儲存格式（資料可手動製作）

02 先將想要轉置的內容「全選」→「複製」起來。

死亡人數統計	2017/1/1	2017/1/2	2017/1/3	2017/1/4	2017/1/5	2017/1/6
臺東縣	1	1	2	0	0	1
新竹縣	2	0	0	1	1	1
彰化縣	0	1	1	1	1	2

03 在空白處，點選右鍵並選擇「選擇性貼上」。

	死亡人數統計	2017/1/1	2017/1/2	2017/1/3	2017/1/4
1					
2	臺東縣	1	1	2	0
3	新竹縣	2	0	0	1
4	彰化縣	0	1	1	1
5					
6		剪下	⌘X		
7		複製	⌘C		
8		貼上	⌘V		
9		選擇性貼上...	^⌘V		
0		智慧查閱...	^⌥⌘L		

04 勾選「轉置」後，按下「確定」按鈕。

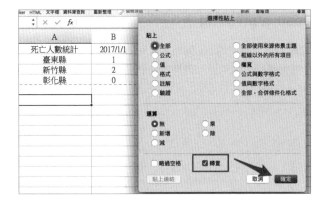

❖ 操作結果

死亡人數統計	2017/1/1	2017/1/2	2017/1/3	2017/1/4	2017/1/5	2017/1/6
臺東縣	1	1	2	0	0	1
新竹縣	2	0	0	1	1	1
彰化縣	0	1	1	1	1	2

死亡人數統計	臺東縣	新竹縣	彰化縣
2017/1/1	1	2	0
2017/1/2	1	0	1
2017/1/3	2	0	1
2017/1/4	0	1	1
2017/1/5	0	1	1
2017/1/6	1	1	2

轉置後

完成資料轉置，也可貼到其他頁籤或檔案

萃取 (Extract)

施作效益　　我們若是希望統一取出後面數字的話，可以透過「萃取」的技巧來完成。當想要抽取欄位中特定的字串資訊，並隔開其他多餘資訊，這時可透過公式的導入來完成。

[練習任務] 設定規則進行資料萃取

01 前置欄位字元長度和文字皆不同時，我們須設定規則來進行資料萃取。

	A	B
	死亡紀錄	死亡數
	死亡1	
	意外死亡70	
	車禍死亡1220	
	天災死亡6	

Excel 公式

公式：=MID(A2,SEARCH(" 亡 ",A2)+1,LEN(A2))

說明：從 A2 取出部分字串，從出現「亡」的下一個字元開始，從「亡 +1」的位置開始取出，一直到「LEN(D2))」的最終位置，如此一來，就可以萃取想要的內容，取得完整的數字字串。

❖ 操作結果

	A	D
	死亡紀錄	死亡數
	死亡1	1
	意外死亡70	70
	車禍死亡1220	1220
	天災死亡6	6

透過規則萃取特定文字出來

小結

　　「資料清洗」是一個看起來簡單、但卻重要無比的技能，這世界多數的數據都需要做各種整理，才能夠真正被人們所利用。本章主要介紹的是透過 Excel 來完成的若干清洗任務，包括切割、修剪、補值、排序、篩選、合併、轉換、取代、移除重複列、轉置與萃取。下一章會改成由 Tableau Prep 這套 2018 年才推出的資料清洗工具，來進行 ETL 任務，讀者也可以比較兩套工具的差異。

Tableau Prep 視覺 ETL 工具實戰

實戰任務說明 透過 Tableau Prep 整理一批髒資料，轉而用來滿足後續的視覺化分析需求。

前面已有介紹過，Tableau Prep 是 Tableau 在 2018 年所推出的新產品，最主要是補足原本 Tableau 較不擅長的資料整理功能，與 Tableau 相容性高，可將資料重新打包為數據處理模組，以供重複利用，縮短產出數據洞見的時間。

本章的實戰任務延續上一章用 Excel 做資料清洗的任務，實際搭配 Tableau Prep 進行若干數據處理的任務，完成髒資料的清洗，如切割、修剪、補值、合併等工作。

Tableau Prep特色介紹

▌特色❶：透過視覺模組進行資料清洗

Tableau Prep 的最大特色在於，能夠模組化流程，提升重複使用性，日後可以重複使用已建立的模組，減少未來重新建立資料分析流程的時間。

此外，其圖形化介面也易於上手，提供與 Tableau 相似的操作介面，點擊即可新增模組，直觀的圖形化操作，不需要編寫程式，可讓軟體專注在資料前處理功能，降低用戶需要理解的資訊量。

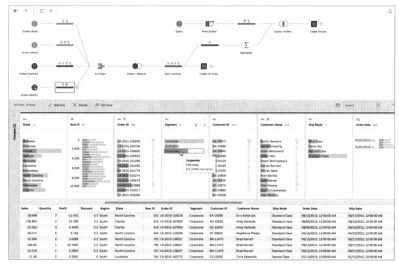

Tableau Prep 不論是處理流程與數據欄位都主要以視覺化的方式呈現，非常清楚

※ 資料來源：https://www.tableau.com/products/prep

特色❷：可連結多重資料來源

Tableau Prep 可串接多種資料來源，如CSV/Excel 檔案及常用資料庫。其可兼容不同資料來源，不用特別將資料轉成特定格式，並可直接即時連結資料庫。

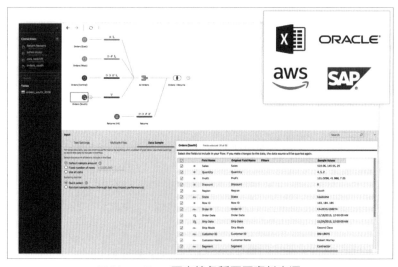

Tableau Prep 可串接各種不同資料來源

※ 資料來源：https://www.tableau.com/products/prep

特色❸：可即時檢視成果

Tableau Prep 可以立即看到經過當前處理階段後的成果。在 Tableau Desktop 中，即時預覽資料呈現，檢視是否符合預期，馬上修正錯誤的操作。

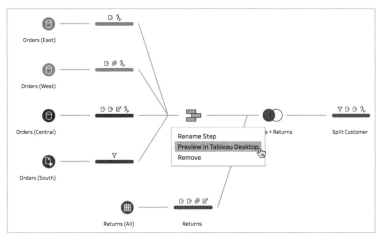

Tableau Prep 可與 Tableau Desktop 連動，預覽目前處理的結果

※ 資料來源：https://www.tableau.com/products/prep

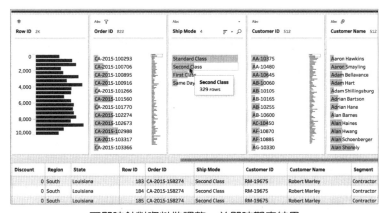

可即時針對資料做調整，並即時觀察結果

※ 資料來源：https://www.tableau.com/products/prep

特色❹：可與夥伴進行協作

Tableau Prep 可匯出處理後的資料，經由 Tableau Online/Server 共享或是 Tableau Desktop 直接使用，達成團隊方式協作，同步大家的資訊。

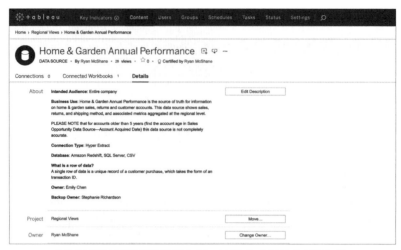

可將處理結果與處理模組上傳，和其他成員共享處理元件

※ 資料來源：https://www.tableau.com/products/prep

安裝教學

▌下載 Tableau Prep

Tableau Prep 是一套付費軟體，不過如果讀者想要先試用的話，可以到官方網站進行試用下載，網址為：https://www.tableau.com/products/prep/download。輸入「Business E-mail」，即可取得試用下載連結。

Tableau Prep 的官方下載頁面

※ 資料來源：https://www.tableau.com/products/prep/download

安裝 Tableau Prep

Tableau 的產品的編碼為 Unicode-enabled，可以支援所有的語言，不過目前尚未有繁體中文的操作介面，以下是 Tableau Prep 的系統需求（2018 年 8 月的版本）：

Tableau Prep 系統需求

作業系統	系統需求
Windows	❏ Windows 7 or newer (64 bit) ❏ Intel Core i3 or AMD Ryzen 3 Pro or faster ❏ 4 GB memory ❏ 2 GB minimum free disk space
Mac	❏ Mac Os 10.11 ❏ Intel Core i3 or faster ❏ 4 GB memory ❏ 2 GB minimum free disk space

下載安裝檔案後，根據作業系統類型進行安裝：

❏ Windows：開啟下載的 windows installer，並且遵照指示進行安裝。

❏ Mac：開啟下載的 Disk image file (.DMG)，並且遵照指示進行安裝。

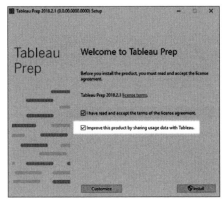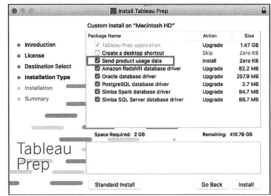

Tableau Prep 安裝畫面

※ 資料來源：https://onlinehelp.tableau.com/current/desktopdeploy/en-us/desktop_deploy_tableau_prep.htm

官方教學頁面

安裝完成之後，可參考官方的教學頁面，來了解一些基礎操作：

官方所提供的一些基本教學內容

※ 資料來源：https://onlinehelp.tableau.com/current/prep/en-us/prep_welcome.html

Hello！Tableau Prep

　　這裡將正式引導讀者開始操作 Tableau Prep 軟體。最前面會先從資料前置作業處理開始，並引導讀者引入第一批資料，也會簡單導覽一下 Tableau Prep 的介面，並引導製作常見的 ETL 任務。

▌資料前置作業處理

　　在開始之前，因為我們的原始資料有包括標頭資訊，可先透過記事本等相關軟體檢視資料，並移除不需要的表頭資訊。

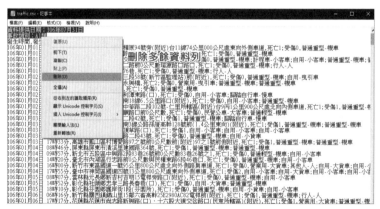

多餘資料列會影響 prep 正確識別欄位名稱，但在 prep 中較無法執行此動作，可在記事本內先進行刪除的動作，移除掉不需要的表頭資訊

加入第一批資料

[練習任務] 在 Tableau Prep 加入第一批資料

01 開啟 Tableau Prep 軟體。

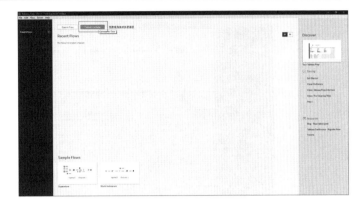

02 將資料拖拉進入軟體中（資料來源：traffic_csv.csv，下載位置請參見 Part3 開始時的內容）。

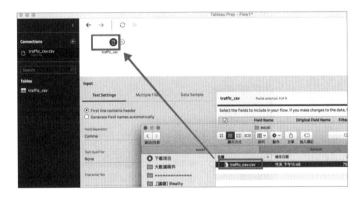

❖ **操作結果**

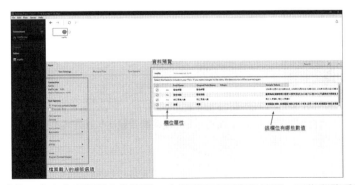

完成後，左方會出現載入的資料，右邊則會出現資料摘要，可先瀏覽看看

基本介面導覽

Tableau Prep 總共有兩個重點頁面，第一是資料載入頁，第二則是流程編輯頁。各區域功能與對應畫面，如下表格與圖片所示：

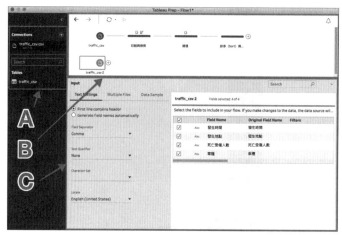

資料載入頁（A：資料載入區，B：流程區，C：輸入資料檢視區）

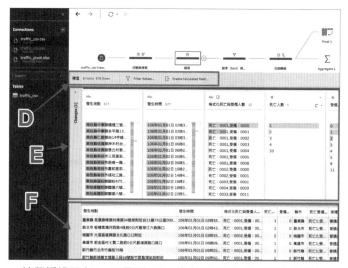

流程編輯頁（D：工具列，E：資料摘要區，F：資料表格）

Tableau Prep 主功能畫面對應表

區域編號	中文名稱	英文名稱	功能
A	資料載入區	Data Input pane	在此可以檢視載入的資料，如果有多個頁籤，也可以在此檢視。
B	流程區	Flow pane	整體資料處理流程區域，可以新增處理流程節點，也可在此透過Tableau Desktop 瀏覽數據處理結果。
C	輸入資料檢視區	Input pane	顯示輸入資料集的摘要資訊，包括欄位（fields）、資料類型（data types）、範例內容（sample values），也可在左方設定欄位分隔或是 union 的方式。
D	工具列	Toolbar pane	快速進行檢索、數據過濾、開立新欄位等操作的功能性區域。
E	資料摘要區	Profile pane	用來檢視資料摘要的區塊，可以看到每個欄位的相關值、異常數據、null 值等。
F	資料表格	Data grid pane	可仔細查看每條資料列表的區域。

用Tableau Prep做十大常用ETL轉換流程

這裡延續前一章的 Excel ETL 相關處理技巧，改成由 Tableau Prep 來進行，讀者可以操作看看，來體驗兩個工具的差異之處，以及各自的優點與缺點。大家很熟悉 Excel，也很直覺使用它，就很像是一般的表單，而 Tableau Prep 則將整個處理過程製作為一個 Flow，能夠清楚比較每個階段的產出，也能儲存階段性成果。

❶切割（Split）

[練習任務] 獨立切開縣市資訊以及死亡、受傷統計數字

01 觀察欄位狀況。

02 先處理受傷死亡人數欄位。
點選「Add Step」來新增一
個步驟。

03 設定步驟的內容，進行欄位切割處理（選擇「Automatic Split」）。

04 左邊會自動產生兩欄，圈選的區域指的是統計資訊，下面有切開後的結果。

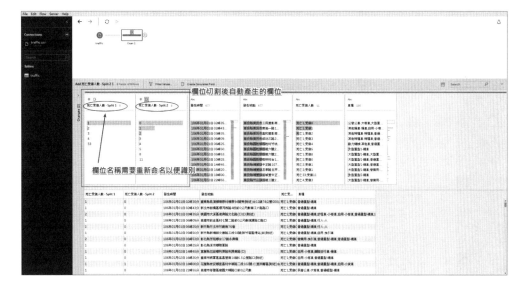

05 可點選欄位來修改名稱。

06 移除原始欄位，並不會影響切割後自動產生的新欄位，可以考慮移除，以使版面乾淨。

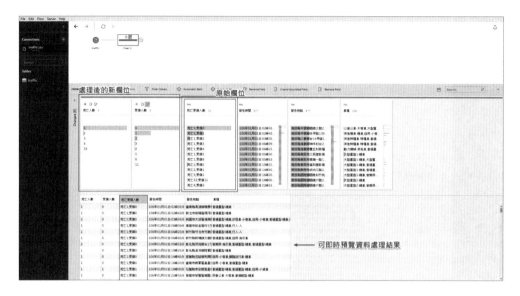

07 當不需要原本的欄位時，可直接點選下拉選單，選擇「Remove Field」，把原本欄位移除。

08 接著處理發生地點欄位。點選「Create Calculated Field」，來客製化產出新的欄位。

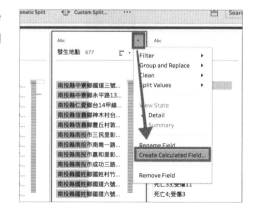

09 輸 入 Calculated Field 公式，公式內容為「LEFT ([發生地點],3)」，即擷取字串的前三個字並命名為發生縣市。

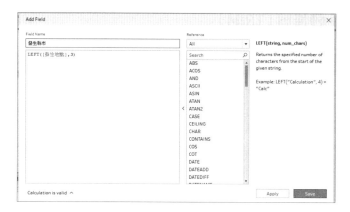

10 順利透過「發生地點」貼出新的欄位，並重新命名為「縣市」，來完成切割操作。

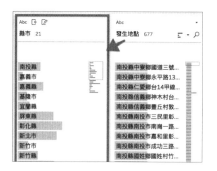

11 將 Tableau Prep 存檔，檔名為 .tfl。

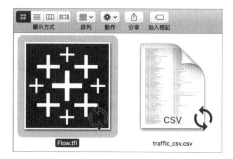

❖ 操作結果

縣市	發生地點	死亡人數	受傷人數
臺東縣	臺東縣長濱鄉續原村續原94號旁(附近)台11線74公里00	1	0
新北市	新北市板橋區環河西路4段前0公尺數華江六路路口	1	0
桃園市	桃園市大溪區復興路文化路(口)口(附近)	2	0
高雄市	高雄市前金區村七賢二路前0公尺數瑞源路口路口	1	0
新竹縣	新竹縣竹北市竹義街76巷	1	0
新竹縣	新竹縣新埔鎮文德路三段58號(新竹區監理站)前(附近)	1	0
彰化縣	彰化縣芳苑鄉台17線永興橋	2	0

成功切開為指定的欄位分割方式（此為 Tableau Prep 畫面下方所呈現的處理結果）

❷修剪（TRIM）

[練習任務] 去除掉欄位中的符號

01 可嘗試挑選指定的欄位，來進行修剪（本次練習去除符號）。

02 選擇「Remove Punctuation」，來移除符號。

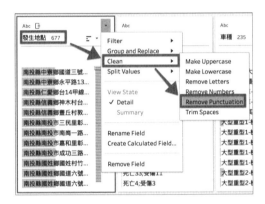

❖ 操作結果

欄位經過修剪，相關的符號字元都被移除掉了

❸補值（Append）

[練習任務] 用指定字元進行補值&補字串

01 點選「Add Step」→「Create Calculated Field」來新增一個欄位。輸入 Create Calculated Field 公式：" 死亡："+RIGHT("000"+str([死亡人數]),4)+", 受傷："+RIGHT("000"+str([受傷人數]),4)。

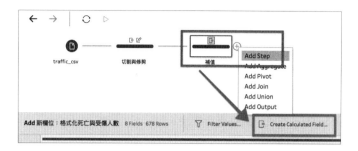

02 輸入指定的格式（將死亡人數與受傷人數都補滿到四位數）。

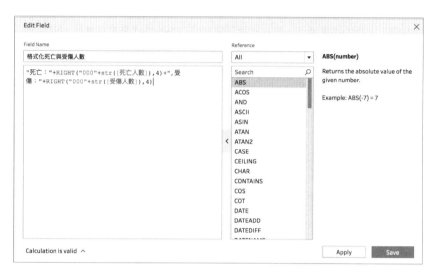

❖ 操作結果

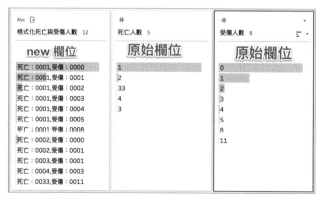

完成透過公式創建新欄位的任務，並透過數字做出補值或是補字串的效果

❹排序（Sort）與篩選（Filter）

Tableau Prep可以更改瀏覽數值的排序，但不能實際更改真實資料的排序，因為Tableau Prep的定位並非資料表的編輯工具，而是將資料進行統一邏輯處理的工具（和Excel設計的精神不同），不過我們還是可以透過以下兩種方式，來滿足瀏覽資料排序更改的需求：

❑ 直接透過Tableau Prep的摘要窗格進行排序。

❑ 透過Tableau Desktop軟體進行排序查看。

[練習任務] 透過Tableau Prep的摘要窗格進行瀏覽

01 可點選在欄位上面的排序圖示，即可切換正序或是倒序的方式來查看資料。

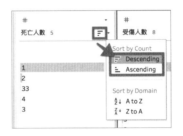

❖操作結果

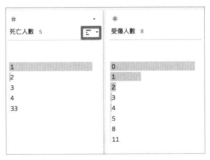

可檢視排序狀況

[練習任務] 透過 Tableau Desktop 軟體進行資料的排序查看

01 可在 Flow 的地方，針對想要瀏覽細部資料的處理節點，點選「Preview in Tableau Desktop」來轉換軟體查看。

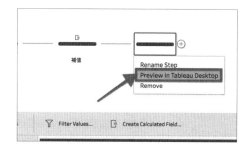

02 出現載入畫面，之後就會開啟 Tableau Desktop。

❖ 操作結果

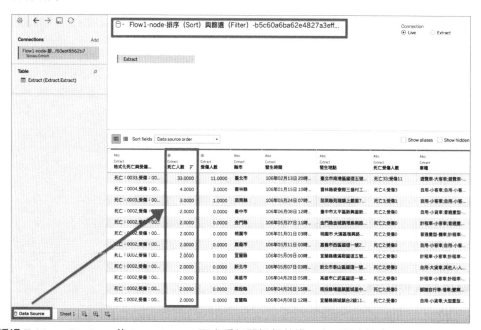

透過 Tableau Desktop 的 Data Source 可查看相關細部數據，也可獨立排序單一欄位，基本上等於透過 Tableau 達成資料檢視的目的

[練習任務] 針對欄位執行篩選

01 針對欄的下拉式選單，點選「Filter」會出現兩種過濾的方法：「Calculation：透過公式設定進行過濾」與「Range of Values：透過數學範圍進行過濾」。

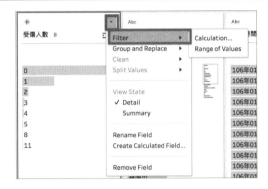

02 以「Range of Values」為例，可彈性設定受傷人數範圍來做過濾，例如：可先設定為 5~15，即可過濾出在此中間的區間資料。

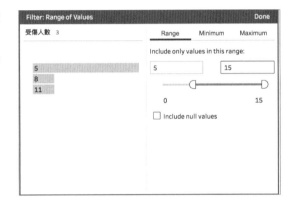

❖ 操作結果

格式化死亡與受傷人...	死亡...	受傷...	縣市	發生時間
死亡：0001,受傷：00...	1	5	花蓮縣	106年01月12日 00時35...
死亡：0033,受傷：00...	33	11	臺北市	106年02月13日 20時57...
死亡：0001,受傷：00...	1	8	新北市	106年03月06日 18時41...
死亡：0001,受傷：00...	1	5	嘉義縣	106年04月15日 23時04...
死亡：0001,受傷：00...	1	5	屏東縣	106年04月28日 21時38...
死亡：0001,受傷：00...	1	5	宜蘭縣	106年05月15日 12時40...
死亡：0001,受傷：00...	1	5	南投縣	106年06月02日 20時46...

成功過濾掉數據量較少或是過多的資料列

❺合併（Merge）

[練習任務] 進行基本的欄位合併

基本上操作流程和補值相同，都是透過創建新欄位即可達成。

01 進行新欄位的開立。

02 輸入公式來完成合併
欄位的目標。

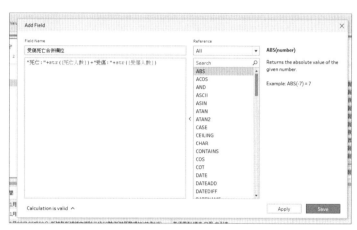

❖ **操作結果**

完成的結果（透過公式達成欄位合併，創建在新欄位）

❻格式轉換（Format）

01 新建了一個「日期轉換」的 Step，目的是將原本的民國，換成用西元呈現（國際標準格式）。

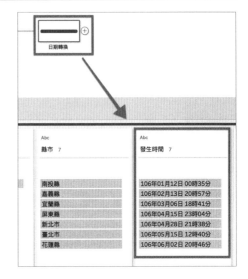

02 先嘗試透過內建功能，更改欄位屬性。

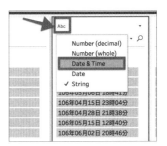

03 因為原本的內容非標準格式（原本是用民國為年的單位），Tableau Prep 會解析失敗。

04 由於以上的標準流程會失敗，所以我們需要回到上一步，可透過左邊的小箭頭打開歷史紀錄來回覆。

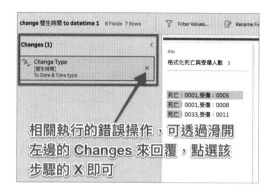

05 失敗的原因是重新針對時間欄位進行格式的轉換。公式為：STR(INT(SPLIT([發生時間]," 年 ",1))+1911)+" 年 "+SPLIT([發生時間]," 年 ",2)，其中的 1 或是 2，指的是根據「年」這個字元進行切割的前面字串與後面字串。

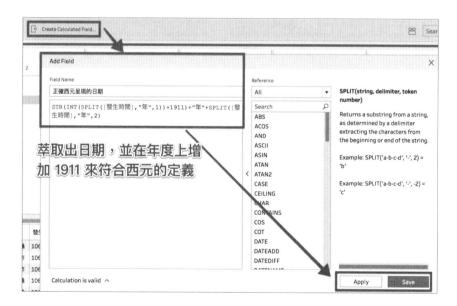

06 成功完成欄位格式轉換。

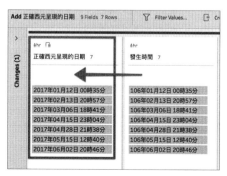

❖ 操作結果

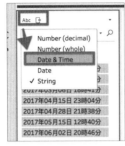 

可同樣選擇下拉式選單，轉換該欄位為標準日期格式（右方圖片為轉換後的結果）

❼取代（Replace）

[練習任務] 進行欄位內容取代

01 透過計算公式的方式，即可輕鬆透過 REPLACE 達成取代的任務目標，我們這裡練習將「臺北市」的字串，取代為「Taipei」的字串。

❖ 操作結果

取代欄位文字	發生地點	
花蓮縣新城鄉台9線185公里800公尺處北向內側車道	花蓮縣新城鄉台9線185公里800公尺處北向內側車道	o
Taipei南港區國道五號0公里00公尺處北向交流道車道	臺北市南港區國道五號0公里00公尺處北向交流道車道	o
新北市新莊區中正路855巷前0公尺數855巷	新北市新莊區中正路855巷前0公尺數855巷	o
嘉義縣民雄鄉東湖村台一線與民雄陸橋口附近台1線258...	嘉義縣民雄鄉東湖村台一線與民雄陸橋口附近台1線258...	o
屏東縣萬丹鄉萬安村大學路691及693號附近	屏東縣萬丹鄉萬安村大學路691及693號附近	o
宜蘭縣頭城鎮濱海路七段33號台二線1185公里附近	宜蘭縣頭城鎮濱海路七段33號台二線1185公里附近	o
南投縣竹山鎮國道三號241公里900公尺處北向外側車道	南投縣竹山鎮國道三號241公里900公尺處北向外側車道	o

順利完成取代任務

❽ 移除重複列 (Remove)

[練習任務] 移除重複列

01 在 前 一 個 處 理 步 驟 之 後 ， 加 入 一 個「Aggregate」的 操 作 方 式 ， 原 因 是 去 除 重複 列 ， 本 身 是 一 個 聚 合 的 行 為 ， 即 將 同 樣 的內 容 聚 集 成 為 同 一 個 摘 要 結 果 ， 假 設 原 本 有兩 筆 相 同 結 果 ， 則 會 聚 合 成 為 一 筆 。

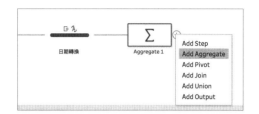

02 下方會出現 Aggregate 的操作視窗，點選「Add All」來將所有資料統一做一個聚合。

❖ 操作結果

透過聚合的方法，將所有欄位加入，可自然去除所有的重複列

❾轉置（Transposing/pivoting）

[練習任務] 將欄位進行轉置處理

01 在流程面板的地方，做一個 Add Pivot，新增轉置（Pivot）步驟。

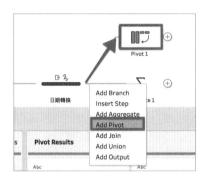

02 將想要做轉置的欄位，拖拉到 Pivot 中，將原本的欄轉換為列。

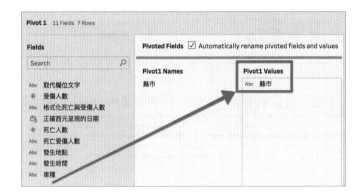

❖ 操作結果

轉置後的結果，Tableau Prep 可以直接即時預覽，成功的把「縣市」欄位做了轉置

❿萃取（Extract）

[練習任務] 進行欄位內容的萃取

01 在 Tableau Prep 中，萃取與補植、合併等概念類似，總之都可以透過「LEFT、FIND、MID」等邏輯字元，以及「+」等組合符號，來完成相關萃取重組的操作。

透過 LEFT 來取得欄位部分內容

❖ **操作結果**

參照上圖，讀者可以自由萃取並組合成新的欄位。

小結

Tableau Prep 充分補足了原本 Tableau 設計不足的部分，將 ETL 流程模組化，透過一步步的流程，逐步整理好資料，操作也很直覺。此外，Tableau Prep 還可延續 Tableau 的學習經驗，甚至和 Tableau Desktop 之類的軟體進行連動，是一套很不錯的資料整理工具。

不過，Tableau Prep 不像 Tableau Public 可供持續性的免費使用，讀者如果想要操作，可先試用看看，等到真的覺得好用後，再正式購買！

PART 04 用 Tableau 進行數據視覺化統計分析

本書接下來連續幾章，將會介紹 Tableau 這套數據分析軟體的實戰技法，Tableau 的相關介紹與安裝教學，可參考附錄的內容。本篇會正式帶著讀者進行實戰練習，包含 Tableau 資料的導入方式，流程並不困難，讀者可參考相關的教學步驟進行。

另外，許多人會問 Excel 與 Tableau 工具兩者之間的異同，筆者在這邊強調，即使只熟悉兩套中的其中一套，都能夠處理商業上真實會遇到的分析問題，然而兩套工具的設計精神不完全相同，你可隨著熟悉度增加後，結合自己的經驗，找出最適合自己的工作流程。以筆者的經驗來說，先在 Excel 或是 Tableau Prep 等軟體中將資料清理乾淨後，再丟給 Tableau 做進一步的商業洞察與視覺化，是一個不錯的作法。

[實戰範例]YouBike

本篇範例下載　http://design2u.me/tableau/dataset/youbike.csv

原始來源　https://data.gov.tw/dataset/28318

本篇練習的資料集是「新北市公共自行車租賃系統（YouBike）資料」。「對於資料本身的了解」是進行視覺化的第一步，我們如果能知道每個欄位背後代表的意義，更能事前掌握分析目標與資料特性，且許多資料集都可以先看提供者的基本介紹，使我們了解其大概意義。

YouBike 資料集

※ 資料來源：https://data.gov.tw/dataset/28318

本資料集的一些欄位與屬性，有時候匯入 Tableau 後，會誤判欄位屬性，可手動校正

	說明	欄位屬性	資料範例
sno	站點代號	數字	1001
sna	場站名稱：中文	文字	大鵬華城
tot	場站總停車格	數字	38
sbi	可借車位數	數字	7
sarea	場站區域：中文	文字	新店區
mday	資料更新時間	時間	20170819123445
lat	緯度	地理資訊	24.991160
lng	經度	地理資訊	121.533980
ar	地址：中文	文字	新北市新店區中正路 700 巷 3 號
sareaen	場站區域：英文	文字	Xindian Dist.
snaen	場站名稱::英文	文字	Dapeng Community
aren	地址：英文	文字	No. 3, Lane 700 Chung Cheng Road, Xindian District
bemp	可還空位數：英文	數字	30
act	場站是否暫停營運	數字	1

# ▼ dataset_youbike... 站點代號 ↓	Abc dataset_youbike.csv 場站名稱: 中文	# dataset_youbike.csv 場站總停車格	# dataset_youbike.csv 可借車位數	Abc dataset_youbike.csv 場站區域: 中文	🕒 dataset_youbike.csv 資料更新時間	⊕ dataset_youbi... 緯度	⊕ dataset_youbik... 經度
1,001	大鵬華城	38	7	新店區	2017/8/19 下午12:34...	24.991160	121.533980
1,002	汐止火車站	56	18	汐止區	2017/8/19 下午12:34...	25.068914	121.662748
1,003	汐止區公所	46	27	汐止區	2017/8/19 下午12:34...	25.064162	121.658301
1,004	國泰綜合醫院	56	22	汐止區	2017/8/19 下午12:34...	25.073150	121.662555
1,005	裕隆公園	40	12	新店區	2017/8/19 下午12:34...	24.979649	121.546319
1,006	捷運大坪林站	32	4	新店區	2017/8/19 下午12:34...	24.983977	121.541721
1,007	汐科火車站(北)	34	20	汐止區	2017/8/19 下午12:34...	25.064106	121.653019
1,008	興華公園	40	27	三重區	2017/8/19 下午12:34...	25.060125	121.483101
1,009	三重國民運動中心	68	24	三重區	2017/8/19 下午12:34...	25.054391	121.488489
1,010	捷運三重站(3號出口)	34	8	三重區	2017/8/19 下午12:34...	25.055883	121.484739
1,011	樟樹國小	48	22	汐止區	2017/8/19 下午12:34...	25.066688	121.640367

本資料集截圖資訊

CHAPTER. **09**

在 Tableau 匯入資料並進行基礎分析

實戰任務說明 本章將會透過 Tableau 工具，正式帶著你進行實作練習。首先引導操作幾個最重要的功能，如載入資料、資料檢視、資料標記、過濾器等。

從本章開始，正式進入到最主要的數據分析章節當中，搭配的工具是 Tableau，堪稱近期最火紅的數據分析軟體之一。我們不贅述相關的 Tableau 基本安裝流程，你可自行至附錄查看。

本章會帶領你從載入資料開始，演示產出相關基礎數據分析成果的流程，其中包含了初期必須的資料檢視作業、欄位類型說明、好用的標記設定功能、數據過濾器等基礎功能的實作。

熟悉Tableau基礎功能

▌連結 CSV/Excel 檔案

施作效益 Tableau 提供很多種讀取資料的方式，不過最常用的還是 CSV/Excel 資料，為最常見的檔案儲存格式。在製作視覺成果時，可以確保資料不會因為即時更新而異動。

[練習任務] 加入 CSV/Excel 資料到 Tableau

01 我們來開始第一次的資料連結流程，共有兩種連結方式。可以直接點選畫面左邊的按鈕（To a File），或是直接將檔案拖曳到軟體當中。

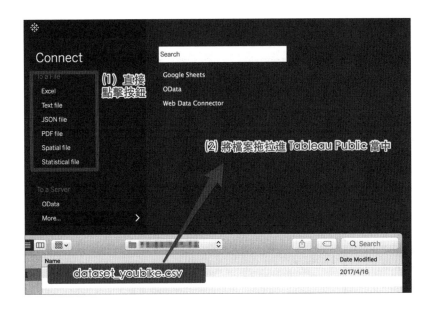

❖ 操作結果

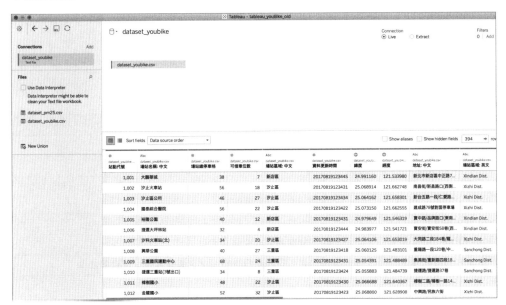

下方出現載入後資料

將檔案拖曳到軟體之後，會自動切換到資料檢視畫面：

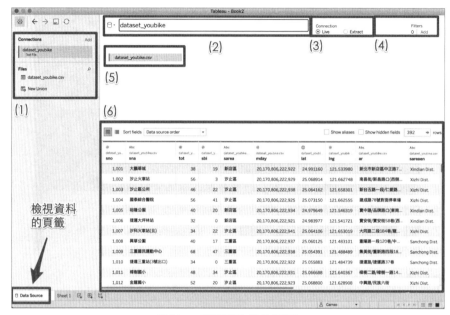

Tableau 資料載入後的畫面

資料檢視畫面主要有幾個區域：

Tableau 資料檢視畫面項目說明

項目	說明
(1) 資料來源	顯示資料來源與檔案頁籤
(2) 檔案名稱	顯示檔案名稱，可在此調整
(3) 資料連線方式	可設定「Live」與「Extract」兩種資料抽取方式（僅 Desktop 有此功能，Public 版本沒有），下面有説明
(4) 資料過濾方式	可在此設定資料過濾器，可設定僅採用部分資料
(5) 檔案欄位屬性設定	可細部設定檔案讀取或整合方式
(6) 資料檢視區域	資料表顯示區，可以進行資料排序、屬性瀏覽、更名等操作

以下針對「資料連線方式」、「資料過濾方式」、「資料檢視區域」進行細部介紹。

資料連線方式（Live 與 Extract）

施作效益 可以設定資料來源不斷更新或是只存取特定時間當下的資料庫數據。有兩種模式：「Live / Extract」，不同方式設定，可節省讀取時間，或是彈性設定讀取的方式（僅 Desktop 有此功能，Public 版本沒有）。

「資料連線方式」是指資料提取的方式，主要有「Live」與「Extract」兩種抽取方式，兩者的使用情境不同，讀者可視需求使用。

Tableau 資料連線方式

連線方法	說明	適用情境
Live（即時連線）	每次瀏覽時，會自動查詢資料庫的最新資料，並將顯示結果刷新，數據集不會被放到 Tableau Server，而是直接和資料庫連結。Live（即時連線）採用的是 In-memory Computing 機制，會將常常運算的資料欄位放置在記憶體當中，可重複使用，速度快但記憶體需求高。	(1) 原始資料庫效能優異時 (2) 不允許將資料在外地存儲時 (3) 數據即時性需求高時
Extract（資料抽取）	主要連接的是一個靜態資料來源，將小量的資料讀取至本機端進行處理，且資料會被複製一份到 Tableau Server，如果需要更新資料，需要重新進行一次 Extract 的流程。 此外，Extract 也可以設定抽取方式，可以每次都全部重新抽取（Full Refrest）或是採用增量抽取（Incremental Refresh）。如果是增量抽取，則只會抽取新增加的資料列。	(1) 無法即時和資料庫連線時 (2) 資料庫效能不佳時 (3) 需要減少對資料庫存取頻率時 (4) 要發布到 Tableau Public 或 Tableau Online 時

資料過濾方式（Filter）

施作效益 可設定只保留想要呈現的資料欄位及特定的值，資料量的減少可以降低 Tableau 圖表產生與更新的時間，且去除冗餘的資料，使圖表的呈現能更精準地詮釋要傳達的故事。

如果沒有想要使用全部的資料集，我們可以使用畫面右上方的資料過濾器功能來過濾資料，例如：「只選定特定日期」、「只選定特定縣市」、「只選定特定資料範圍」等過濾情境，好處是我們可以在開始分析之前，就將不需要的資料去掉。

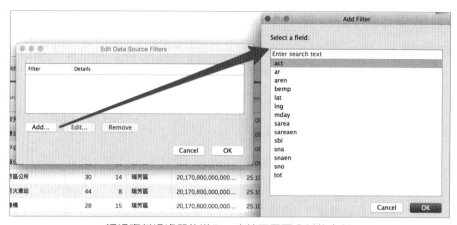

透過資料過濾器的導入，去掉不需要分析的資料

儲存工作簿（Save）

施作效益 保存目前對於 Tableau 檔案的操作及當下的狀態，也可與他人共享協作 Tableau 檔案。

本次練習中，我們選用的是「Live」的即時連線方式（Desktop 版本才有此設定），只要按下 Ctrl + S 鍵或是蘋果作業系統的 command + S 就可存檔。我們也可按下畫面左上方的磁碟符號來進行儲存，若是你用的是 Tableau Desktop，就可儲存在本地端，而若是你用的是 Tableau Public，則會強迫你儲存在雲端上。

「儲存」與「更新」的按鈕（Public 版本會強迫上傳）

資料檢視與欄位調整

資料來源都設定好之後，接下來我們可開始檢視資料內容。我們先對資料型態、資料欄位、資料內容有一些了解，以加快後續資料操作的效率。當發現資料中存在異常值，如亂碼、缺值、誤植，可先排除資料格式異常，並進行欄位格式轉換。

右下主要區塊就是資料列區域，當中包含欄位名稱、欄位屬性（Tableau自動偵測的）、資料數量、資料內容等資訊，也可切換排序方法或是檢視詮釋資料（Metadata）。

切換資料、Metadata瀏覽、排序方式　　　　　**Tableau會自動偵測欄位屬性**　　　　　**資料數量**

⊞ ≣	Sort fields	Data source order	▾				☐ Show aliases	☐ Show hidden fields	392	→ rows

# dataset_yo... **sno**	Abc dataset_youbike.csv **sna**	# dataset_y... **tot**	# dataset_y... **sbi**	Abc dataset_youbike.csv **sarea**	# dataset_youbike.csv **mday**	⊕ dataset_youbi... **lat**	# dataset_youbik... **lng**	Abc dataset_youbike.csv **ar**	Abc dataset_youbike.csv **sareaen**
1,001	大鵬華城	39	19	新店區	20,170,800,000,000...	24.991160	121.533980	新北市新店區中正路7...	Xindian Dist.
1,002	汐止火車站	56	3	汐止區	20,170,800,000,000...	25.068914	121.662748	南昌街/新昌路口(西側...	Xizhi Dist.
1,003	汐止區公所	46	22	汐止區	20,170,800,000,000...	25.064162	121.658301	新台五路一段/仁愛路...	Xizhi Dist.
1,004	國泰綜合醫院	56	41	汐止區	20,170,800,000,000...	25.073150	121.662555	建成路78號對面停車場	Xizhi Dist.
1,005	裕隆公園	40	20	新店區	20,170,800,000,000...	24.979649	121.546319	寶中路/品牌路口(東南...	Xindian Dist.
1,006	捷運大坪林站	32	0	新店區	20,170,800,000,000...	24.983977	121.541721	寶安街/寶安街58巷(西...	Xindian Dist.
1,007	汐科火車站(北)	34	22	汐止區	20,170,800,000,000...	25.064106	121.653019	大同路二段184巷/龍...	Xizhi Dist.
1,008	興華公園	40	17	三重區	20,170,800,000,000...	25.060125	121.483101	重陽路一段120巷/中...	Sanchong Di:
1,009	三重國民運動中心	68	47	三重區	20,170,800,000,000...	25.054391	121.488489	集美街/重新路四段18...	Sanchong Di:

資料檢視畫面有點類似 Excel 的資料列表呈現方式

檢視資料排序

施作效益　　當想要找到特定維度數值前幾大／小的資料，排序後的資料可以呈現出不同資料列其特定維度的相對大小關係。

我們在檢視資料時，常會先透過「排序」（Sorting）的方式檢視資料特徵。Tableau 提供了一個很方便的排序按鈕，只要點選該按鈕，就可以轉換「升冪」或是「降冪」的排序方式，可先看看各欄位的極端值，是否符合預想的期待。

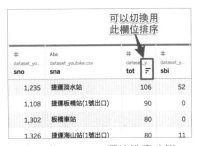

好用的 Tableau 欄位排序功能

改變欄位屬性

施作效益　　Tableau 會自動根據欄位裡面的內容判斷其屬性，分配為數字、字串、日期、地理位置等格式，雖然很聰明但有時候會誤判，因此需要做調整。調整欄位屬性，使 Tableau 能正確識別該欄位，正確的欄位屬性才能畫出對應的圖表。

當 Tableau 判斷錯誤時，我們可以點選欄位上面的綠色小圖示，就可以將該欄位改變為另一種資料屬性。

Tableau 提供多種的欄位屬性切換，其中地理屬性還有細部類別可展開選擇

[練習任務] 修改為正確的欄位型態

01 經緯度資訊很容易被判斷成數字類型欄位，但應該是地理資訊才正確，可手動進行修正。

手動進行欄位屬性修正

02 本資料集其中的日期格式只用字串表示，如「20170819123445」，這代表的是 2017 年 8 月 9 日 12:34，可透過屬性調整，讓 Tableau 了解其為「日期」（Date & Time）屬性。

❖ 操作結果

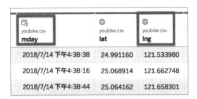

完成兩個欄位型態的修正

修改欄位名稱

施作效益　大多數資料集在儲存的時候，因為許多系統對於中文的支援度較差，所以大多會用英文代碼來儲存，但是我們在做分析的時候，如果能夠直接看懂該欄位的意義，便可更快找到視覺洞見。欄位名稱的修改，可使編輯者能夠快速理解該欄位代表什麼，大大增加可讀性。

用程式產出的資料集，大多避免使用中文，較不會有國際化語言編碼的問題。但是當我們進行數據分析作業時，若能夠直接閱讀其欄位正式名稱，而非欄位簡碼，對於分析可有幫助，我們可在 Tableau 調整其顯示的欄位名稱。

[練習任務] 修改欄位名稱

01 只要雙擊欄位代碼，即可編輯其顯示名稱，在進行分析作業時會比較有感覺。

❖ 操作結果

名稱更新之後的結果

熟悉圖表常用功能

我們來做第一個 Tableau 圖表吧！方法很簡單，就從左下角的「Sheet 1」頁籤開始。Tableau 軟體通常也會貼心提醒可從這裡開始，點開後就會進入編輯畫面。

[練習任務] 開啟編輯畫面

01 點選下方的「Sheet 1」會從資料檢視切換到視覺化的模式。

❖ 操作結果

進入編輯區，以下說明功能：

Tableau 相關編輯區域

Tableau 相關區域的功能整理表

編號	名稱	用途
(1)	數據與分析視窗	主要負責顯示相關資料欄位的區域，共分成維度（Dimensions）與度量（Measures），Tableau 會自動根據資料屬性放到對應位置，不過也可以再透過手動調整。值得一提的是，可以在此切換「分析（Analytics）」頁籤，做一些數據統計功能。
(2)	工作列	如名稱的意思，就是相關功能按鈕放置的位置
(3)	行＆列功能區	設定資料的「行」、「列」呈現邏輯的地方
(4)	頁面設定卡	可在此設定將某個維度或是度量的結果拆分為多個畫面的功能區
(5)	過濾設定卡	可以在此指定要包括或是排除的數據
(6)	標記設定卡	用來設定畫面顯示資訊的參數區，像是顏色、大小、提示文字等
(7)	工作畫布區	主要視覺圖表呈現的位置
(8)	SHOW ME	Tableau 的獨特智慧視覺化引擎，可自動產生合適的圖
(9)	資料來源與頁籤	可切換資料來源與目前編輯成果的區域，也可開立圖表、儀表板、故事頁籤

▌維度與度量（Dimensions & Measures）

施作效益　雖然 Tableau 區分維度與度量功能非常聰明，但偶爾還是會有出錯的時候，需要進行人工修正，以使 Tableau 正確識別該欄位屬性。

一般而言，如果該欄位的內容為數字，會自動被放置到度量（Measures）區域，且通常會自動使用「加總」（SUM）的方式呈現數據。而如果該欄位的內容被歸在「維度」（Dimensions）區塊的話，代表 Tableau 視其為一個類別字串，顯示時也會用類別的方式呈現。

然而，像是「經緯度」這種欄位就可能被歸在度量（因為是數字），但其實數字背後有時候比較適合用分類的概念來呈現（所以應該屬於 Dimensions），這時我們可以再手動進行切換，拖拉到維度的區塊。

[練習任務] 改變欄位類型（Measures → Dimensions）

01 手動拖曳該欄位，即可切換維度或是度量屬性（例如：經緯度應該調整為維度）。

❖ 操作結果

本實戰案例的經緯度欄位應該在 Dimension，而非 Measures

█ 建立第一個視覺化圖表（長條圖）

施作效益 　為了做第一次的練習，長條圖的概念是相對簡單的。以長條圖為例，可以清楚看出維度與度量的關係。

　製作第一個圖表時，我們先從感興趣的量化統計開始，例如：我們如果好奇每個區域的的 YouBike 站點有多少，我們可以將「sarea」（場站區域：中文）與「Number of Records」（紀錄數）欄位拖到對應的欄列上面，就會自動產生一個圖表，或是雙擊這兩個欄位也會自動產出。補充說明「Number of Records」是 Tableau 自動產生的欄位，主要是可幫忙顯示數量用。

[練習任務] 完成第一個圖表

01 輕鬆透過拖拉方式來完成第一個視覺圖表。

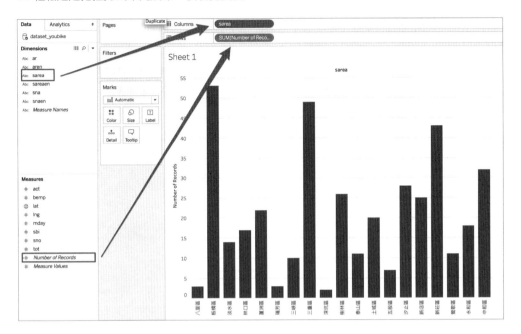

❖ 操作結果

同上圖,順利產出一個標準長條圖。

▎排序與欄列轉換

施作效益 有時軸向的字適合橫向呈現,有時又會適合直向呈現,我們常常會有翻轉軸向的
需求,讓閱讀者可以用更自然的方式吸收圖表資訊,而不用歪著頭看。此外,我們通常也對於
極端值更感興趣,因此執行排序能夠幫助閱讀者了解此筆資料的極端數值。

在視覺圖表呈現有兩個很好用的技巧,分別是「排序」與「欄列轉換」,「排序」可讓
最大或最小的資訊更容易被看到,而「欄列轉換」則可根據資料狀況,切換為對人類來說
最好的顯示方式。

[練習任務] 進行欄列轉換,提升閱讀性

01 可以透過上方工具列使用「排序」與「欄列轉換」來調整顯示模式,橫向模式比剛剛容易瀏
覽。

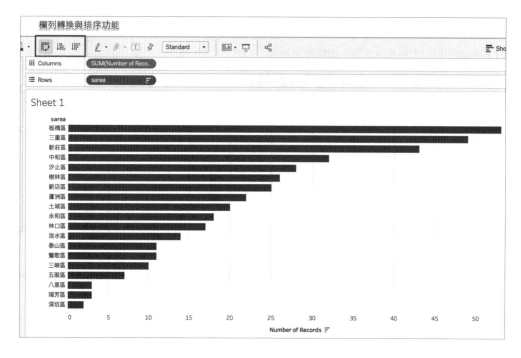

❖ 操作結果

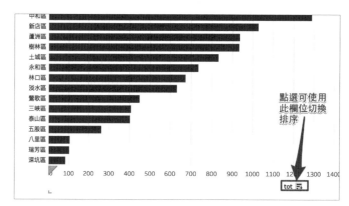

翻轉之後比較好閱讀，若是數字類型資料，也可透過兩軸的按鈕點選來切換排序

▍超好用的 SHOW ME 智能顯示

施作效益　　Tableau 有一個很棒的功能是「SHOW ME」，它可以自動根據資料屬性，一旦條件滿足時，便自動產出一個視覺圖表。下方也會提示告知如果要做出這個視覺圖，大概需要怎樣的維度與度量資訊，讀者可自行嘗試看看。

[練習任務] 嘗試 SHOW ME 的各種可展示形式

01 透過 SHOW ME 可自動產出目前資料欄列組合的視覺圖表。

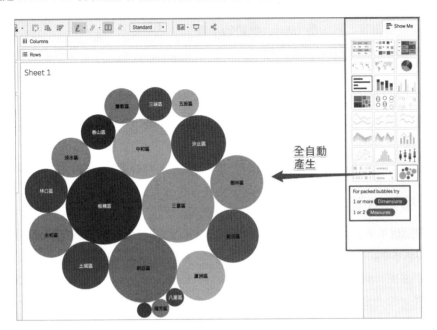

❖ 操作結果

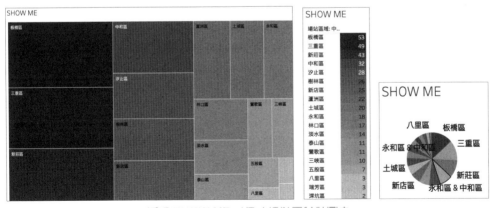

透過 SHOW ME 可快速轉換成各類圖表

標記設定（Marks）

標記設定區主要用來改變相關視覺的形狀、顏色、大小、標籤等，可說是 Tableau 軟體的小畫家工具！右圖是相關按鈕的功能對應。

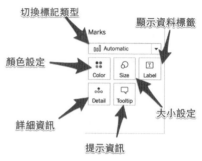

標記設定的幾個主要選項

切換標記類型（Mark Type）

施作效益 每種表達型態（圓形、方形、空心、線條等），都會給予閱讀者部分的視覺暗示，我們可以挑選最合適的製作，用分析者最想要呈現的樣貌來提供給閱讀者。

當我們產生一個視覺圖表時，Tableau 會採用「Automatic」的標記類型，自動根據資料屬性套用可能合適的標記類型，但我們也可透過下拉式選單切換不同類型看看，如長條圖、區域圖、正方形、圓形等，切換之後可發現閱讀的感受不相同了。

[練習任務] 改變標記類型

01 可以嘗試將剛剛的長條圖改成正方形看看，閱讀者會有不同的感覺。

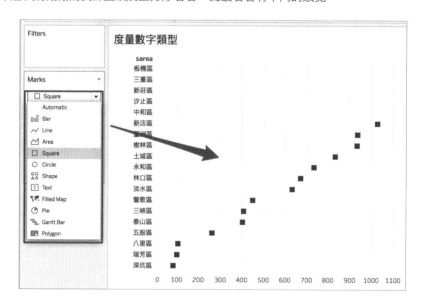

❖ **操作結果**

同上圖的顯示效果。

改變顏色（Color）

施作效益　　　顏色對於人們的閱讀有很大的影響性，你可以使用強調色（例如：紅色）於想要表達的區域，或是用色彩作為一些類別與數據上的區隔，建議分析者可挑選最合適的顏色，呈現圖表分析結果，或是用色彩來強化數據張力。

Tableau 可以直接針對特定位置、特定規則而改變顏色，或是改變整體的顏色等。顏色可用預設的自動幫忙配置，但也可自行手動調整細部色彩。

[練習任務]用 Color 功能來改變長條圖的顯示色彩

01 只要將特定欄位拖拉到「Color」選項，就會自動根據該欄的資訊調配顏色（通常會根據數字大小顯示漸層）。

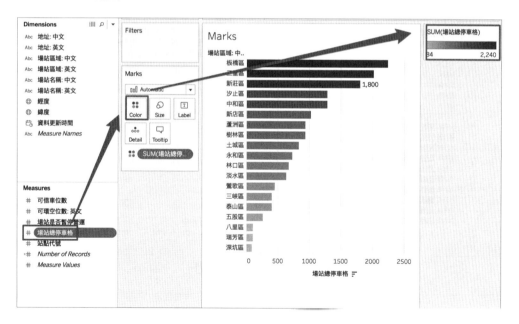

02 點選「編輯色彩」（Edit Colors），我們可以調整細部色彩。

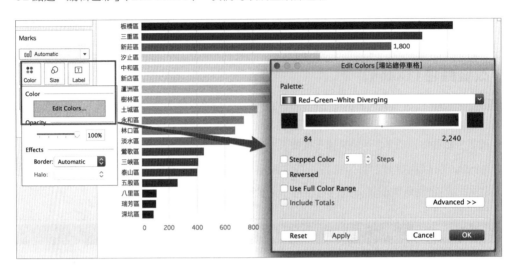

❖ 操作結果

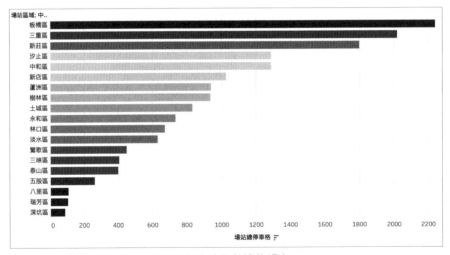

用顏色來強化數據的張力

▌改變大小（size）

施作效益　「顯示的大小」本身就可以作為一個維度的資訊。人們會自然聯想到圖樣較大的東西，數據也會比較大，因此可以幫助人們更容易了解資料圖表的某個維度資訊。

[練習任務] 使用 Size 功能，根據某個欄位的數據大小來改變圖樣顯示的大小

01 如同其名稱所述，此功能可以調整顯示圖樣的大小。我們可以嘗試「Shape」的圖型類型，
並將其大小調整放大，會有一些互相圈套的感覺。

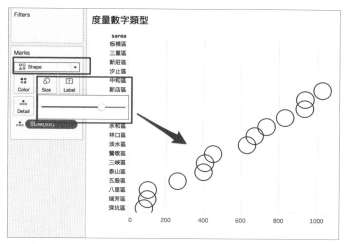

「Shape」加上調整後的 Size，資料呈現出新的樣式感覺

02 我們可以在目前的結果上疊加更多資訊，例如：同時呈現「可借車位數」的資訊。我們將該
欄位拖拉到「大小」（Size）的選項上，會自動產生一個根據該欄位的數量的比例資訊，這
時圈圈就不再都是同個大小了，而是依照「可借車位數」來進行大小圈圈的顯示。從分析結
果來說，我們可以得知原本的「場站總停車格」數量和「可借車位數」呈現一個正比的趨勢
（圈圈越上面越大）。

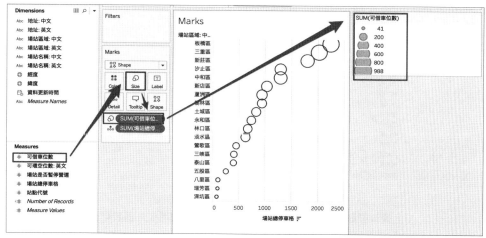

我們可以拖拉其他欄位放到 Size 選項，來同步比對其他數量資訊

❖ 操作結果

同上方的圖表顯示成果。

▌增加資料標籤（Label）

施作效益　　　雖然抽象的圖樣已經能夠表達摘要性資訊，但人們對於資料的信任度與了解仍是必然存在的重要需求，加上合宜的資料標籤資訊，可提升閱讀者了解與信任圖表的程度。

[練習任務] 用 Label 功能，讓圖表顯示資料標籤

01 資料標籤的概念很簡單，就是在視覺圖表上顯示相關的資訊，以使閱讀者能夠更清楚看懂資訊。標籤會在畫布上出現該度量數字，也可調整顯示格式。

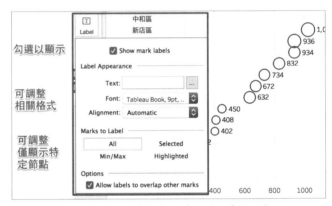

可勾選來顯示資料資訊（預設不會顯示）

❖ 操作結果

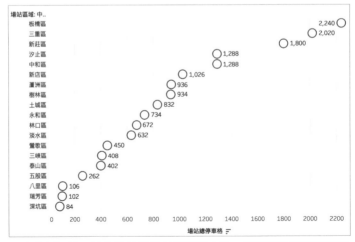

加上資料標籤，若在可接受的數量範圍之內，則可提升圖表可信度

增加細部資訊 (Details)

施作效益 ████ 當我們了解第一層分類的資訊後,會自然想要再往下一層繼續了解。Detail 功能可在圖表當中,提供分層次的更多資訊。

[練習任務] 用 Detail 功能在圖表中顯示更細部的資訊

「細部資訊」是其中稍微比較特別的設定欄位,如果欄位與欄位之間有類別關聯性,我們可以從大類別再切分小類別進行顯示,也可搭配色彩進行標記。

我們可實際來操作看看。資料當中的「場站名稱」均可歸屬到某個「場站區域」,我們透過細部資訊功能來進行切塊顯示,也可透過色彩來標示「場站名稱」的資訊,以方便我們瀏覽。

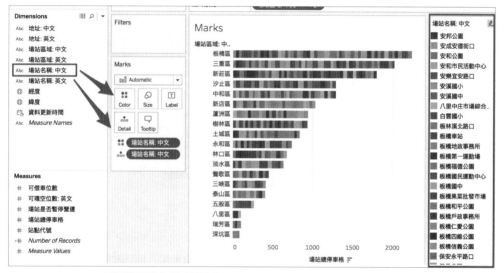

只要將子類別拖拉到「Detail」,就可進行細部資訊的顯示

❖ 操作結果

同上圖的執行成果。雖然有點花,但是可以同時呈現出:

❏ 長條圖:不同區域。

❏ 長條圖中的顏色格子:不同區域當中的不同場站名稱。

▍調整提示訊息（Tooltip）

施作效益　　　人們在了解摘要訊息之後，會對特別的資訊板塊特別有興趣，但傳統的圖片並無法滿足這塊的期待，所以需要用 Tooltip 來進行輔助。一開始瀏覽時不用出現，所以不會造成干擾，但是有需要的時候又可以滑過去來彈出補充資訊，非常有幫助。

[練習任務] 用 Tooltip 功能，顯示更完整的摘要資訊

「提示訊息」（Tooltip）是好用的功能，可以設定我們滑過某個資料切片的時候顯示的資訊，也可以客製化裡面的內容與格式，製作方式為將想要顯示的資訊拖拉到提示訊息的格子上。

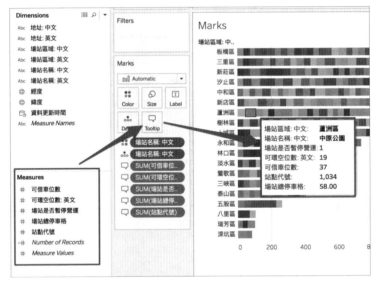

將相關數值欄位拖拉到提示訊息格式上，便會自動加入相關欄位資訊

❖ 操作結果

同上圖的執行結果。

此外，如果要編輯細部顯示資訊，可點選「提示訊息」（Tooltip）來開啟編輯畫面，右邊的「Insert」按鈕可插入一些資料或是系統參數，例如：頁籤的名稱、欄位的資料等。

編輯細部提示訊息

資料過濾器（Filter）

過濾器的功能是做資料檢視常會用的功能，有時顯示完整資訊，反而會讓閱讀者失去重點，或是我們也可能想要隱藏部分不重要資訊，這時候就很適合使用過濾器來達成。

Tableau 主要提供三類的過濾器，分別為：

❑ 時間過濾器：例如，只看第一季的銷售額（雖然擁有一年數據）。

❑ 類別過濾器：例如，只看王老五的相關數據（雖然有全部員工的資料）。

❑ 地區過濾器：例如，只看高雄市的相關資訊（雖然有全台灣各縣市的資訊）。

▌建立類別過濾器

施作效益　　當某些類別的資料已經不重要，而想要將其移除掉，或是只保留特定感興趣的類別資訊。

[練習任務] 建立類別過濾器

01 過濾器的啟動方式很直覺，只要將想要過濾的欄位拖拉到 Filter 區塊，就會自動彈出相關的過濾選項，其中類別資訊是最直覺的，會顯示該欄位的相關內容，供使用者進行勾選。

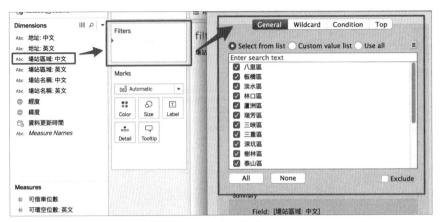

將「場站區域」拖拉到 Filter 卡上，可勾選想要呈現的類別資訊

❖ 操作結果

假設我們只對「板橋」、「林口」、「泰山」地區資訊感興趣，可以只勾選這三個類別，即可過濾掉其他類別的資料點

▌建立數字過濾器

施作效益　　當我們只對某個欄位的某個數字區間感興趣，或是我們想要過濾掉已經不重要的數字區段，透過數字過濾器可只顯示我們感興趣的欄位數字區間。

數字類型的欄位也可進行過濾，拖拉後會優先出現想要過濾的數字類型（加總、平均、中位數）等，之後則可設定想要保留的數字區間。

[練習任務] 建立數字過濾器

01 將「可借車位數」拖拉到「Filter」窗格，會跳出數字「Filter」，可挑選想要作為過濾器的數字類型。

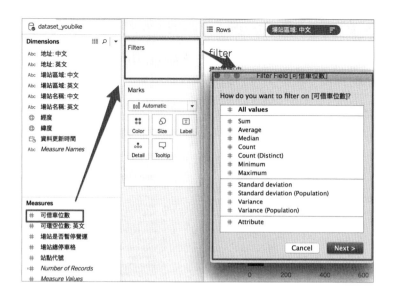

02 設定數字類型欄位過濾器。

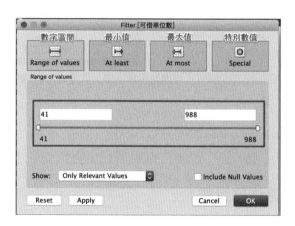

❖ 操作結果

僅會留下符合該指定數字區間的欄位資料,例如:「只顯示車位數 > 500」的區域。

建立日期過濾器

施作效益 與類別過濾器、數字過濾器相同,可以過濾特定的日期來顯示結果,或只看特別時間點的資料。

[練習任務] 建立日期過濾器

01 如果拖拉進去的欄位是日期格式的話，則會自動跳出日期區間的過濾器，可以選擇「相對日
期、日期區間、年度、季度、月份」等日期選項。

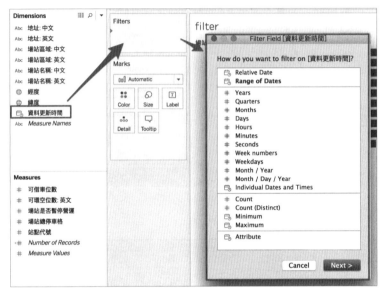

拖拉日期格式的欄位，可讓使用者選擇想要過濾的時間區間

❖ 操作結果

只會顯示符合時間過濾條件的資料。

在介面中顯示過濾器選單

施作效益　　　當我們設定好過濾器之後，可以開啟過濾器選單，讓閱讀者自行切換想要看的資
料，以快速進行資料檢視切換。

[練習任務] 開啓過濾器選單

01 在過濾器窗格點選小箭頭，透過「Show Filter」可開啟各過濾器
的窗格。

❖ **操作結果**

01 開啟之後，會在右邊顯示對應的快速過濾器窗格（不同類別會有不同顯示方式）。

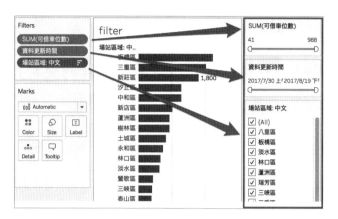

02 如果想要改變過濾器窗格的格式，也可點選過濾器窗格小箭頭，根據類型不同，各自提供許多種類的介面供選擇。

小結

　　本章介紹一些 Tableau 的入門知識，善用這些基本技巧，我們可以做出豐富的長條圖、圓餅圖、線圖等常見的圖表型態，也可搭配標記與過濾器的設定，來做出各種的圖表視覺化變化，還可完成許多日常圖表任務。

　　下一章將會介紹更多的 Tableau 進階技巧。

CHAPTER.**10**
Tableau 數據分析實戰進階技巧

實戰任務說明 本章主要延續前一章的基礎教學，加入在進行商業分析時的好用技巧，例如：增加引導閱讀的元素、替版面進行格式優化、增加分析的階層性設計、添加更多輔助判讀與分析的資訊等技巧，以持續精緻化分析成果，可讓最後的成果更具有說服力。

增加引導閱讀的元素

▌重點標示（Highlight）

施作效益 當分析或是製作圖表的人希望特別強調圖表當中的部分資訊時，透過 Highlight 功能，可引導讀者關注被重點標示的資料。

[練習任務] 增加重點標示功能

01 如果要啟用重點標示功能，只要點選「分析」（Analysis）→「重點顯示」（Highlight）即可，使用者可針對感興趣的項目做特別突出的顯示。

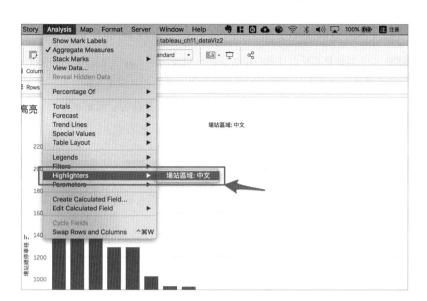

❖ 操作結果

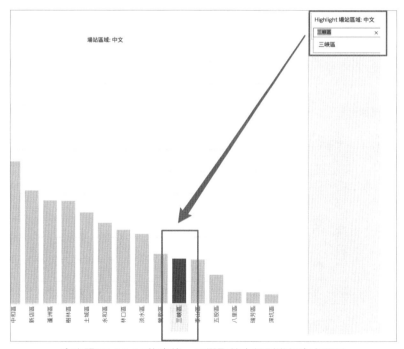

會出現 Highlight 的窗格，可選取特定類別進行高亮顯示

加入標註（Annotation）

施作效益 有些洞見是設計者或是分析者比較能夠解讀的，當希望閱讀者能夠看到這些洞見時，則可以加入標註來達成，以引導／加速其資訊吸收的能力，增加可讀性。

我們可以透過標註功能在畫布上添加資訊，引導閱讀者進行資訊解讀，其中包括「標記（Mark）類型」、「區域（Area）類型」及「節點（Point）類型」的標註。

[練習任務] 增加一個標記（Mark）類型的標註

標記類型標註是跟隨特定資料顯示的標記資訊，我們可以在想要顯示註解的長條、圓圈或是任意的形狀上面按右鍵，開啟「註解」設定。

01 右鍵點選想要加上註解的元素，套用「標記類型註解」。

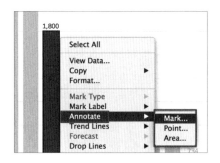

02 註解編輯視窗。

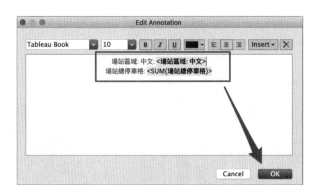

❖ 操作結果

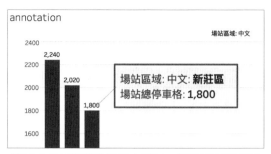

送出之後可發現該元素出現了一個註解資訊區域

此外，我們也可在畫布上的任何空白處點選右鍵，來添加區域（Area）與節點（Point）類型註解，這兩種資訊類型顯示的位置較為彈性，可在畫布中任意移動，較不用跟著特定資料。

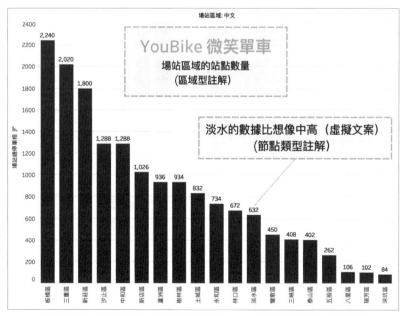

透過彈性的節點與區域類型註解顯示，來增加圖表資訊的豐富性

修改註解顯示格式

施作效益 如果我們對於預設的顯示格式不喜歡的話，也可開啟格式的編輯功能，來調整其邊框、線條、箭頭、背景、邊角等視覺元素格式，強化版面的可看度。

[練習任務] 修改註解的版面，提升可看度

01 可以開啟整體介面的格式修改窗格，修改整體註解格式。

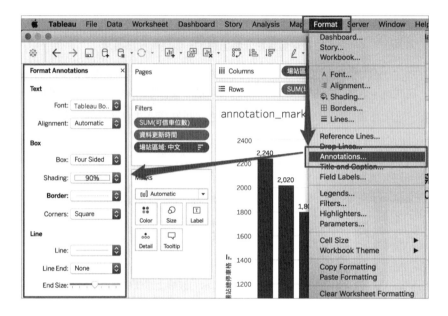

02 也可點選單一註解來修改其格式。

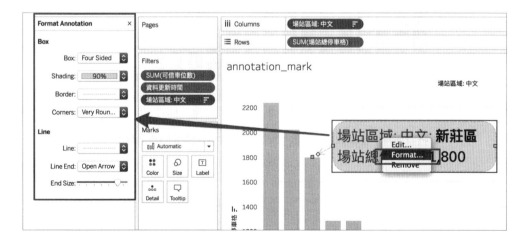

❖ 操作結果

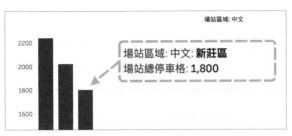

可以修改成更類似分析主題的配色、線條等

進行版面格式優化（Format）

Tableau 提供許多可客製化調整版面格式的工具，可以針對整體畫面進行調整，也可針對細部介面進行設定，Tableau 的相關格式編輯概念大致是用嵌套式的，可從最上層的格式開始設定起，也就是工作簿層級的格式，在此區的改變會將所有的設定套用在整個檔案上，如字體、線條格式等，如果需要更細部的設定，則進到下層設定「工作表→畫面物件」，這樣可以效率最大化進行階層格式設定。

Tableau 格式採階層式套用，可設定最上層，或是設定只套用在單一視覺物件上

▌工作簿層級 Workbook 格式調整

施作效益 透過工作簿層級調整，可以一次性地調整到整個 Tableau 檔案範圍，整體調整速度較快，可針對需要每個工作簿共享的部分做初次調整，之後可再針對不同的圖表做細節微調。

工作簿層級 Workbook 可調整像是整體的字型使用或是整體的格線顯示等，非常方便。

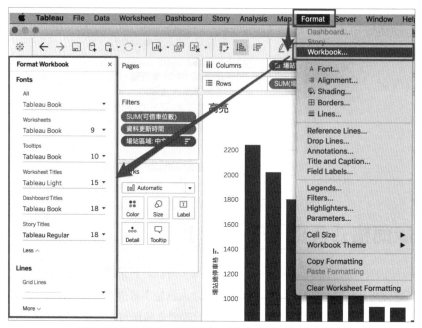

透過工作簿層級的格式調整，將格式套用在整個檔案

▍工作表層級 Worksheet 格式調整

施作效益　同個分析專案的不同圖表，適合套用的格式不一定相同，可針對每個工作表獨立調整其版面格式。

[練習任務] 調整此工作表的版面格式

01 我們也可以獨自修改單一工作表層級的格式，同樣可透過選單列的第二個區域開啟工作表格式設定視窗（Fomatting Pane），如下圖所示。

02 可設定此工作表的字型、線條、圖表格式等。

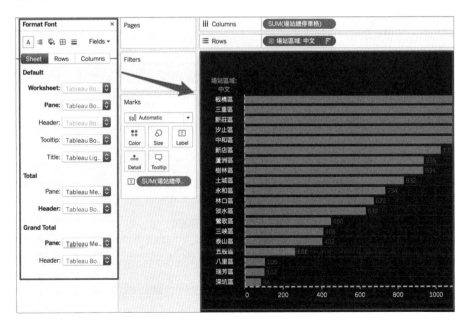

❖ 操作結果

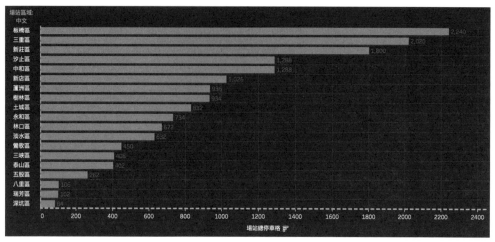

設定完此工作簿的版面樣式（讀者可以自行發揮創意）

▌設定「加總」(Total)與「總體加總」(Grand Total)格式

施作效益 設計者／分析者也會想要調整表格呈現的版面樣式，而 Tableau 表格可調整的版面參數多元，也包括「加總」與「總體加總」的格式，使加總與總體加總的格式設定與其他欄位不同的話，可提高讀者對此欄位的關注。

[練習任務] 設定加總與總體加總格式

01 如果切換為表格樣式，我們可以開啟「加總」(Total)與「總體加總」(Grand Total)兩塊區域，並設定對應的格式。

透過分析選單的子功能，可以顯示「加總」與「總體加總」資訊

❖ 操作結果

我們可以嘗試切換為表格呈現（透過 SHOW ME 調整），就能清楚看到相關加總資訊，也能夠客製化格式

▌修改軸向（Axis）格式

施作效益　設計者／分析者有時會想要調整軸標題及間距，軸間距的調整會影響圖表呈現的效果(不同資料相對的差異可被放大或縮小)，可優化版面。

[練習任務] 編輯軸的顯示格式

01 當想要客製化軸向格式，可以從格式視窗右邊的下拉式選單進行選擇，選擇我們想要編輯的軸向格式來進行編輯畫面。

❖操作結果

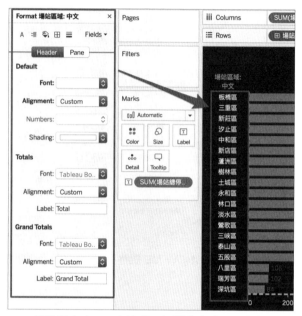

修改軸向（Axis）格式，如對齊方式、顏色等

▎其他版面小技巧

　　畫面當中有許多元素，我們點選右鍵後選擇「格式」（Format），來進入編輯模式。此手法的格式改變，只會套用在我們選擇的物件上。

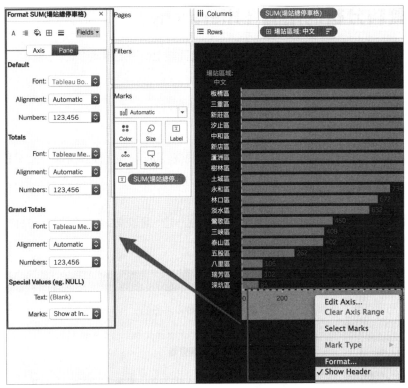

在想要調整格式的元素上按右鍵，也可調整其顯示格式

此外，我們很辛苦調整好其中一個工作表的格式，但想要套用在其他工作表的話，可以做到嗎？這是可以的，Tableau 提供了格式的「複製 / 貼上」功能，只要在頁籤上點選右鍵就可以發現，非常方便。

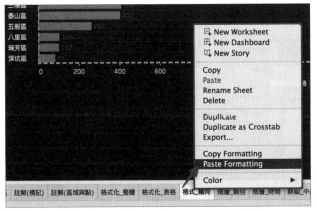

在頁籤上面點選「複製格式」後，即可將該格式貼到其他頁籤上

增加資料分析的階層（Hierarchy）

許多資料集會有階層性，代表的是一種維度之間從上到下的組織格式，例如：

❑ 類別階層性：從大類別、中類別到小類別等。

❑ 時間階層性：從年、月、日、小時、分鐘、秒等。

❑ 地區階層性：從國家、州別、城市到地區等。

Tableau 提供了階層設定的機制，讓我們更方便整理資訊，也可透過階層進行分段瀏覽。

設定欄位階層

施作效益 將同一類型但階層不同的資料整合在一起，可以減少多餘的欄位，方便管理，也可後續做更多的製圖使用。

[練習任務] 設定欄位階層

01 將子類別拖曳到主要類別上，建立階層關係（區域 > 名稱）。

02 也可以同時選擇多個維度欄位來建立階層關係。

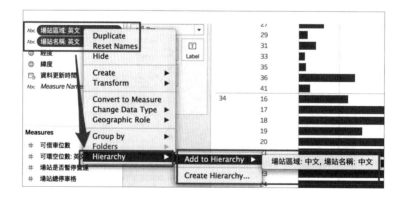

❖ 操作結果

完成之後，在維度視窗會多出一個階層符號的新維度屬性，下面包括剛剛設定的維度

透過階層瀏覽資料

施作效益 當將階層分成 A、B、C 三層，圖表的設計者或是閱讀者在某些時間想要看不同層級的資訊，或想要在 A、B、C 三者當中切換，則有階層性之後，可方便我們快速在不同階層當中切換，進行資料的向下探詢（drill down）作業。

[練習任務] 建立階層式的資料圖表

01 在建立好階層類型維度之後，我們便可將該維度拖曳進欄或列當中，即可做出帶有階層關係的數據圖表。在該維度上會有一個「+」符號，點選後可以查看下一層的資料狀態，此行為也稱為「資料的向下探詢」（drill down）。

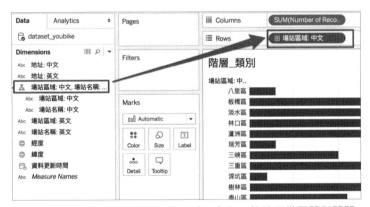

可將階層類型維度拖拉到列 / 欄區域，會有 + 符號可供展開與關閉

❖ 操作結果

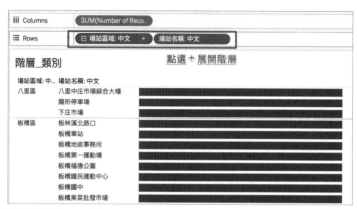

完成後，階層維度的欄位，可點選 (+)(-) 切換展開、關閉不同層級的狀態，下面的格式也會對應呈現

此外，如果是標準的日期格式，Tableau 會自動產生很多層級的向下探詢（drill down）單位，從年到月到日，一直到最小單位的秒，視資料而定。

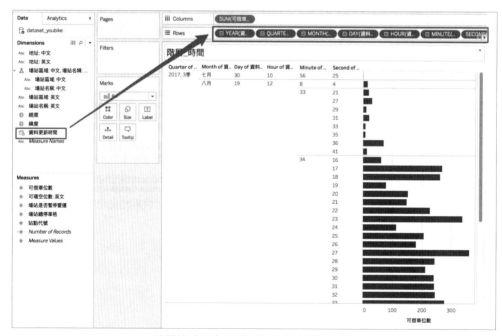

時間格式本身就是一種階層式資料類型

在時間維度上，可點選右鍵切換離散或是連續的時間格式

將類別做群組（Grouping）

如果拿到的資料集的分類方式和我們想要的不同時，例如：由於高雄縣市於 2010 年合併了，但是在 2010 年前的數據是分開統計的，所以我們希望能夠創建一個群組，可以整合全部高雄市與高雄縣的資訊，共同繪製視覺圖表，那麼怎樣做呢？這時我們就可以將兩個分類設為同一個群組來達成。

建立群組

施作效益 舊的分類規則在某些狀況下不合用，需要重新調整，將資料分類重新用新的邏輯歸類，可用較新的歸類邏輯做計算。

[練習任務] 將「永和區」與「中和區」合併為「中永和區」的群組

最快速建立群組的方式，就是點選指定的資料列後，按右鍵點選「迴紋針」，就可以快速產生一個群組，直接合併維度為特定值的資料列成為群組，在後續的分析時，兩個群組的數字就會合併起來統計。

01 透過迴紋針按鈕，可快速建立群組（本範例將中和區與永和區的資料建為相同群組）。

02 在該合併群組類別上點選右鍵，可以編輯別名，並當成此群組的新名稱。

❖ **操作結果**

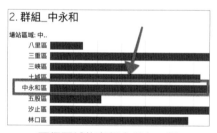

兩個區域的資料合併在一起

快速進行群組管理

施作效益　　想要系統性地將資料整合成不同群組,若是有很多群組需要同步建立,此方式會更有效率。

我們如果想要指定特定欄位的部分成員為一個群組,可直接在該欄位上點選右鍵,並選擇「群組建立」(Create)的功能,進入群組編輯畫面。

[練習任務] 進行統一群組管理

01 進入群組編輯畫面的位置。

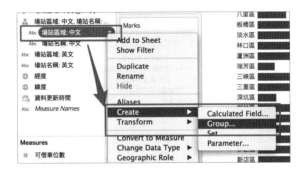

02 群組編輯的窗格,可透過拖拉的方式將不同類別整合成群組。

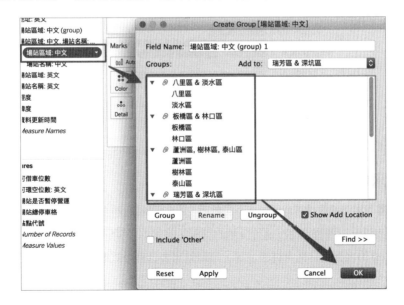

03 設定完畢後，會產生一個新的群組，可拖拉到欄列區顯示。

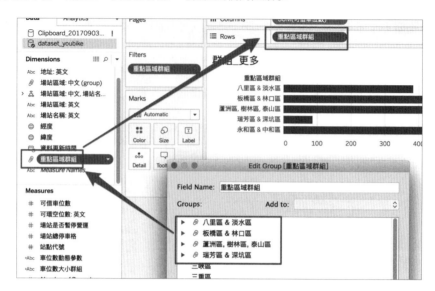

❖ **操作結果**

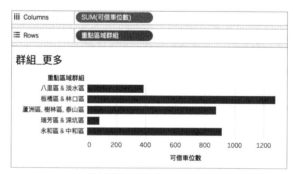

按照新群組邏輯進行數據歸類

▌用公式來做分類（非群組）

施作效益　　想要系統性地將資料分成不同類別，可將資料依照「特定規則」來劃分不同類別。

當我們遇到需要根據特別情況進行分類的狀況，例如：「將所有姓王的人找出來」、「所有數字小於 60 的人設定為補考群組」等，這時就需要透過公式的方式設定。

[練習任務] 設定「可借車位數 > 60」的分類規則

01 我們建立一個「車位數大小群組」的度量欄位，以公式的方式來達成。在下方空白處點選右鍵，選擇「新增一個計算規格」（Create Calculated Field），開啟公式編輯視窗，右方有一個小箭頭，可以點選開啟各類函式庫。我們想要建立一個「可借車位數 > 60」的群組。

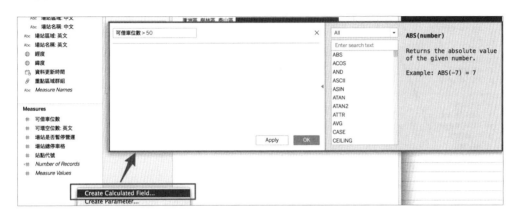

02 相關的計算規則有非常多公式可套用，這次我們先用簡單的 IF/ELSE 規則來區分車位數量的類型，則若是「> 60」為「車位數多」群組，反之為「車位數少」群組。

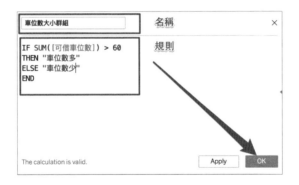

❖ 操作結果

成功建立後，會看到度量區域新增了剛剛設定好的計算欄位

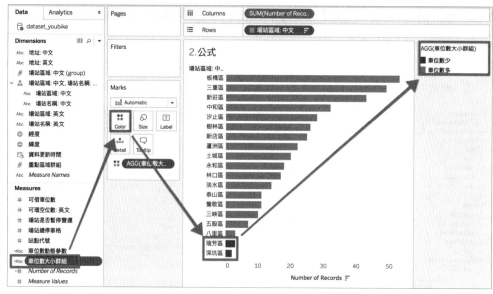

我們可以將該欄位拖曳到顏色標記，畫布就會根據剛剛設定好的規則用顏色標記

將特定資料規則設定為集合（SETS）

集合是透過某個欄位的子成員來建立出一個「新的欄位集合物件」（相較之下，群組是直接將分類套用在原本的欄位上），這樣的好處在於我們可以透過此欄位集合進行更多操作行為，例如：

❏ 建立對比：透過該集合成員，區分特定欄位分別在集合
　　內與集合外的數量。

❏ 過濾器：透過該集合成員，設定資料過濾器，可套用在
　　多個欄位。

集合（Sets）會被獨立顯示
於 Tableau 左下方區塊，可
視為物件重複使用

建立集合

施作效益 當希望合併維度相同、但數字不同的資料列，成為一個新的集合，來做後續應用。集合相較於群組，其可操作性較高，也可持續調用。

[練習任務]建立「八里淡水」集合

01 建立集合的方法和建立群組很類似，都是在某個欄位上按右鍵後，選擇「建立」（Create）→「集合」（Set）。

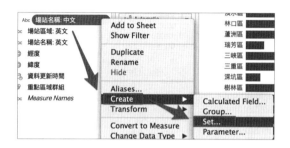

02 和群組的建立方式類似，我們也可以直接選擇欄位成員後，將反白的項目建立成一個集合。

03 勾選想要建立集合的項目後，取一個易懂的名稱後，按下「OK」按鈕。

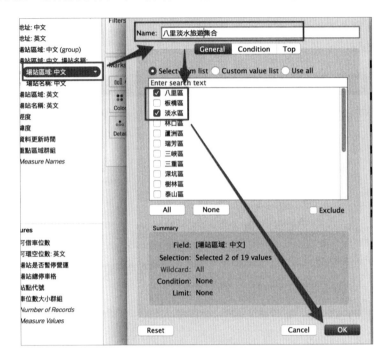

❖ 操作結果

在編輯畫面左下方，會出現剛剛建立好的集合

用集合建立類別對比

施作效益 一旦區分出集合，就可善加利用這個分類邏輯，例如：可利用不同顏色來標示區分集合內/外，以達到分類的功能。

[練習任務] 用顏色做集合分類

01 有了集合之後，我們就能夠利用其規則作為分類的工具。主要是能夠方便區分「集合內」與「集合外」的關係。將集合拖曳到「Color」選項上，即可用顏色區分集合內外成員。

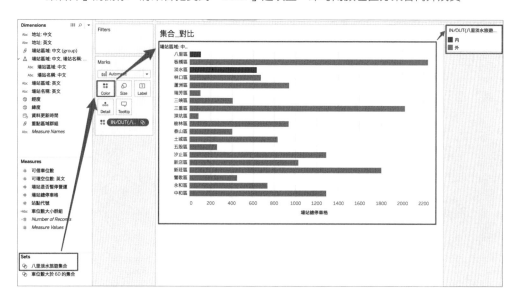

❖ 操作結果

同上圖的呈現結果。

用集合建立過濾器

施作效益 利用定義好的規則集合建立過濾器，可快速套用，也能根據特定邏輯來使用。

集合也是一個很好的過濾器，因為我們已經事先定義好該群組的成員規則，所以可利用其進行顯示資料的過濾功用，實作的方法很簡單，只要將該集合拖曳到過濾器卡區即可完成。

[練習任務] 用集合來做過濾

01 將集合拖曳到過濾器卡區，資料僅會留下在集合內的成員。

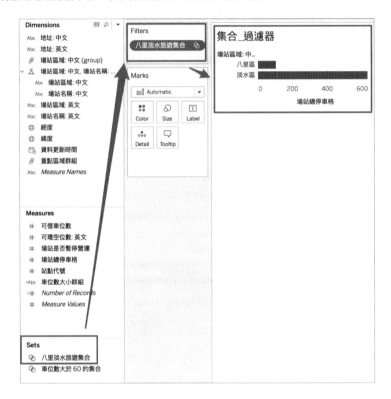

❖ 操作結果

同上圖的呈現結果。

▋建立客製化規則集合（Condition Set）

施作效益　想要快速建立集合，且集合內資料符合特定規則，建立集合的效率高。

除了基本的類別集合之外，我們也可以透過數學關係或公式來建立集合，同樣是透過集合編輯的窗格，我們可以切換到第二個頁籤（Condition），來設定條件集合。

[練習任務] 透過 Condition 建立集合

01 透過條件頁籤建立客製化規則集合（例如：「可借車位數」 >60）。

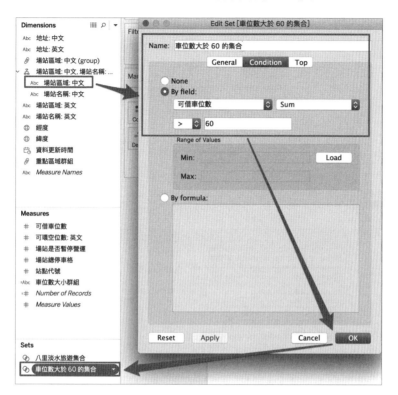

❖ 操作結果

同上圖的呈現結果。

建立組合式集合 (Combined Sets)

施作效益 組合式集合可將集合運算後的結果變成新的集合，或利用已有的集合快速創造出新的集合。

[練習任務] 建立多個集合組合而成的新邏輯集合

當我們有多個集合之後，可以將集合進行交叉組合，如交集、聯集、排除等。

01 結合兩個以上的集合之後，可以創造組合式集合（Combined Sets）。

02 可以設定集合與集合之間的交集、聯集、排除等關係，記得取一個好名稱。

❖ 操作結果

完成組合式集合的建立

活用參數（Parameter）與計算欄位（Calculated Field）

　　基礎的資料互動可使用過濾器（Filter）來達成，但是如果是欄位的特殊規則，則需要依賴 Tableau「參數」的功能來達成。參數的用途主要在動態互動上面，可由使用者自行定義，重複套用在過濾器、集合、公式、參考線等功能上面，開放更多操作互動給使用者，讓閱讀者用預先設計好的選項進行切換。

可以自行參數區間，以及跳動的間距，讓使用自行切換並與圖表互動

▋在過濾器中建立參數

`施作效益` 某些過濾器選項數值，可能會想要變動的，可在 tableau 中設置變數，使用者與 tableau 圖表的互動能夠更有彈性。

[練習任務] 建立 Top 排序參數

　　假設我們希望能夠建立動態顯示「TOP N」的視覺呈現，我們可先建立一個資料長條圖。原本用單純過濾器的話，只能夠寫死，例如：「TOP 5」，然後只顯示前五個選項，但是搭配參數的概念，我們可以改為將靜態數字設定為動態參數，並讓使用者進行切換 TOP N。

01 將想要做「TOP N」的欄位拖曳到過濾器的窗格後，切換到第四個頁籤「Top」。

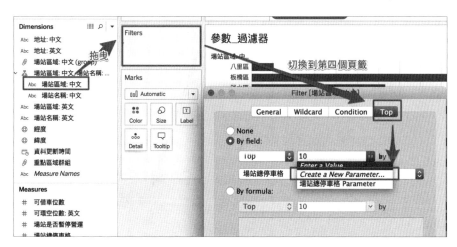

02 設定參數後，按下「OK」按鈕。

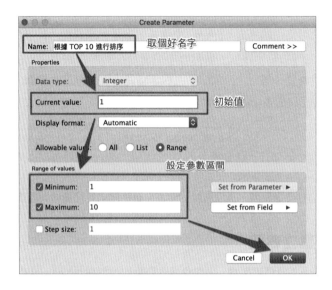

03 送出之後，就可以看到過濾器欄位顯示剛剛設定的參數後，按下「OK」按鈕。

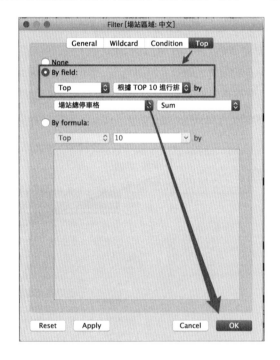

❖ 操作結果

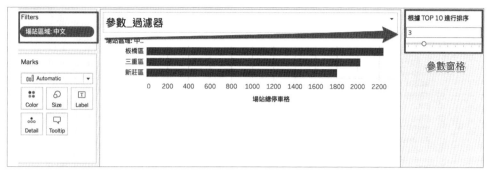

設定好之後，可在畫面右邊看到參數控制項，自己控制參數

█ 整合參數與公式套用

施作效益 　我們將參數做成變數，與公式進行整合，可建立非常彈性的視覺展現，並與使用者互動。

　　如果讀者有寫程式的經驗，就會知道「變數」好用的地方，而參數正好是一個「可供使用者調整的變數」，所以我們可以根據特定欄位建立變數，後續可讓使用者手動調整他們自己想要看到的視圖結果。

[練習任務] 用「場站總停車格」做動態數字過濾器

　　當我們希望「製作一個可以動態調整場站總停車格數量」的過濾器，操作步驟如下：

01 我們可以從長條圖開始，並透過「場站總停車格」欄位建立一個參數。

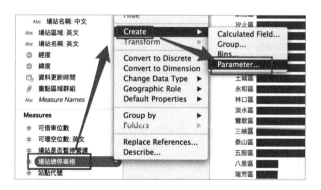

02 設定參數。因為總停車格最多是 2240，所以我們的範圍都有包括到就可以了。

03 設定完成後，在畫面左下角會出現該參數變數。

04 在參數上按右鍵，選擇「顯示參數控制」（Show Parameter Control）功能。開啟後，右上角就會出現該參數的控制項。

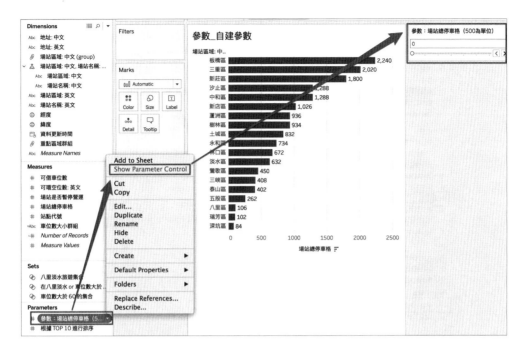

05 然而，出現控制項之後，會發現移動它並不會對畫面產生改變，這是因為我們還沒有透過此參數進行動態設定。我們可以使用此參數實現視圖的動態切換，這部分技巧比較進階一點，需要透過公式功能進行設定。在度量區域點選「Create Calculated Field」，以新增一個計算欄位。

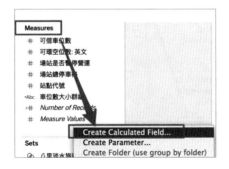

06 建立一個「車位數動態參數」計算欄位，公式可參考下圖（參數可用拖拉的方式加進去）。

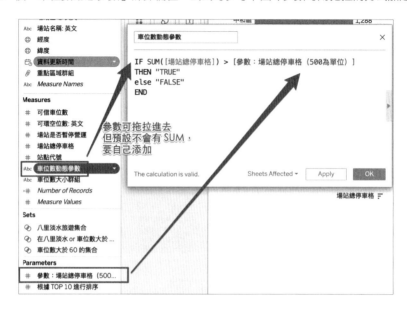

07 我們希望用這個動態欄位來切換顏色的顯示，可拖拉欄位到「Color」選項上。

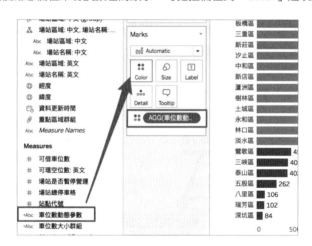

❖ 操作結果

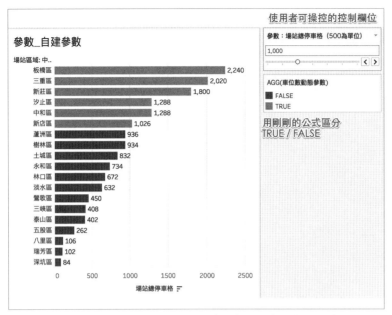

這樣門檻值就變成動態的了，使用者可任意操作玩玩看

小結

本章所介紹的許多技巧，都能有效優化 Tableau 視覺圖表的展現效果，例如：重點標示、標註功能、版面設定等功能，皆有效提升使用者閱讀圖表的成就感。

此外，也有介紹像是階層式欄位設計的功能，或是群組、集合、參數、公式等概念，這是要進行進階分析的必備技巧，讀者可以多加練習，以應用在實際分析任務。

用 Tableau 進行
地理資訊分析

Tableau 擁有強大的地圖功能支援，除了可透過 GPS 資訊進行視覺化繪製之外，還內建了全球國家名稱和部分的地名資料庫等，也可自行擴充上傳自己的經緯度資訊。此外，Tableau 除了可使用自己的地圖圖資之外，並可整合第三方圖資如 mapbox、Google Map 等，也可自行定義地圖背景圖片等，地理空間相關功能十分完整。

將數據用地圖呈現有許多原因，除了欄位當中包括地理類型的資料之外，用地圖呈現的方式本身就蠻好看的，視覺上衝擊性也強，這些都構成用地圖呈現結果的良好動機。整體來說，用地圖的方式呈現數據有以下幾個好處：

❑ 善於回答：地理位置與數量的關聯性問題。

❑ 善於回高：數據量高／數據量低的分布位置問題。

❑ 善於回答：交通線圖相關的問題。

❑ 善於回答：時間改變與地理空間之間的分布關係。

廣義來說，只要是空間分布類型的問題，就很適合用地理類型的視覺來做呈現。在分析結果上，也能傳達的更清楚，就讓我們開始進入地理資料分析的旅程吧！

[實戰範例❶]SuperStore

範例下載位置 http://design2u.me/tableau/dataset/global_superstore_2016.xlsx

資料來源 https://www.tableau.com/learn/tutorials/on-demand/getting-started-data

版權聲明 SuperStore 的資料集僅能用於 Tableau 的學習用途

本篇使用的第一個資料集 SuperStore，是由 Tableau 官方所提供，主要為全球的產品銷售資料，包括銷售時間、銷售國家、銷售城市、銷售成本、銷售數量等，資料組合性內容完整，很適合作為練習之用。不過，此批資料集僅能用於 Tableau 相關學習用途上，讀者們可透過此資料集所學習到的技巧，應用於想要分析的資料上面。

SuperStore 資料集欄位與屬性

欄位名稱	說明	欄位屬性	資料範例
row_id	列編號	數字	40098
order_id	訂單編號	文字	CA-2014-AB10015140-41954
order_date	訂購日期	時間	2014/11/11
ship_date	運送日期	時間	2014/11/13
ship_mode	運送模式	文字	First Class
customer_id	客戶編號	文字	AB-100151402

欄位名稱	說明	欄位屬性	資料範例
customer_name	客戶名稱	文字	Aaron Bergman
segment	產品部分	文字	Consumer
country	國家	地理資訊	73120
city	城市	地理資訊	Oklahoma City
state	洲	地理資訊	Oklahoma
Postal Code	郵遞區號	地理資訊	United States
region	市場範圍	文字	Central US
region	地區	文字	USCA
product_id	產品編號	文字	TEC-PH-5816
category	產品大分類	文字	Technology
sub_category	產品中分類	文字	Phones
product_name	產品名稱	文字	Samsung Convoy 3
sales	產品銷售額	數字	221.98
quantity	產品銷售數量	數字	2
discount	折扣	數字	0.000000
profit	利潤	數字	62.15
Shipping Cost	運送成本	數字	40.770
Order Priority	訂購順序	文字	High

# Orders Row ID	Abc Orders Order ID	🗓 Orders Order Date	🗓 Orders Ship Date	Abc Orders Ship Mode	Abc Orders Customer ID
40098	CA-2014-AB1001514...	2014/11/11	2014/11/13	First Class	AB-100151402
26341	IN-2014-JR162107-4...	2014/2/5	2014/2/7	Second Class	JR-162107
25330	IN-2014-CR127307-4...	2014/10/17	2014/10/18	First Class	CR-127307
13524	ES-2014-KM1637548...	2014/1/28	2014/1/30	First Class	KM-1637548
47221	SG-2014-RH9495111...	2014/11/5	2014/11/6	Same Day	RH-9495111
22732	IN-2014-JM156557-4...	2014/6/28	2014/7/1	Second Class	JM-156557
30570	IN-2012-TS2134092-...	2012/11/6	2012/11/8	First Class	TS-2134092
31192	IN-2013-MB1808592...	2013/4/14	2013/4/18	Standard Class	MB-1808592
40099	CA-2014-AB1001514...	2014/11/11	2014/11/13	First Class	AB-100151402

SuperStore 資料集的樣貌

[實戰範例❷]StormMap 颱風資料

範例下載位置 http://design2u.me/tableau/dataset/Storm_Map_Sheet_data.csv

資料來源 https://onlinehelp.tableau.com/current/pro/desktop/en-us/maps_howto_flow.html

版權聲明 以上資料集，僅能用於 Tableau 的學習用途

　　本篇使用的第二個資料集 StormMap，也是由 Tableau 官方所提供，主要是西太平洋一帶的颱風動向資訊，可讓我們練習在 tableau 繪製路徑之用。

StormMap 資料集欄位與屬性

欄位名稱	說明	欄位屬性	資料範例
Storm Name	颱風名稱	文字	PAKHAR
Date	紀錄時間	時間	3/26/12 12:00:00 AM
Latitude	緯度	地理資訊	9.5000
Longitude	經度	地理資訊	115.700
Basin	區域	文字	West Pacific
Wind Speed (kt)	風速	數字	35

Abc Storm_Map_She... **Basin**	Storm_Map_Sheet_data.csv **Date**	⊕ Storm_Map_She... **Latitude**	⊕ Storm_Map_Sheet... **Longitude**	Abc Storm_Map_Sheet_data.c... **Storm Name**	# Storm_Map_Sheet_data.csv **Wind speed (kt)**
West Pacific	2012/3/26 上午12:00...	9.5000	115.7000	PAKHAR	0
West Pacific	2012/3/26 上午6:00:00	9.5000	115.4000	PAKHAR	0
West Pacific	2012/3/26 下午12:00...	9.5000	115.1000	PAKHAR	0
West Pacific	2012/3/26 下午6:00:00	9.4000	114.8000	PAKHAR	0
West Pacific	2012/3/27 上午12:00...	9.4000	114.5000	PAKHAR	0
West Pacific	2012/3/27 上午6:00:00	9.4000	114.3000	PAKHAR	0
West Pacific	2012/3/27 下午12:00...	9.4000	114.0000	PAKHAR	0
West Pacific	2012/3/27 下午6:00:00	9.4000	113.7000	PAKHAR	0
West Pacific	2012/3/28 上午12:00...	9.4000	113.4000	PAKHAR	0

StormMap 資料集的樣貌

實戰任務說明 建立地圖類型的資料視覺化成果，呈現數字，並講述相關空間故事。

了解Tableau地圖製作相關環境功能

本章主要介紹地理資料類型的視覺化，搭配地圖視覺進行呈現。地理資訊可以說很多的故事，以搭配 GIS（地理資訊系統）這個概念為起點，透過經緯度或是全球地名關鍵字來呈現其空間關係。

以下是 Tableu 地圖工作相關的環境，主要包括以下六大區塊：

❏ 1：數據窗格（Data Pane）。

❏ 2：標誌卡（The Marks Card）。

❏ 3：視覺操作工具列（The View Toolbar）。

❏ 4：地圖選單（The Map Menu）。

❏ 5：欄與列（The Columns and Rows Shelves）。

❏ 6：地圖畫布（The Map Visualization）。

Tableau 地圖相關功能區

※ 資料來源：https://onlinehelp.tableau.com/current/pro/desktop/en-us/maps_workspace.html

▋數據窗格 (Data Pane)

數據窗格列出地圖所需的維度（dimensions）
和度量（measures），其中地區（例如：國家／
地區，州和城市名稱）應該屬於維度值，而緯度
和經度則為度量值，不過在某些特殊應用情境之
下，緯度和經度也可能作為維度使用。另外，地
理空間的欄位，在左邊會顯示地球作為符號。

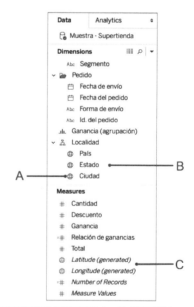

地理資料的數據窗格（A為地理欄位，B為
欄位名稱，C則是Tableau自動從資料來
源判別地理空間而取得的經緯度）

※ 資料來源：https://onlinehelp.tableau.com/current/
pro/desktop/en-us/maps_workspace.html

標誌卡（The Marks Card）

標誌卡主要用來設計地圖呈現的視覺細節。可拖拉地理位置到細節功能（Detail）來增加更多的資料顆粒，或是將相關欄位拖拉到顏色、大小、標記等欄位來增加視覺細節，或是改變地理呈現的型態。

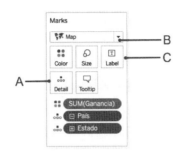

標誌卡功能（A可增加地理位置顆粒功能，B可切換地圖型態，C可改變顏色、大小、標籤等）

※ 資料來源：https://onlinehelp.tableau.com/current/pro/desktop/en-us/maps_workspace.html

視覺操作工具列（The View Toolbar）

視覺操作工具列，讓我們有許多探索地圖的方式，以下為本區域相關功能：

❏ A：搜尋地圖中的地點。

❏ B：做地圖的 Zoom-in 與 Zoom-out。

❏ C：固定在某個 zoom-in 階層開關。

❏ D：用框選的方式，鎖定一個要放大的區域。

❏ E：可透過此按鈕來做地圖位置的拖拉。

❏ F：用此區域的圈選工具，選擇想要的資料點位。

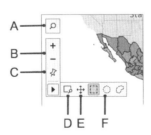

地圖控制項相關功能

※ 資料來源：https://onlinehelp.tableau.com/current/pro/desktop/en-us/maps_workspace.html ）

地圖選單（The Map Menu）

地圖選單有許多子功能可以取用，如下所示：

☐ 選擇「Map → Background Maps」，可設定背景地圖的服務（例如：設定 Mapbox / WMS Server 主機）來源。

☐ 選擇「Map → Background Images」，可增加一張靜態底圖。

☐ 選擇「Map → Geocoding」，可手動匯入地理位置資訊。

☐ 選擇「Map → Edit Locations」，可編輯資料集當中的位置資料，以對應 Tableau 內建名稱。

☐ 選擇「Map → Map Layers」，可客製化背景地圖的類型，例如：新增、修改或是增加一些美國的資料圖層。

☐ 選擇「Map → Map Options」，可開啟地圖控制項，例如：做移動地圖、圈選資料、Zoom-in、Zoom-out 等。

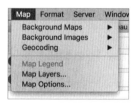

tableau 地圖選單

欄與列（The Columns and Rows Shelves）

在編輯地理視覺化圖表時，欄與列主要用來放經度與緯度資訊，其中經度放在欄的位置，緯度則放在列的位置。

經緯度與欄列對應

※ 資料來源：https://onlinehelp.tableau.com/current/pro/desktop/en-us/maps_workspace.html

地圖畫布（The Map Visualization）

這是主要畫布區域，會隨著上面的設定而動態改變顯示內容，另外地圖上的每個資料節點，都可以透過懸停來取得更多 tooltip 提示資訊，也可在標誌卡區域設定提示資訊的內容。

Hello Tableau地圖

匯入 Excel 當中要做圖的頁籤資料

施作效益 Excel 檔案有多個頁籤，Tableau 會將其視為獨立資料集，區分為不同的頁籤。此外，有時我們可以針對同一份 Excel 檔案的不同 sheet 進行 Join 的動作。

[練習任務] 匯入 Excel 某個頁籤資料

01 將 資 料 拖 拉 進 入 Tableau（global_superstore_2016.xlsx）中，可看到資料順利載入的畫面。

先將檔案拖拉進去，載入 Excel 資料

❖ 操作結果

Excel 檔案有多個頁籤，我們先將「Orders」拖拉到中間來確認資料。

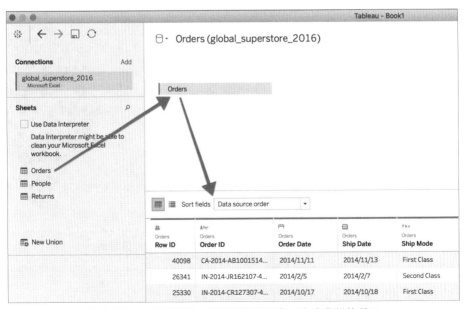

拖拉其中一個頁籤後，會顯示資料列表，完成資料的載入

建立符號地圖（Symbol Maps）

施作效益 符號地圖是以地圖為背景，可在對應的地理位置上，用多種形狀進行標記的標準版本地圖功能，非常適合顯示個別位置的定量數據。

透過符號呈現，能在地圖上看出各地區的差異，也能透過符號的資訊來看出數據的大小等資訊，比起文字，實際標注在地圖上的符號資訊，可一眼看出不同地區的差異。

[練習任務] 建立符號地圖

01 待以上步驟的資料順利載入後，我們可以新增一個圖表，開始建立第一個地圖。由於「國家」（Country）本身資料就是各個國家的名稱，而欄位屬性又是地理欄位（左邊 icon 是一個地球），最快的方法就是「雙擊該欄位」，就會自動生成對應的經緯度資訊，產生第一張地圖。

❖ 操作結果

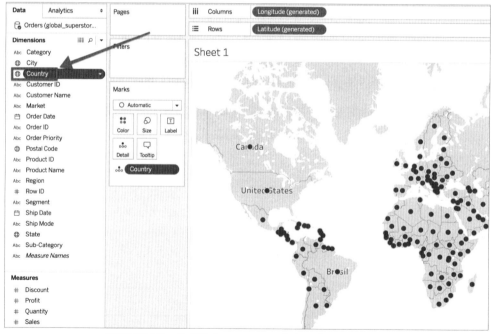

點選「國家」的欄位後，Tableau 會自動產生一張地圖

▌改變符號地圖顯示視覺

施作效益　符號地圖預設的顯示方式不一定是最好的，我們可透過 Mark Card 區域做一些調整來提升美觀度，吸引閱讀者觀看。

- -

[練習任務] 透過顏色標記市場分類

01 將想要作為顏色分類標準的欄位，拖拉到「Color」選項上，並在「Color」上面按右鍵，加入一些透明度。

02 將「Sales」欄位拖拉到「Size」選項上，並手動調大一點。

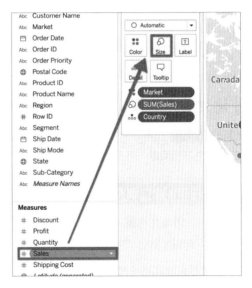

❖ 操作結果

資料點位根據「Market」欄位而顯示不同顏色，且根據 Sales 改變符號大小

建立填充地圖（Filled Maps）

施作效益 若要根據某個地區的邊界做區域的劃分，則與符號地圖相較之下，填充地圖的地區界線更清楚明瞭，可直接用整個區域的顏色來顯示數值大小／強度，例如：溫度、雨量。

[練習任務] 建立填充地圖

　Tableau 的填充地圖，主要是用多邊形將某個區域覆蓋，當資料當中包括了國家的地理資訊，就可輕鬆創造出填充地圖。

01 拖拉想要建立為填充地圖的欄位，這裡同樣使用「Country」，然後單擊「Show Me」的填充地圖選項，即可創建地圖。

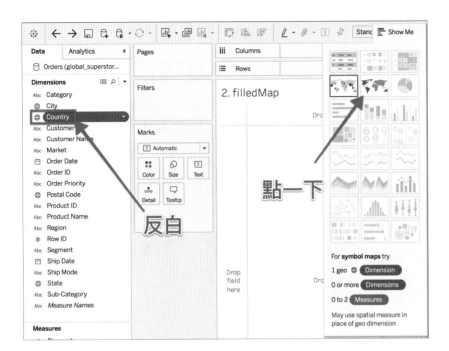

02 拖拉「Market」欄位到「Color」選項上，透過市場做區隔上色。

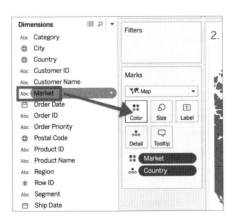

❖ 操作結果

填充地圖上色後的成果

調整地圖圖層（Map Layers）

施作效益　　　當地圖顯示的資訊過多／過少，減少冗餘的資訊，只顯示必要的圖層，讀者能更快理解圖表要傳達的信息。

[練習任務] 改變地圖顯示風格

01 地圖圖層也有很多選項，可供作為顯示模式的調整，如地圖風格、相關地理資訊圖層的疊加等，可以透過「地圖」（Map）→「地圖圖層」（May Layers）來開啟。

02 在地圖圖層的相關選項做設定。

03 可以嘗試調整地圖風格（Style），成為夜晚版的風格。

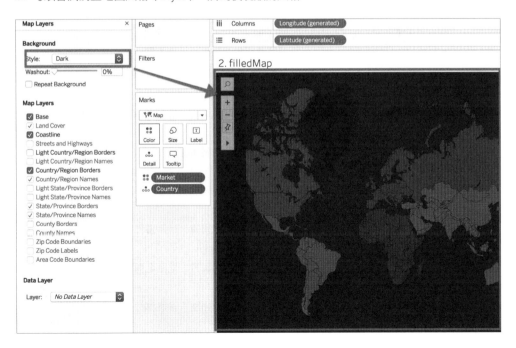

❖ 操作結果

另外一種風格的地圖

Tableau 有許多有趣的地理圖層，如下表所示：

Tableau 地理圖層資訊

圖層名稱	說明
基本（Base）	區分水域和陸域的地理圖層
土地覆蓋（Land Cover）	顯示自然保護區與公園的資訊
海岸線（Coastlines）	顯示海岸線資訊
街道與高速公路（Streets and Highways）	標記公路、高速公路，與城市街道一同顯示，也會顯示相關名稱
特別顯示國家、地區邊界（Light Country/Region Borders）	顯示國家、地區邊界
特別顯示國家、地區名稱（Light Country/Region Names）	顯示國家、地區名稱
國家、地區邊界（Country/Region Borders）	用深灰色標記國家、地區邊界
國家、地區名稱（Country/Region Names）	用深灰色標記國家、地區名稱
標記州別、省邊界（Light State/Province Borders）	用淺灰色標記州別、省邊界

圖層名稱	說明
標記州別、省名稱 （Light State/Province Names）	用淺灰色標記州別、省名稱
州別、省邊界（State/Province）	特別標記州別、省邊界
州別、省名稱（State/Province Names）	特別標記州別、省名稱

建立地圖數值與地圖動畫

添加數值資訊

施作效益 當在空間中增加數值資訊，則可說有關數字的故事，地圖呈現也很清楚，如果資料集中，同時有空間資訊（經緯度、地名等）與數值，地圖就變成一個很棒的說故事載體，因為地圖呈現本來就有美觀的特性，而且數字疊合在該地點上面，也非常好理解，對於資訊呈現相當有幫助。

[練習任務] 在地圖中增加數字維度

01 延伸前面的地圖呈現，我們拖拉數字欄位到「Size」選項及「Label」選項上，以增加數字資訊。

❖ 操作結果

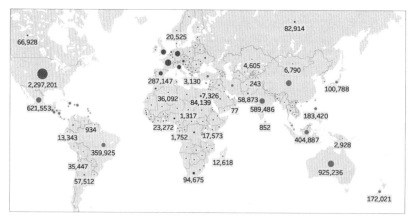

完成的畫面，地圖上顯示了數字資訊

建立地圖與數字變化動畫

施作效益　Tableau 提供 Pages 功能，可在空間維度上增加時間維度，並創建動畫。透過動畫的變化，可清楚了解隨著時序推進，用視覺呈現數字的改變。

時間在資料當中扮演很重要的角色，我們許多時候都會希望了解每個時間段的數字變化狀況，像是每一季的銷售狀況、每一年的改變等。以下是本練習資料集的時間維度資訊，可以看出每個時間單位都有不同的數字變化，我們可以透過 Tableau 清楚呈現其時間改變的結果。

Row ID	Order ID	Order Date	Ship Date	Ship Mode	Customer ID	Customer Name
40098	CA-2014-AB1001514...	2014/11/11	2014/11/13	First Class	AB-100151402	Aaron Bergman
26341	IN-2014-JR162107-4...	2014/2/5	2014/2/7	Second Class	JR-162107	Justin Ritter
25330	IN-2014-CR127307-4...	2014/10/17	2014/10/18	First Class	CR-127307	Craig Reiter
13524	ES-2014-KM1637548...	2014/1/28	2014/1/30	First Class	KM-1637548	Katherine Murray
47221	SG-2014-RH9495111...	2014/11/5	2014/11/6	Same Day	RH-9495111	Rick Hansen
22732	IN-2014-JM156557-4...	2014/6/28	2014/7/1	Second Class	JM-156557	Jim Mitchum
30570	IN-2012-TS2134092-...	2012/11/6	2012/11/8	First Class	TS-2134092	Toby Swindell
31192	IN-2013-MB1808592-...	2013/4/14	2013/4/18	Standard Class	MB-1808592	Mick Brown
40099	CA-2014-AB1001514...	2014/11/11	2014/11/13	First Class	AB-100151402	Aaron Bergman
36258	CA-2012-AB1001514...	2012/3/6	2012/3/7	First Class	AB-100151404	Aaron Bergman
36259	CA-2012-AB1001514...	2012/3/6	2012/3/7	First Class	AB-100151404	Aaron Bergman
28879	ID-2013-AJ107801-4...	2013/4/19	2013/4/22	First Class	AJ-107801	Anthony Jacobs

透過資料集當中的時間維度，我們可以觀察每筆訂單的相關欄位資訊，也可透過 Tableau 進行摘要視覺化呈現

[練習任務]用地圖呈現數字改變動畫

01 用「Order Date」作為動畫區隔的時間標準，拖拉到「Pages」的窗格空白處。

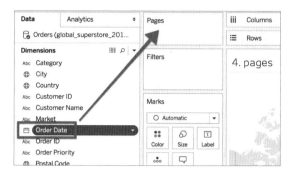

02 調整動畫切割的時間單位，改成下方的「Quarter」（區分所有的 Quarter）。上方也有一個
Quarter，不過它是把不同年份的 Quarter 資料都加總在一起。

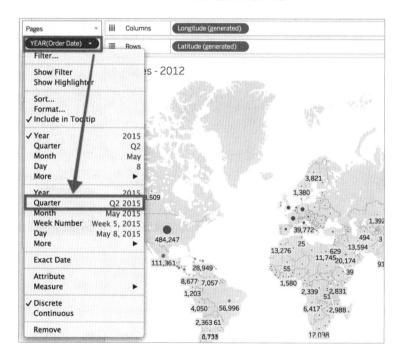

❖ 操作結果

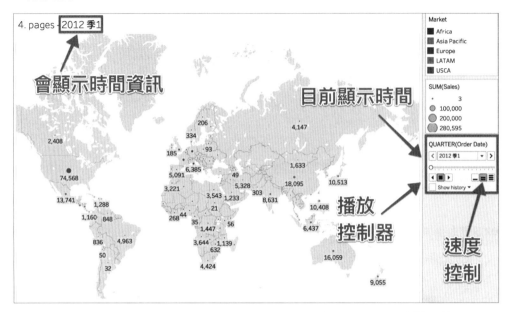

完成後，右方會出現動畫控制區，即可進行動畫的播放（下方為不同時間的顯示結果）

管理地理資料

　　在開始以下的內容介紹之前，將先介紹「地理角色」（GeoCoding）的概念。由於全球有一些公定的地理名稱命名標準，所以如果是按照這些名稱命名的資料，就能夠被 Tableau 所識別（例如：「JAPAN、KOREA」都能被識別為國家），而若是地理單位比較小的話，就不一定了（例如：「左營區」、「萬華區」就不一定可被識別），但也可以透過一些方法手動增加這些資訊。

以下整理了一些 Tableau 所使用的地理角色。

Tableau 預設可以讀取的地理資料格式

欄位	導入標準	範例
國家 / 地區（country）	國家 / 地區名稱、FIPS 10、ISO 3166-1	Cuba、AF、AFG、JAPAN、KOREA
洲別（state/province）	部分國家的洲別名稱（可識別中文名稱）	河南、Arizona
城市（city）	部分全球大型都市名稱，或是政府有公開地理訊息的城市（可識別中文名稱）	Seattle、大連

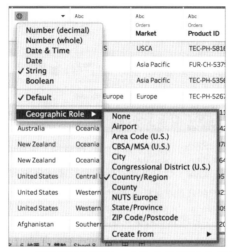

在 Tableau 切換欄位屬性時，有許多地理類型可以選取

修正字詞與 GPS 對應

施作效益 ▌ 當 Tableau 無法識別許多資料集的顯示資訊時，可透過調整資料集名稱與 Tableau 內建的名稱對應，顯示正確的資料視覺化結果。

有一些字詞可能無法正確被 Tableau 判斷，但我們可以進行手動修正，例如：手動與 Tableau 內建字詞進行比對，或是人工輸入 GPS 等，以幫助 Tableau 正確判斷資料。

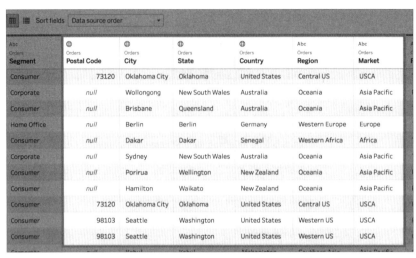

Segment	Postal Code	City	State	Country	Region	Market
Consumer	73120	Oklahoma City	Oklahoma	United States	Central US	USCA
Corporate	null	Wollongong	New South Wales	Australia	Oceania	Asia Pacific
Consumer	null	Brisbane	Queensland	Australia	Oceania	Asia Pacific
Home Office	null	Berlin	Berlin	Germany	Western Europe	Europe
Consumer	null	Dakar	Dakar	Senegal	Western Africa	Africa
Corporate	null	Sydney	New South Wales	Australia	Oceania	Asia Pacific
Consumer	null	Porirua	Wellington	New Zealand	Oceania	Asia Pacific
Consumer	null	Hamilton	Waikato	New Zealand	Oceania	Asia Pacific
Consumer	73120	Oklahoma City	Oklahoma	United States	Central US	USCA
Consumer	98103	Seattle	Washington	United States	Western US	USCA
Consumer	98103	Seattle	Washington	United States	Western US	USCA

人類看得懂的文字，軟體不一定有辦法正確判斷（尤其是某些地名）

[練習任務] 使 Tableau 可以看懂更多的 City 資訊

修正字詞與 GPS 對應的執行方式，是將準備好的地理資料，先轉換成地理類型欄位，而後再套用 Tableau 的地圖視覺化，例如：符號地圖或是填充地圖，這時會在頁面右下角看到「未知 unknown」的標籤，這就是提醒我們 Tableau 無法看懂這個資料，需要進行修正。

01 將欄位轉換成地理類型後，可建立為符號地圖或是填充地圖，如果 tableau 無法正確判斷地理位置，右下角會顯示相關資訊，可點選該標籤進行修正。

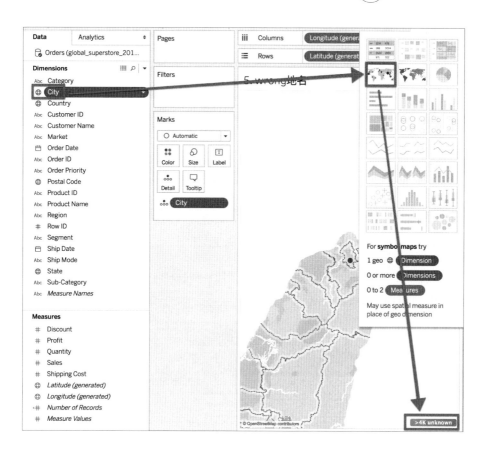

02 點選地圖右下角的「unknown」按鈕，並選擇「Edit Location」來修正地圖字詞。

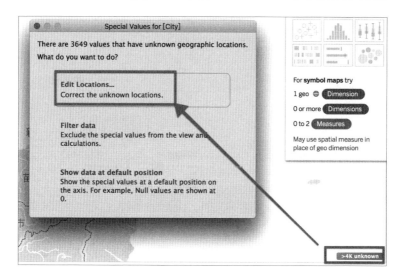

03 先把「Country/Region」改為「None」，以讓 Tableau 用全球標準檢視。

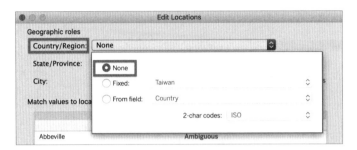

04 調整好設定後，Tableau 已經能夠看懂欄位的多數字詞，不過它還是有一些名稱無法辨識，若是真的有需要的話，我們都可以手動增加經緯度資訊。

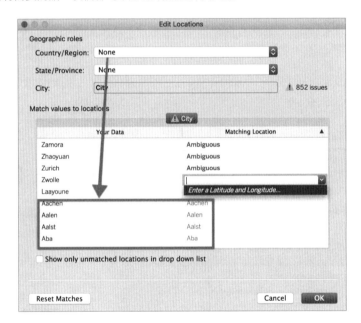

❖ 操作結果

調整之後，按下「OK」按鈕，就可以看到多數城市（City）的資訊顯示出來了，可以自由做上色或是數字顯示等操作

小結

　　將資料做地圖視覺化，有很多好玩的地方，不過讀者要注意如果要製作這類型的圖表，資料集當中一定要有地區資訊（經緯度或是地名）。如果能夠搭配數字，便可以做出很好的說故事圖表，而若再加上時間的欄位，則更能創造出隨著時序改變的地圖動畫。

　　下一章中，我們會介紹更多有關地圖的應用。

CHAPTER 12
豐富的地理數據分析形式

實戰任務說明 本章延續前一章的內容，延伸介紹更深入的地圖應用技巧，其中包括如何建立客製化地圖以及建立雙軸地圖等，以了解更多種類的地圖呈現形式。

外部WMS（Mapbox）地圖

WMS 是 Web Map Service 的簡稱，是一套由 Open Geospatial Consortium 所制定的一套地圖標準，是網路上呈現地圖的共通格式，常常被用來作為 GIS 系統開發的基礎。而 Tableau 同樣也有地圖呈現的需求，我們可以在 Tableau 當中引入更多外部地圖，其中最常用的就是「整合 Mapbox 服務」。地圖的形式百百種，透過 Tableau 加上 Mapbox 的整合，我們的地圖呈現，也能呈現出各種不同的風貌。以下這張地圖就是練習任務中所完成的疊合成果，底圖用的是 Mapbox 的地圖。

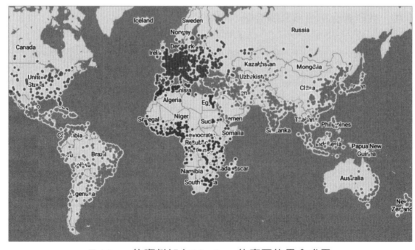

Tableau 的資料加上 Mapbox 的底圖的疊合成果

▌ 申請 Mapbox 帳號並建立 Mapbox 地圖

施作效益 ▌ 申請 Mapbox WMS 服務，取得帳號後，可透過 Mapbox 網站載入圖層以及設計地圖，並以嵌入碼做後續應用。

[練習任務] 建立一張 Mapbox 地圖，並取得 Tableau 嵌入碼

在開始之前，我們需要先在 Mapbox 取得一組帳號，帳號申請完成後，我們即可開始建立地圖的流程。

01 Mapbox 帳號申請完成後，請點選進入「Studio」。

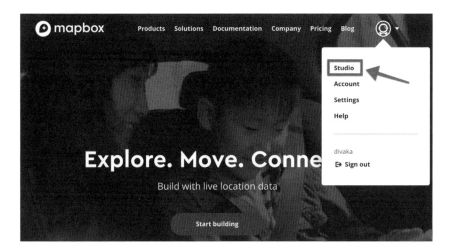

02 點選「Create a style」來開啟新的地圖，可以先選擇最基礎的「Try Basic Template」。

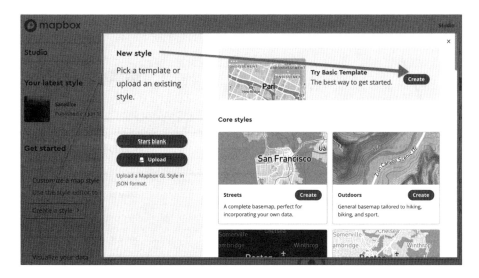

03 進入 Mapbox 地圖的編輯畫面，我們此時先不用編輯，點選左上角離開。

04 回到 Mapbox Styles 頁面，請點選「Menu」，然後選擇「share, develop & use」。

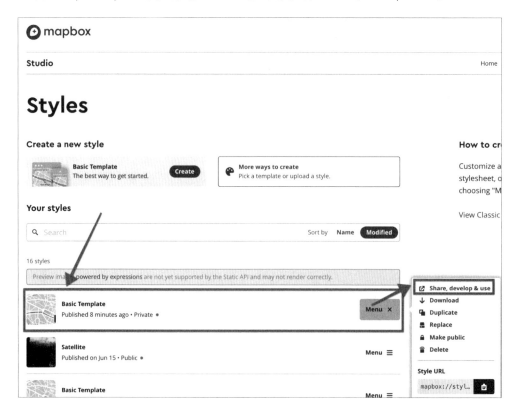

❖ 操作結果

進入該地圖的「share, develop & use」頁面後，捲動到下方，即可看到該張地圖給 Tableau 的
嵌入碼，可複製並使用

在 Tableau 導入 Mapbox 的地圖

施作效益 　　Tableau 有多種導入其他地圖的方式，其中最常見的就是 Mapbox。Mapbox 地圖
圖層完整，也可客製化，和 Tableau 相當搭配。

[練習任務] 在 Tableau 導入 Mapbox 地圖

01 請在 Tableau 中，選擇「Map」→「Background Maps」→「Map Services」。

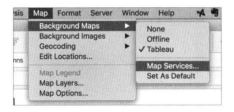

02 選擇「Add」→「Mapbox Maps」。

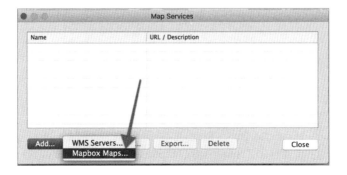

03 取一個名稱後，貼上 Mapbox Url，內容會自行載入。

❖ 操作結果

完成 Mapbox 底圖的加入

可自由 Zoom-in 觀察 Mapbox 的細部街道資訊

建立雙軸資訊地圖

施作效益 當希望能夠在地圖維度之上,再疊加另一個維度的資訊,呈現雙軸的形式,可疊合地圖與數量資訊,非常好用。

有一種很棒的地圖呈現形式,是在地圖維度之上,再疊加另一個維度的資訊,如此我們既可以知道地理位置的分布狀況,也能知道在每個地區各自細部的數據配置狀況,如下圖所示:

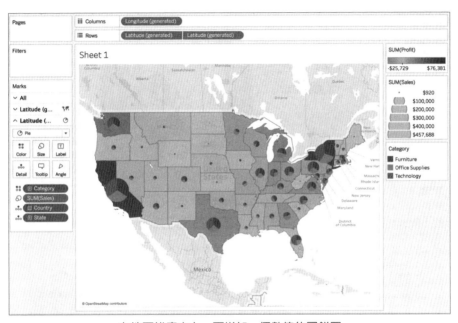

在地區維度之上,再增加一個數值的圓餅圖

※ 資料來源:https://onlinehelp.tableau.com/current/pro/desktop/en-us/maps_howto_filledpiechart.html

[練習任務] 製作雙軸地圖（圓餅圖 + 地圖）

01 先以國家為單位來製作填充地圖。

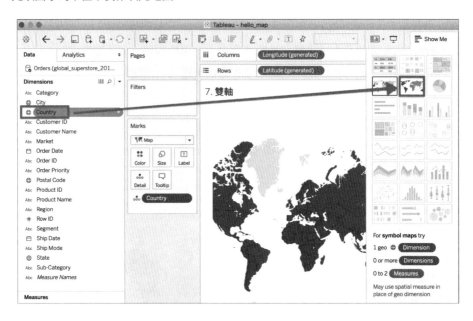

02 拖拉「Profit」欄位至「Color」選項上，來幫國家上色，以區分區域與數量。

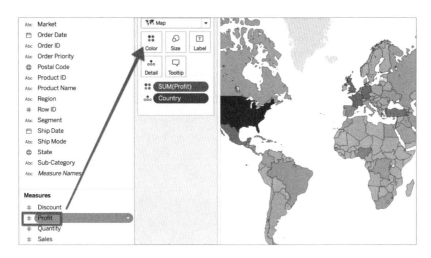

03 透過產生的緯度欄位，拖拉到「Rows」成為第二個維度（預計成為圓餅圖的維度）。

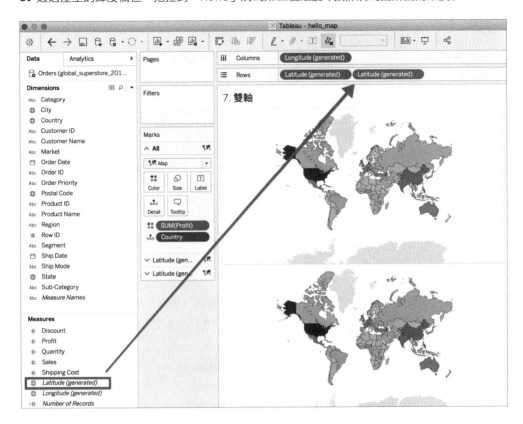

04 將第二個 Latitude 維度，改為「Dual Axis」，地圖會合併為一個。

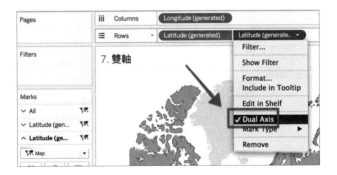

05 將第二個緯度的 Marks 的顯示方式改為「Pie」，會發現圖中出現許多圓圈，順利完成第二軸資訊的轉換。

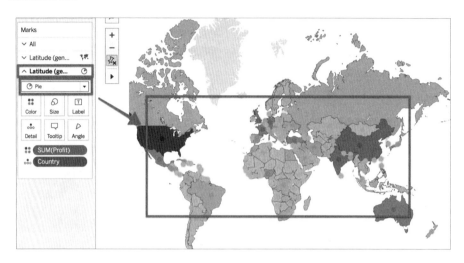

06 原本的圓餅圖不夠清楚，可透過 Marks 區功能做一些加工，例如：透過 Category 上色，以及透過 Quantity 做 Pie 的 Angle 設定等，也可調大圓餅圖，讓畫面更漂亮。

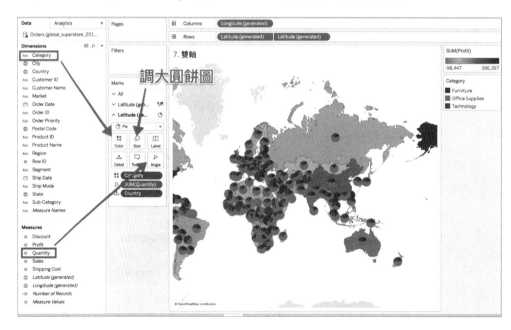

❖ 操作結果

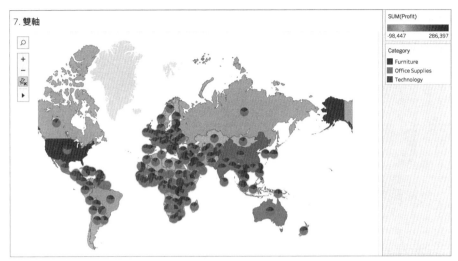

完成了雙軸地圖樣式，第一維度是地圖（顯示 Profit），第二維度是圓餅圖（顯示銷售的 Category 以及售出的 Quantity）

建立軌跡地圖

施作效益　　當想要在地圖上描繪軌跡路線，如颱風路線、交通路線等，透過時間、空間關係，將軌跡清楚地呈現出來。

我們將會練習繪製颱風路徑（使用的是 StormMap 颱風資料，可至本章一開始的頁面中查看下載資料的位置），並且加入更多的資訊，如動線、風速變化、不同颱風的資訊等。下圖為完成的畫面。

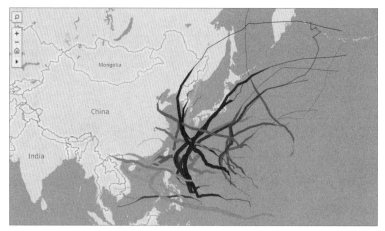

透過 Tableau 繪製完成的颱風路徑圖

[練習任務] 建立基礎軌跡圖

01 將經度與緯度欄位拖拉到「Dimension」，作為類別使用。

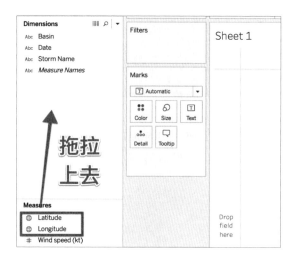

02 透過符號地圖（Symbol Map），即可產生路徑資料點位。

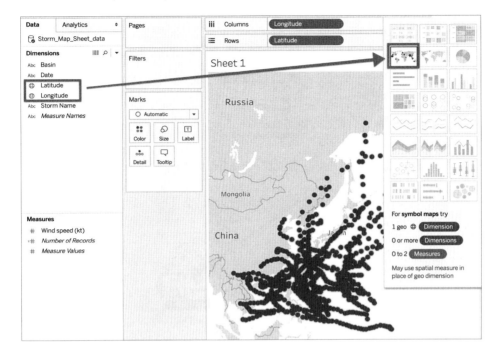

03 將顯示的形式改為「Line」，則會出現下圖的樣式。

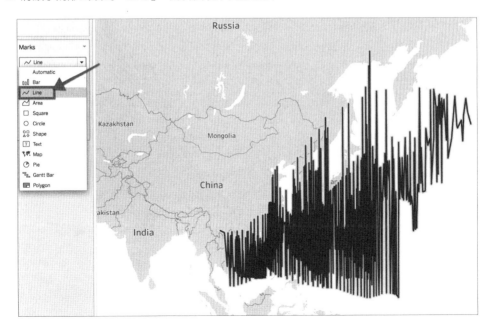

04 由於系統誤判，我們需要讓 date 欄位恢復為時間。

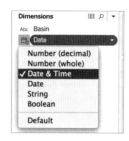

05 請將「Date」欄位拖拉到「Path」選項上，作為路徑標準。

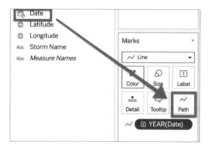

06 Date 原本預設是以 YEAR 為單位，而我們將細分為小時，所以需要做時間 Extract 的動作。

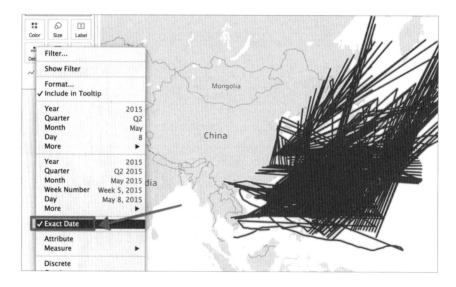

07 最後可將「Storm Name」欄位拖拉到「Color」選項上，即可產生對應的顏色路線。

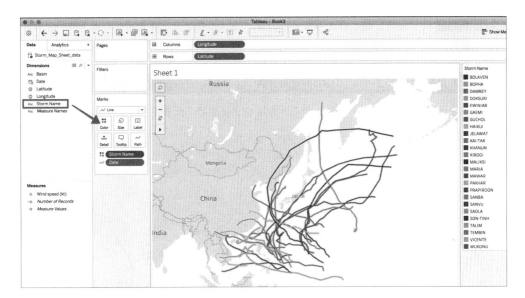

❖ **操作結果**

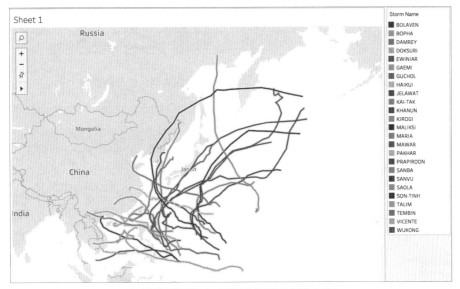

完成颱風軌跡圖，旁邊也有自動產生圖例

建立軌跡圖變化形式

施作效益　　　　同樣是軌跡圖，或許可帶更多的資訊在同個畫面中，讓閱讀者可以了解更多有關颱風軌跡的資訊，呈現多維資訊。

[練習任務] 建立軌跡圖的變化形式，加入節點

01 將「Wind Speed」拖拉到「Size」選項，軌跡會出現粗細，代表當時風速的強弱。

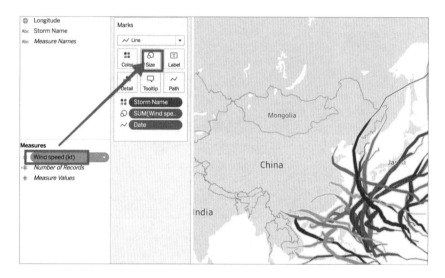

02 將「Storm Name」拖拉到「Label」選項，來增加颱風名稱，提升辨識度。

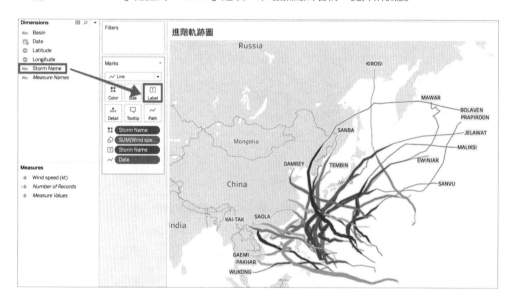

03 我們可以製作資料節點，同樣透過上一章介紹過的「雙軸」製作技巧來完成。

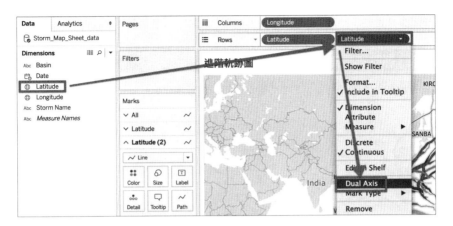

04 第二個軸向可以簡單設定為「Circle」，並且用「Storm Name」上色即可。

❖ **操作結果**

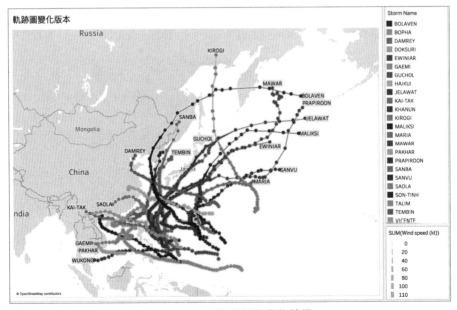

完成了另一種風格的颱風軌跡圖

建立軌跡圖時序動畫

施作效益 透過時序動畫，可以了解資料的變化軌跡，以及每個時序變化下的數據變化。

[練習任務] 將軌跡圖建立為時序動畫呈現

01 我們先還原較基本的軌跡呈現方式（或是在新的頁籤建立）。

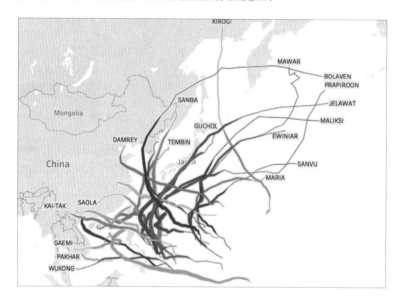

02 透過 Date 欄位建立動畫，將「Date」拖拉到「Pages」窗格，並改以「Hour」為單位切割。

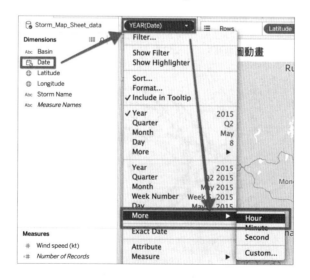

03 點開「Show History」。

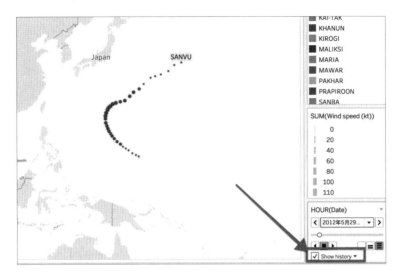

04 如下圖做設定，即可完成動畫。

❖ 操作結果

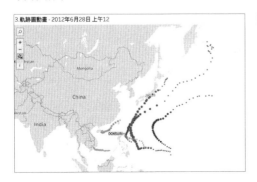

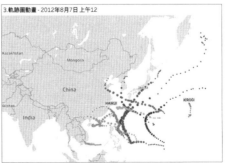

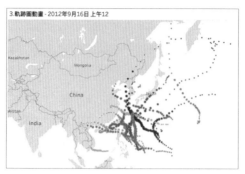

設定完成後，就可播放看看颱風逐時變化的動畫了！

小結

　　Tableau 在同類的資料視覺工具當中，地理資訊呈現功能是相當優異的，讀者可以多善加利用。搭配這兩章所介紹的一些技巧，如添加顏色、添加動畫等，可讓整個時間與空間的故事說得更完善。地圖是一個很有趣的視覺載體，期許讀者都能夠透過地圖功能，說各種精彩的地圖數據故事。

PART 06

用 Tableau 進行
時間序列資料
統計分析

「時序資料」是指資料當中含有時間的欄位。而事件或資料發生是有先後順序排列的一組數據，我們就很合適用來執行時序性的分析，像是：

❑ 這一季度和上一季度的表現比較。

❑ 長期性、短期性、甚至是未來的可能變化趨勢分析。

❑ 相關狀態是否有週期性的頻率分析。

❑ 每個時間段的分類架構分析。

時序類型的資料分析與視覺化任務很有趣，因為我們可以透過這樣的分析，達到鑑往知來的效果，透過分析過去的行為，預期未來可能的發展方向，甚至可以了解過去發生的相關事件，是否有一些重要的時間因素在裡面。本篇會帶領讀者，透過時序類型資料，一步步完成視覺化分析的目標。

[實戰範例] 登革熱資料

本篇使用的資料集是「臺灣地區登革熱 1998 年起每日確定病例統計資料」，其中包括了許多時間、數量的欄位，也包含登革熱發生的城市、經緯度資訊，很適合拿來實作地圖功能。

病例統計資料 http://design2u.me/tableau/dataset/Dengue.csv

原始資料網頁 https://data.gov.tw/dataset/21025

登革熱1998年起每日確定病例統計

資料集評分：	★★★★★ 平均 4.1 (14 人次投票)
資料集描述：	1998 起每日登革熱確定病例統計，資料更新頻率為每日更新 (因檔案較大，資料資源中含有下載位置)
主要欄位說明：	version、title、description、source、type、timestamp、column、csv、json
資料資源：	JSON☑ ◉檢視資料 資料資源連結位置
提供機關：	衛生福利部疾病管制署
提供機關聯絡人：	王 先生 (02-23959825#4032)
更新頻率：	每日
授權方式：	政府資料開放授權條款-第1版
計費方式：	免費
上架日期：	2015/09/03
資料集類型：	系統介接程式
詮釋資料更新時間：	2018/07/02 04:05
關鍵字：	dengue 登革熱
主題分類：	其他
服務分類：	就醫
備註：	更新頻率說明：日 授權說明網址：http://data.gov.tw/license

◉ 瀏覽次數：38713　⬇ 下載次數：99633　💬 意見數：20 ⚙

登革熱病例資料集

登革熱資料集欄位與屬性（部分欄位需要在 Tableau 手動調整屬性）

欄位	欄位屬性	資料範例	欄位	欄位屬性	資料範例
二級統計區	文字	A6310-10	二級統計區	文字	A6310-10
感染縣市	地區（城市）	高雄市	感染縣市	地區（城市）	高雄市
感染鄉鎮	文字	前鎮區	感染鄉鎮	文字	前鎮區
感染村里	文字	鼎金里	感染村里	文字	鼎金里
感染村里代碼	文字	6400500-001	感染村里代碼	文字	6400500-001
是否境外移入	布林值	否	是否境外移入	布林值	否
感染國家	地區（國家）	泰國	感染國家	地區（國家）	泰國
確定病例數	數字	1	確定病例數	數字	1
血清類型	文字	第一型	血清類型	文字	第一型
內政部居住縣市代碼	文字	10,020	內政部居住縣市代碼	文字	10,020
內政部居住鄉鎮代碼	文字	1,002,001	內政部居住鄉鎮代碼	文字	1,002,001
內政部感染縣市代碼	文字	10013	內政部感染縣市代碼	文字	10013
內政部感染鄉鎮代碼	文字	1001301	內政部感染鄉鎮代碼	文字	1001301

📅 Dengue.csv 發病日	Abc Dengue.csv 個案研判日	📅 Dengue.csv 通報日	Abc Dengue.csv 性別	# Dengue.csv 年齡層	Abc Dengue.csv 居住縣市	Abc Dengue.csv 居住鄉鎮	Abc Dengue.csv 居住村里	Abc Dengue.csv 最小統計區	⊕ Dengue.csv 最小統計區中心點X
2001/11/27	None	2001/12/3	男	null	高雄市	前鎮區	None	A6409-0230-00	120.32634
2001/11/11	None	2001/11/14	女	null	高雄市	前鎮區	None	A6409-0522-00	120.31150
2001/11/11	None	2001/11/30	男	null	高雄市	前鎮區	None	A6409-0230-00	120.32634
2001/9/1	None	2001/9/5	男	null	台北市	大同區	None	A6306-0280-00	121.51725
2001/7/31	None	2001/9/8	女	null	台北市	北投區	None	A6312-0326-00	121.51277
2001/10/19	None	2001/10/19	女	null	高雄市	前鎮區	None	A6409-0526-00	120.31102
2002/6/28	None	2002/7/9	女	2.00	高雄市	前鎮區	None	A6409-0373-00	120.32981
2002/6/28	None	2002/7/1	女	null	高雄市	前鎮區	None	A6409-0407-00	120.33013
2001/10/19	None	2001/10/23	女	null	高雄市	前鎮區	None	A6409-0529-00	120.30987
2002/6/28	None	2002/7/3	男	null	高雄市	前鎮區	None	A6409-0385-00	120.32895
2001/10/19	None	2001/10/23	女	null	高雄市	前鎮區	None	A6409-0529-00	120.30987

木資料集截圖畫面

CHAPTER **13**

用時序資料執行視覺化分析

實戰任務說明 本章所練習的是時間序列類型資料，並針對台灣的登革熱狀況進行剖析，觀察其時序變化性，然後製作視覺圖表來傳達相關數據分析觀點。

關於時間序列資料

時間序列資料是很常見的資料類型，透過時序性我們可以知道某些欄位的數據變化，有時時間間隔是固定的（如1秒、5分鐘、12小時、7天、1年），我們可以將資料透過時間離散化進行分析處理，也有資料是不定期的，例如：許多統計數據。許多領域的數據都有時序特性，例如：天氣預報、景氣週期、銷售週期、疾病週期等，本章我們就來練習看看如何針對時序資料進行分析吧！

在開始之前，我們可先觀察一下資料集的時間欄位與其他欄位。這批資料集最主要是根據「發病日」、「通報日」兩個時序欄位進行記錄，其他則包含每個通報個案的性別、年齡層、居住縣市等相關統計資訊輔助。

發病日	個案研判日	通報日	性別	年齡層	居住縣市
Dengue.csv	Dengue.csv	Dengue.csv	Dengue.csv	Dengue.csv	Dengue.csv
1998/1/2	None	1998/1/7	男	40-44	屏東縣
1998/1/3	None	1998/1/14	男	30-34	屏東縣
1998/1/13	None	1998/2/18	男	55-59	宜蘭縣
1998/1/15	None	1998/1/23	男	35-39	高雄市
1998/1/20	None	1998/2/4	男	55-59	宜蘭縣
1998/1/22	None	1998/2/19	男	20-24	桃園市
1998/1/23	None	1998/2/2	男	40-44	新北市
1998/1/26	None	1998/2/19	女	65-69	台北市
1998/2/11	None	1998/2/13	女	25-29	台南市
1998/2/16	None	1998/2/24	男	20-24	高雄市
1998/2/17	None	1998/2/23	女	30-34	高雄市
1998/2/23	None	1998/3/4	男	55-59	新北市

在登革熱資料集中，我們有「發病日」與「通報日」兩個時間欄位

建立登革熱發病時序線圖

建立時序線圖（Lines Graph）

施作效益　　　拿到新的時序資料集，通常需要大略了解一下資料的特性。透過時序線圖，很適合了解整個時序資料的資料數量變化狀況。

[練習任務] 建立基礎時序線圖

01 選擇「發病日」與「Number of Records」兩個欄位，並點選右邊的「Lines」來產生線。

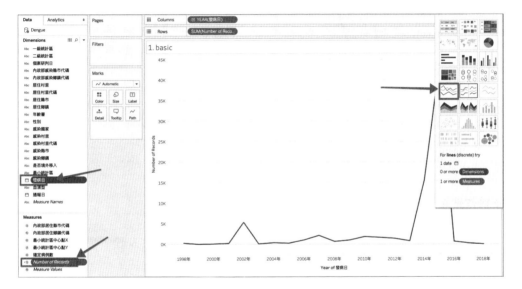

02 將「Number of Record」拖拉到「Color」與「Label」上，以增加線圖的質感與資訊量。

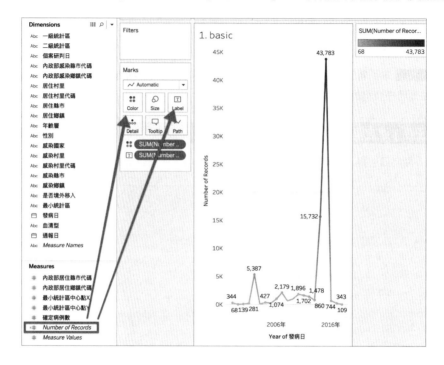

❖ 操作結果

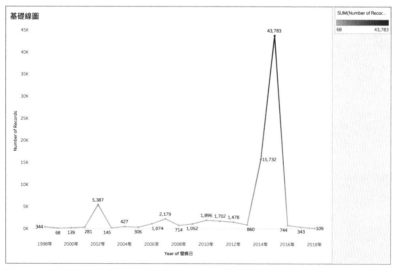

完成基本線圖，可以觀察一些特殊現象，例如：2015 年有一個超大的登革熱發病高峰，查一些新聞可得知當年在台南、高雄地區有非常嚴重的登革熱事件

建立客製化線圖節點 (Customize Shapes)

施作效益 若覺得線圖太普通了，也可考慮增加一些變化，用更富趣味性的顯示方式，吸引閱讀，也提升節點的辨識度。

[練習任務] 在線圖添加客製化蚊子圖片節點

01 延續前面的基礎線圖開始。

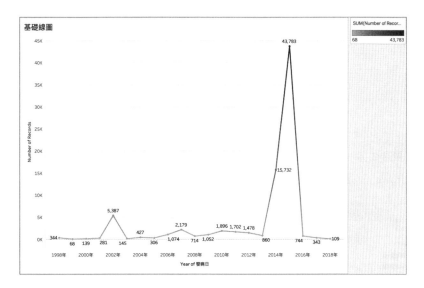

02 先準備要使用的圖片，可自己去網路上找，也可至下列網址下載：http://design2u.me/tableau/dataset_img/insect.png。

03 前往 My Tableau Repository，將圖片放置進去。

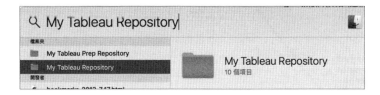

04 我們在「My Tableau Repository/Shapes」增加一個資料夾，把想要放的客製化圖片放進去（以此圖為例，新增了一個 Custom 資料夾）。

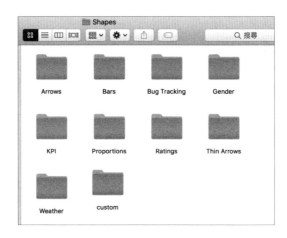

05 我們需要產生另一個維度的資訊（用來改設定為圖片），因此將「Number of Records」拖拉到「Rows」，產生另一個維度。

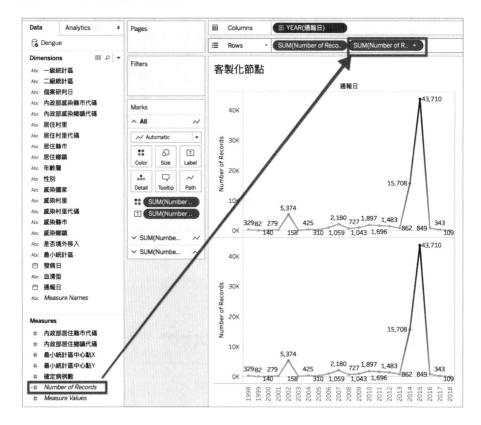

06 將「Rows」改變為「Dual Axis」（雙軸形式）。

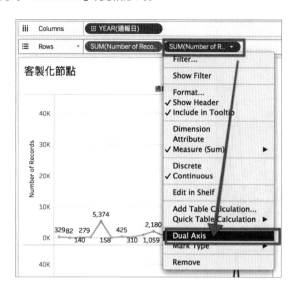

07 可更改第二個軸向的顯示方式為「Circle」，並拉大 Size，就可做出節點的感覺。

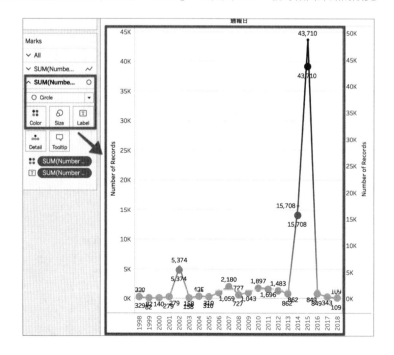

08 但我們這次要做的是更客製化節點，這時我們要切換到「Shape」，點選「More Shape」後，
選擇剛剛放到 Tableau 資料夾的圖片。

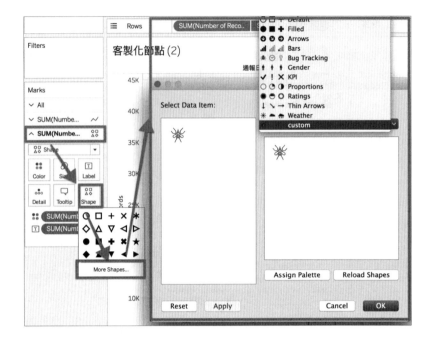

❖ 操作結果

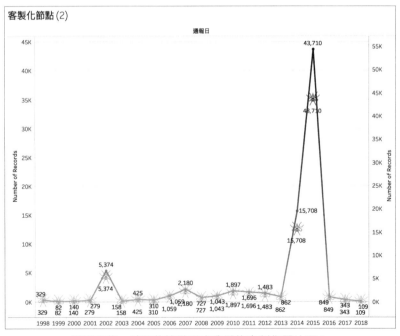

送出之後，線圖的節點變成我們的客製化圖片了！

建立多線圖（Multiple-Lines Graph）

施作效益　　　可能有人會好奇，在同樣的時間變化條件下，欄位數據之間的關係，我們可將多條數據線圖放在同個畫面上，就能清楚比較出其變化趨勢與數值差異。

[練習任務] 繪製各縣市與登革熱感染關係的時序線圖

01 選擇「感染縣市」、「發病日」、「Number of Records」，並點選「Lines」，以產生多線圖。

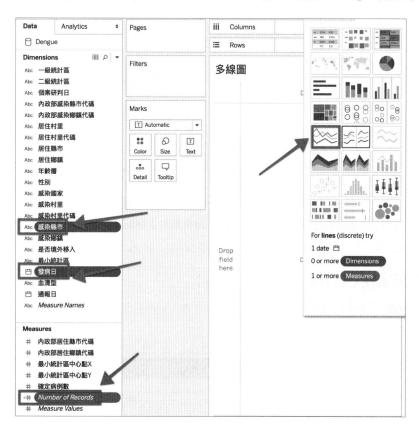

❖ 操作結果

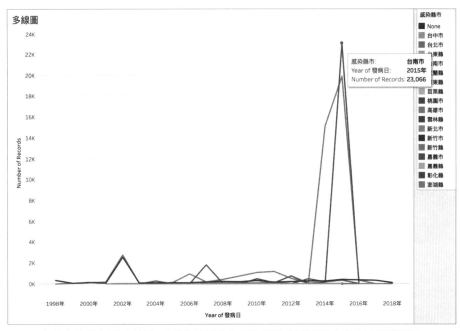

完成之後的多縣市線圖，可以明顯看出相對高點主要出現在台南市與高雄市

時序面積圖 (Stacked Area Graph)

施作效益 當想要同時看到數據總量與占比時適用。時序面積圖可以從單張圖表中，看出數據累積的來源比例。

[練習任務] 建立時序面積圖

01 只要複製一個前面的多線圖，並且修改圖表顯示類型，即可改為時序面積圖。

❖ 操作結果

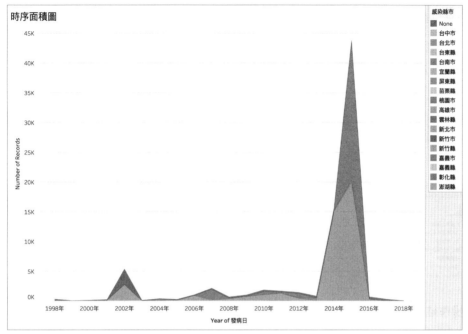

完成時序面積圖，能夠清楚看出每年累積總量以及每年度各類別貢獻比例。從面積來看，高雄市與台南市依然是主要的數量來源

多維度線圖（Multiple-Dimension Graph）

施作效益　　當想要一次總覽線圖的相同與相異性時，可以方便比較不同類別的線條變化。

[練習任務] 建立多維度線圖

01 只要將「感染縣市」拖拉到「Rows」，即可根據此類別展開維度。

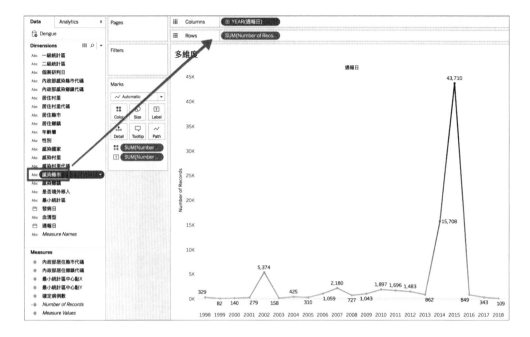

❖ 操作結果

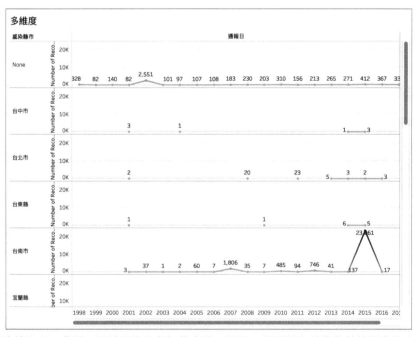

從多維度線圖中，我們可以看出許多有趣的資訊，例如：很明顯多數的登革熱個案是台南市所
貢獻的，另外則是許多縣市在某些年份完全沒有感染個案

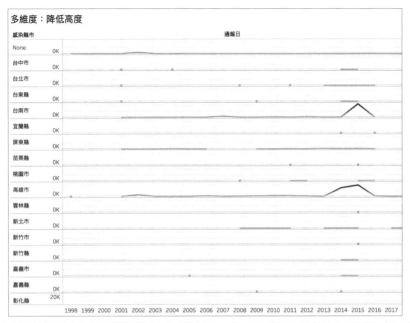

拖拉縮小每列的高度（在邊界做調整），可以在單一畫面看到更多縣市的全貌變化（不過就看不到數字了）

建立時序熱區

▍建立樹狀熱區圖（TreeMaps Graph）

施作效益　　　熱區圖可讓閱讀者一目瞭然整體分布狀況，而樹狀熱區圖的強項在於，可快速了解不同時間點數據的占比比較。

[練習任務] 製作登革熱年度比較樹狀熱區圖

01 選擇「發病日」與「Number of Records」後，點選「TreeMaps」。

02 很快地完成了樹狀圖，但我們可以再自行增添一些訊息，例如：將「Number of Records」拖拉到「Label」選項來顯示資訊，或是修改顯示顏色等。

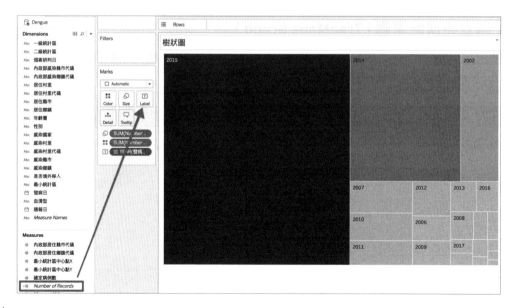

03 我們可將「感染縣市」拖拉到「Color」選項，更進一步查看「縣市＋時間」參數組合的占比。

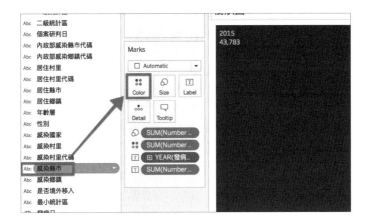

❖ 操作結果

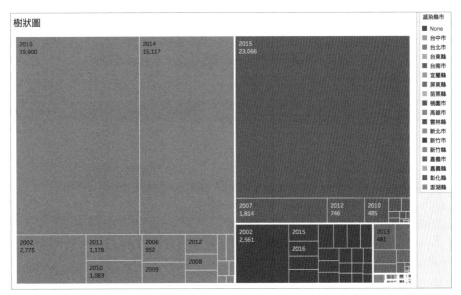

同時結合「年度」與「縣市」的樹狀熱區圖，很容易看出整體數據的占比

▍建立月曆熱區圖（Calendar heat-map）

施作效益　　　當想要一次看到完整的時序熱區變化，細節就相對不重要了。月曆熱區圖透過顏色分布狀態，可以完整了解整個長期歷程的變化趨勢特性。

以下是標準月曆熱區圖的樣貌，可以在一個畫面當中說一個長期變化的數據故事，相較於線圖或是長條圖等，能夠傳達更細節的資訊，包括到每天甚至是每小時的狀態，閱讀者也可以透過顏色的判斷，對數據大小能夠有一個很清楚的輪廓。

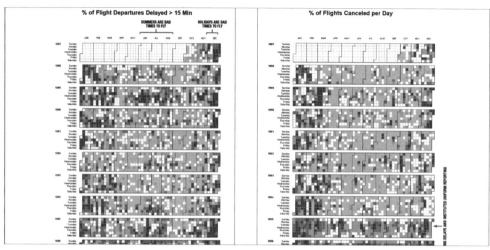

月曆熱區圖可以很容易看出隨著時間變化後的熱區顯示

[練習任務] 製作登革熱 20 年變化月曆熱區圖

01 將「發病日」分別拖拉到「Columns」和「Rows」。

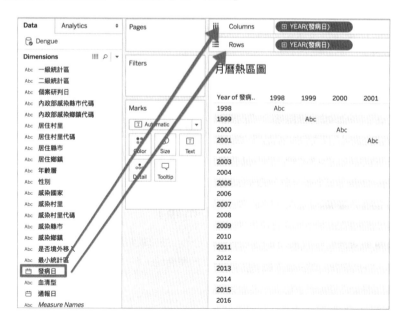

02 將「Columns」的發病日改為以「Quarter」為切割單位。

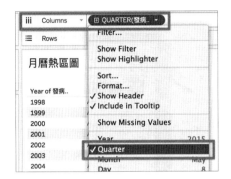

03 將「Number of Records」拖拉到「Color」，來建立顏色。

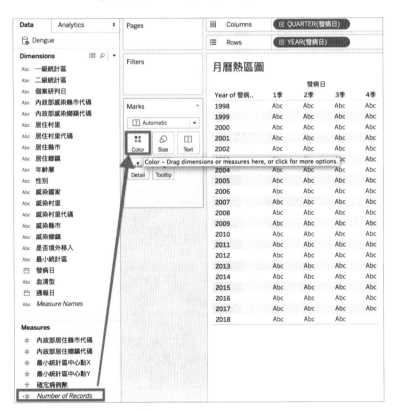

04 點擊「Color」，針對顏色做細部編輯，另外因為這批資料集太過極端值，所以我們設定顏色改變的上限為「1000」，比較能夠看出變化。

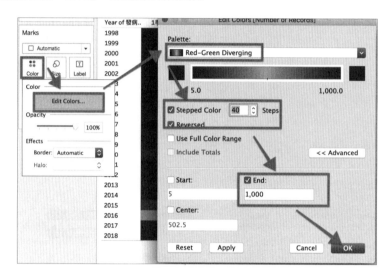

❖ 操作結果

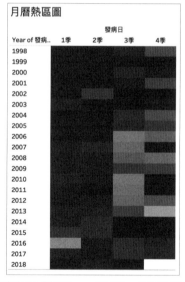

成功建立了「年份」+「月份」的日曆熱區圖

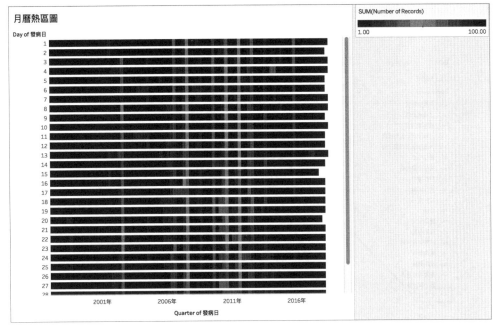

可以修改格式來做出許多排列組合，並以此類推來製作各類熱區圖

在時序資料表中添加輔助統計資訊

Tableau內建了一些數據輔助分析資訊的功能，例如：趨勢線、參考線、常態線、平均線、軸對應線等，能夠強化閱讀圖表的人對於數據的了解，也可將重點直接標記出來。

▍建立參考線（Reference Line）

`施作效益` 標示出讓閱讀者參考的數據等級，來呈現統計資訊，可一眼看出資料點是否高於／低於標準。

[練習任務] 建立參考線

參考線是在畫布當中放置一條讓閱讀者參考的數據等級，例如：我們可以設定一個「分數 = 60」的水平線，如此一來，只要在該線以下的都是不及格的學生，或是在畫布當中標記一些統計的資訊，例如：平均值、中位數、最大值、最小值等。

01 我們先準備製作環境。請將「發病日」拖拉到「Rows」，「Number of Records」拖拉到「Columns」，建立基礎時序長條數據圖。

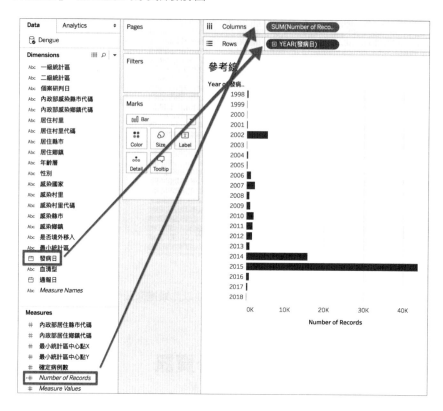

02 為了簡化圖表，我們只看 2014 年以後的數據。

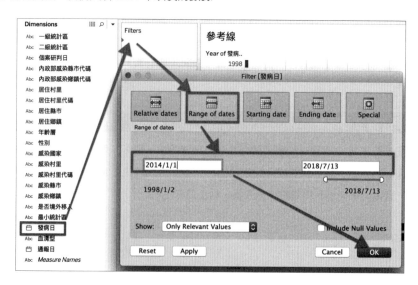

03 展開發病日的欄位階層，成為「年」與「季度」的資訊。

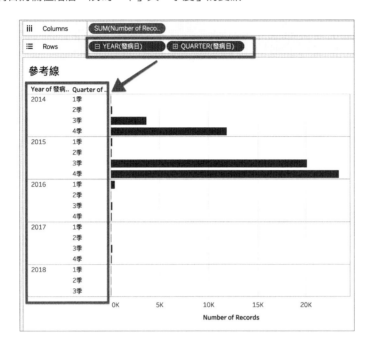

04 切換到「Analytics」，將「Reference Line」拖拉到畫布，會出現三個選項，這時可先拖拉到「Table」選項。

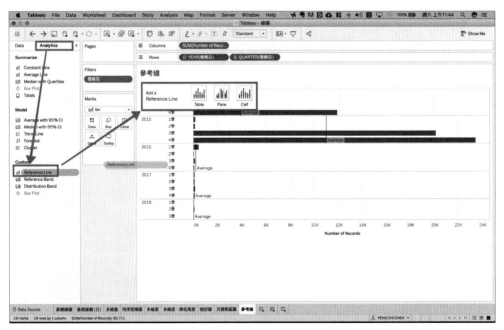

05 預設值通常是「Average」，也就是會拉出全部數值的平均作為參考線。還有許多其他選項可供選擇。

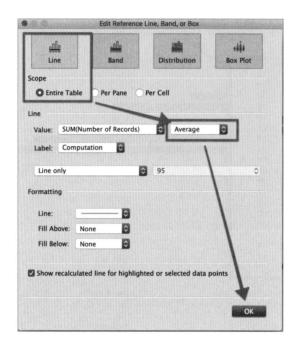

❖ 操作結果

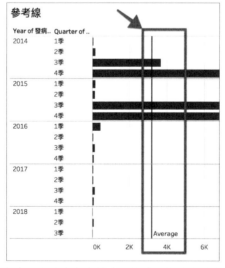

成功在畫面中建立參考線（用整體平均值來做參考）

關於參考線的部分，有許多功能可排列組合使用，例如：根據 Table、Pane、Cell 進行參考值的顯示。

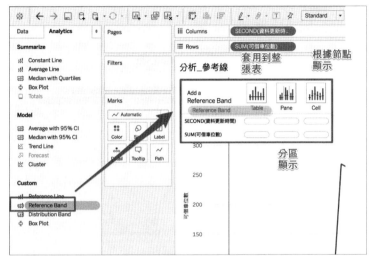

參考線有三種套用模式

三種參考線視圖範例

顯示單位	視覺畫面（以「平均值」參考線為例）
表（Table）	此種模式會在最上層級繪製一條參考線： 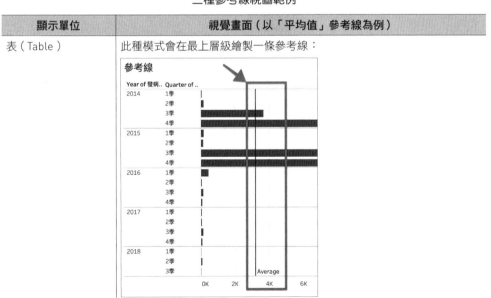

顯示單位	視覺畫面（以「平均值」參考線為例）
分區（Per Pane）	此種模式會在各區域層級繪製參考線：
分單位（Per Cell）	此種模式會以資料列為單位繪製參考線：

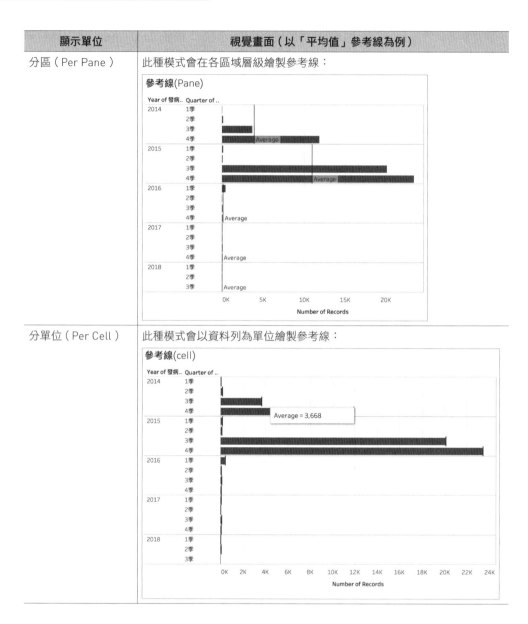

建立常態線（Constant）、中位數線（Median）

施作效益　想要快速建立一些統計基準資訊，也可客製化顯示常態資訊，閱讀者可以快速讀懂製圖者想要傳遞的資訊。

[練習任務] 製作常態線與中位數線

01 了解參考線之後，我們也可以使用類似繪製：常態線（Constant）、平均線（Average）、中位數線（Median）等，這些都是模組化的參考線，只要拖拉到畫布當中就可以馬上產生視覺改變。

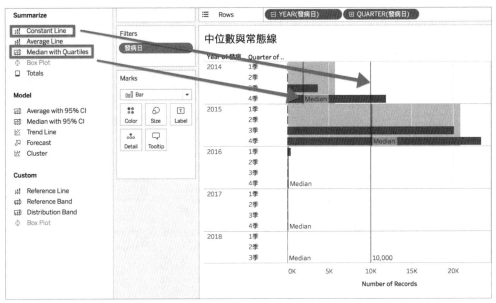

製作方法很容易，同樣從 Analytics 頁籤拖拉這些工具到畫布當中就可產生

❖ 操作結果

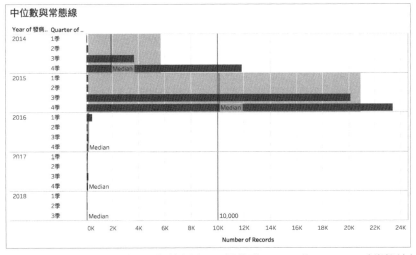

完成各個區域的 Median（中位數線）以及一個整體 10,000 的 Constant（常態線）

▍建立參考區間（Reference Band）

施作效益 標示出讓閱讀者參考的數據等級區間，可一眼看出資料點落於哪個標準區間。

[練習任務] 製作參考區間

01 參考區間與參考線概念類似，只是換成參考一個區間，在畫布上標記一個區間，可能是安全範圍，可能是標準差之內的範圍，輔助人類進行資訊判讀。

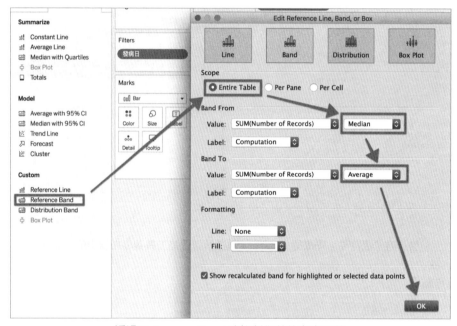

透過 Reference Band 功能製作數值參考區間

❖ 操作結果

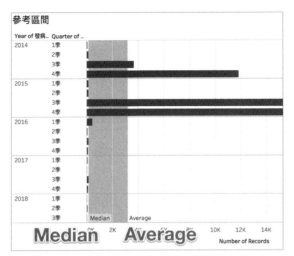

完成從 Median 到 Average 值的參考區間（灰底顯示）

建立參考分布區間（Distribution）

施作效益　標示出讓閱讀者參考的數據等級區間，可一眼看出資料點落於哪個標準區間。

[練習任務] 製作參考分布區間

01 我們也可以透過資料分布範圍繪製分布區間，例如：下圖就根據資料集，用正負一個標準差，用綠色將該區間進行標記，通常可視為安全區間或是允許範圍。

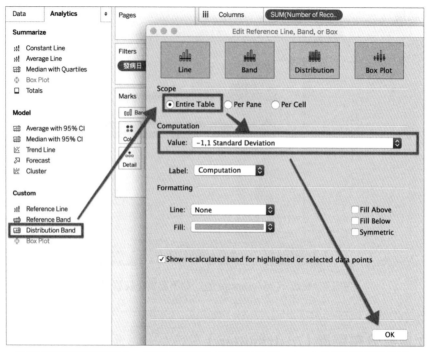

拖拉分配區間到畫布上，進行相關設定（這邊選擇的 -1～1 的變異區間顯示）

❖ 操作結果

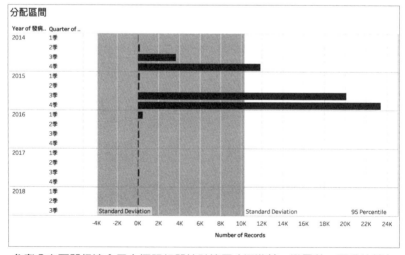

參考分布區間很適合用來標記相關統計範圍（標準差、變異數、百分比等）

建立時序熱區地圖

▌修正欄位屬性與名稱

施作效益 　經緯度欄位很容易被誤判為是量化數值，透過 Tableau 調整欄位屬性，使 Tabelau 能正確識別該欄位，正確的欄位屬性才能畫出對應的地理圖表。

[練習任務] 修正欄位資料為正確經緯度資訊

01 本資料集裡面包含了標準的 GPS 地理位置資訊，還包含國家、城市等資訊，由於 Tableau 蠻容易誤判部分欄位的屬性，請先檢查及手動修正部分錯誤的屬性欄位。

02 進入編輯畫面，拖拉被誤判為 Measures 的經緯度值，應為 Dimensions。

❖ 操作結果

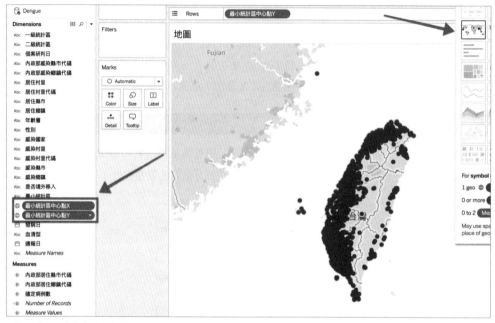

修正為正確的經緯度後，拖拉到 Dimensions 成為維度，並可透過 Show Me 產生對應的地圖

建立時序變化登革熱地圖

施作效益　　　想要了解每個時間段的變化與差異，並從地理位置找尋熱區時，可以在單一畫面一窺全貌。

[練習任務] 製作登革熱歷史變遷熱區地圖

01 分別拖拉「發病日」到 Rows 與 Columns，並分別設定為 YEAR 與 MONTH。

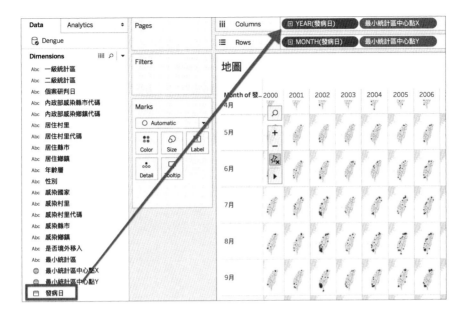

❖操作結果

地圖熱區

可全貌觀察登革熱在每個月份的變化

小結

　　本章主要介紹時序資料的常見視覺化分析方式，透過 Tableau 製作常見線圖與熱區視覺化資訊，相關圖表協助我們能夠看出資料集中的分布狀態，例如：哪些時段特別有高值產生，又或是不同時段在資料中的比例分布等。

　　我們會在下一章做更進一步的時序資料應用，包括一些預測與分群的行為等。

CHAPTER. 14

時間序列資料的資料科學實戰

實戰任務說明 ▎ 延續前一章的時序資料來練習。本章主要會拓展製作更多分析應用,包括應用 Tableau 內建的一些資料科學模組來找出資料集的趨勢、預測、分群等。

隨著大數據時代的到來,越來越多人開始著手進行資料分析之後的延伸應用,包括對於未來的預測或是將數據進行分類、分群等,整個資料科學體系是一個很大的議題,本章會介紹一些基礎的資料科學應用,如盒鬚圖用法、建立數值趨勢、數值預測與數值分群等。

透過盒鬚圖觀察統計分布

施作效益 ▎ 盒鬚圖是很適合顯示數據分散情況的統計圖,方便一眼看出資料點落於哪個標準區間。

盒鬚圖,又稱 Box Plot、Whisker Plot、盒式圖、盒狀圖或箱線圖,能顯示出一組數據的最大值、最小值、中位數以及上下四分位數,讓我們快速掌握數據的輪廓與區間。

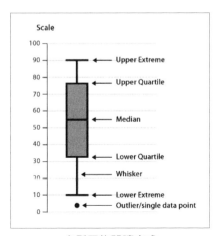

盒鬚圖的閱讀方式

※ 資料來源:https://datavizcatalogue.com/
methods/box_plot.html

[練習任務] 製作登革熱資料盒鬚圖

01 先透過「感染縣市」、「發病日」、「Number of Records」等建立 Circle Views。

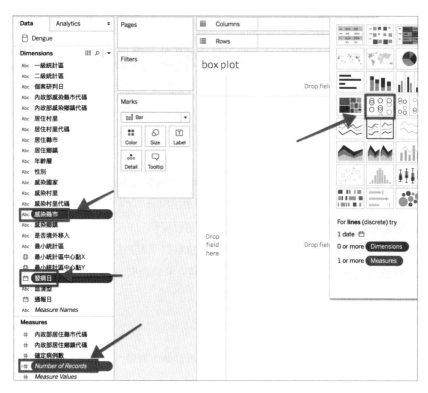

02 在 Circle View 的情況下，可切換到「Analytics」面板，雙擊「Box Plot」，即可進入 Box Plot 的編輯畫面。

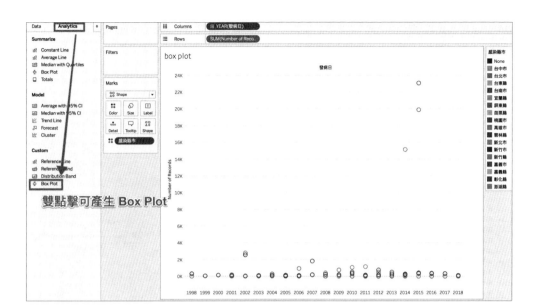

03 可直接套用設定的預設值。

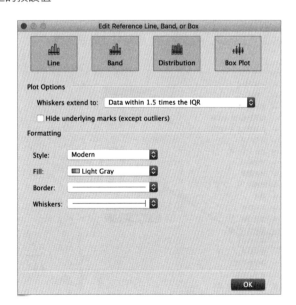

04 Box Plot 出現了，但由於 2015 年的值太極端了，會影響閱讀，因此我們暫時先觀察 2006 ～ 2013 年的狀態，透過 filter 來達成。

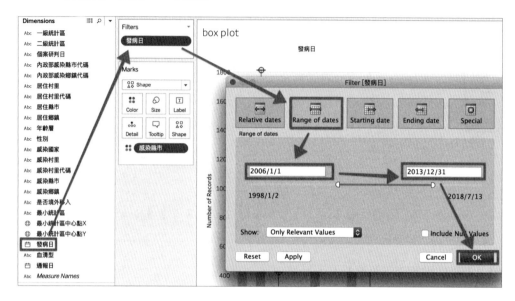

05 將「感染縣市」拖拉到「Label」選項來產生標籤，比較好閱讀。

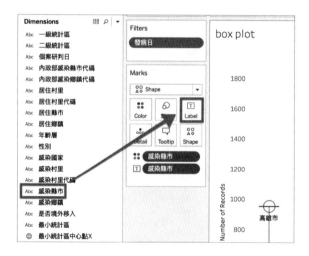

❖操作結果

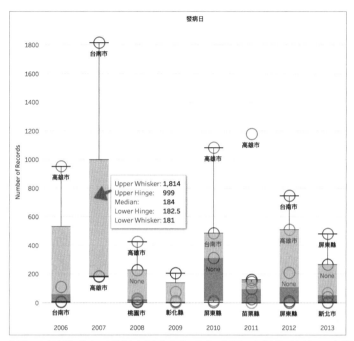

透過盒鬚圖，我們可以清楚看出哪些縣市是大幅超過整體群組資料的（例如：高雄市、台南市、屏東縣）

建立數值趨勢（Trending Line）

施作效益 呈現特定時間區段資料變化的趨勢，易於找出資料急劇變化的時間點。

趨勢線是根據數據趨勢所繪製的線條，能夠引導使用者看出一個整體資料改變的趨勢。開啟的方式很簡單，只要從「資料」切換到「分析」面板，將趨勢線選項拖拉到畫布上，就會出現四個選項可以選擇，分別是「線性」、「對數」、「指數」、「多項式」等種類線條。

[練習任務]建立登革熱趨勢線

01 先建立「發病日」與「Number of Records」的基礎線圖。

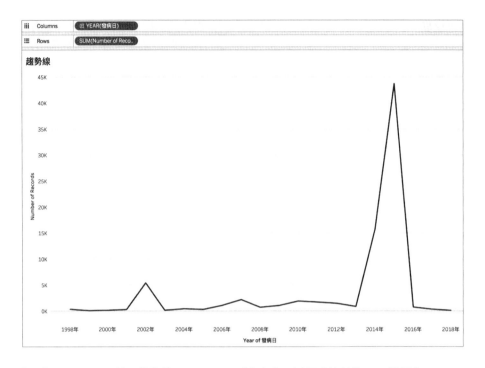

02 進入「Analytics」頁籤，拖拉「Trend Line」到畫布中，以開啟趨勢線，可選擇「Polynomial」多項式線圖。

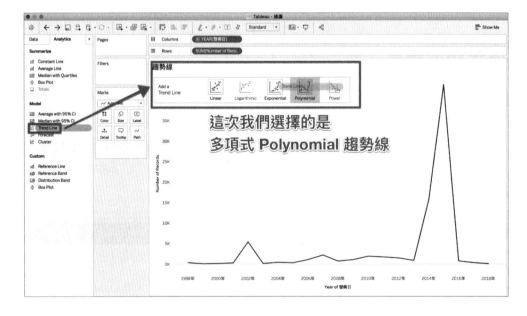

03 我們也可以在趨勢線上面點選右鍵來開啟編輯畫面。以「多項式」趨勢線為例,點選「編輯趨勢線」(Edit Trend Lines)來設定細部顯示規格。

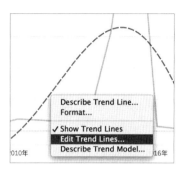

04 我們可以一口氣將梯度提升,這時會發現趨勢曲線和數據越來越類似。

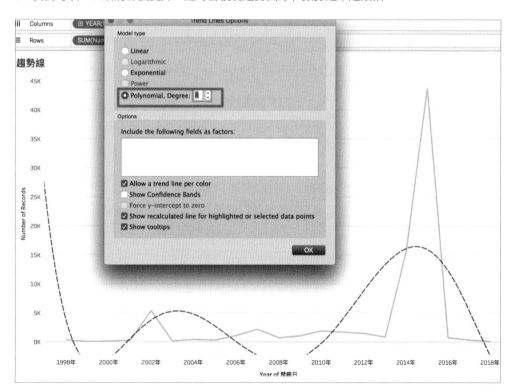

❖ 操作結果

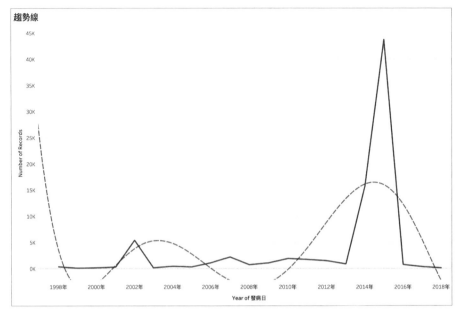

趨勢線

完成數值趨勢線

▌了解趨勢成效

　　在圖表上單擊滑鼠右鍵，然後選擇「描述趨勢線（Describe Trend Model）」選項，以獲取趨勢線圖表的詳細說明。 它顯示了係數、截距值和方程，我們可以複製這些訊息，並用於進一步分析。

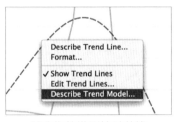

開啟趨勢模型統計數據

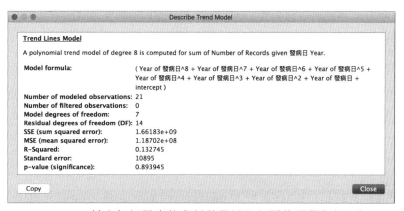

Describe Trend Model，其中包括觀察的資料數量以及相關的評價指標，如 SSE、MSE、R-Squared、STD、p-value 等

建立數值預測（Forecast）

施作效益 套用基本預測方法，透過軟體快速產生一個數值預測結果，也能了解數值未來預測的變化結果。

Tableau 內建預測演算法，可直接呼叫使用，模型採用的是「指數平滑法」（Exponential smoothing Model），簡單概念就是用資料加權的方式做時間序列週期預測計算，所以如果資料表現有其週期特性的話，預測相對會更為準確，例如：年度溫度的改變、每日車流的變化等，都是類似的時序資料預測應用，且會隨著資料越多，預測結果也會更為精確。

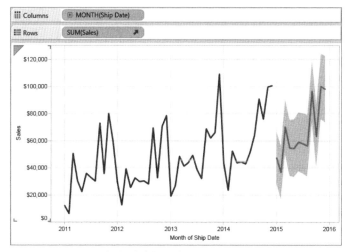
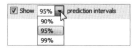

Tableau 可針對時序類型資料進行預測，橘色底的部分是 95% 信心預測區間

※ 資料來源：https://onlinehelp.tableau.com/current/pro/desktop/en-us/forecast_create.html

時間是 Tableau 預測的重要因素，當我們設定時間的單位為季，則預測將會以季為單位，如果我們改為月，則會切換以月為單位進行預測。

這裡要先對實戰任務補充一些說明，對於此資料集來說進行預測並不容易，原因是登革熱的資料在 2014、2015 年有極大的高峰產生，所以原本 2013 年的個案數目為 862 筆，但 2014 年卻來到了 15,708 筆，超過 18 倍的改變，像是這樣的極端變化的資料集是相對不好做預測的，因此，讀者可以透過以下流程先學習 Tableau 預測製作的方式，但預測的準度則是另外一個很大的議題，不在這邊做討論。

[練習任務] 製作登革熱 2018 後預測

01 同樣從基礎線圖開始。

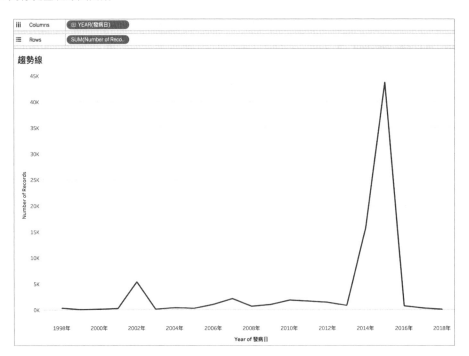

02 從左邊拖拉「Forecast」到畫面中。

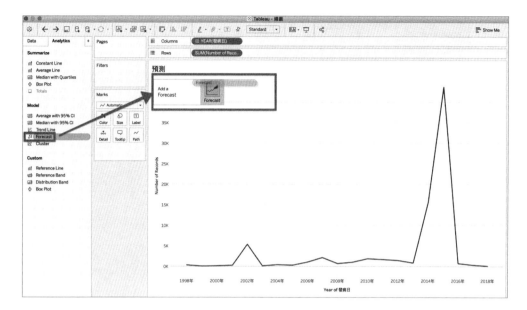

03 在預測線上點選右鍵,設定預測參數。

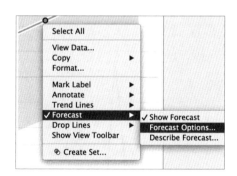

04 設定參數。

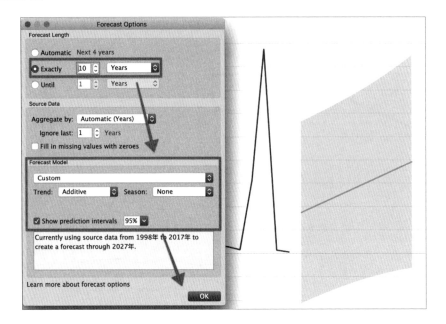

❖ **操作結果**

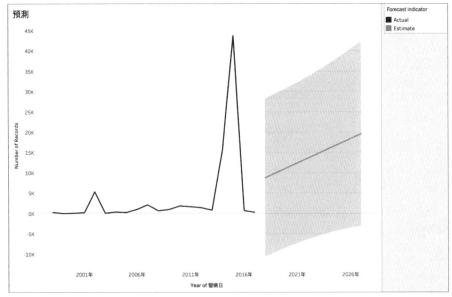

畫面中順利出現預測線圖，不過因為前幾年登革熱資料的表現太過特異，預測表現也較難解釋，但讀者可先學習好實作流程，並對手邊的資料集試做看看

了解預測成效

Tableau 也提供相關預測效果的摘要實驗結果，可以透過在 Forecast 區域點選右鍵後選擇「Describe Forecast」來達成，分成「Summary」與「Models」兩個頁籤。

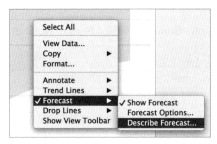

可以點選右鍵選擇「Describe Forecast」，來查看預測結果

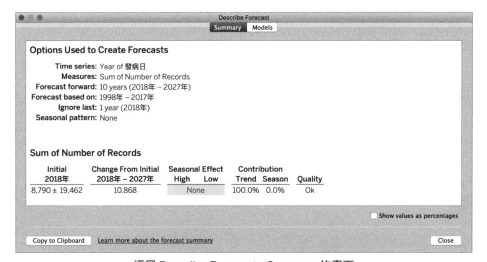

這是 Describe Forecast - Summary 的畫面

在 Summary 的部分，相關重要資訊彙整如下：

Descibe Forecast - Summary 頁籤（Options Used to Create Forecasts）

項目	說明
Time series	拿來應用作為時序的欄位
Measures	拿來做預測的欄位
Forecast forward	預測的未來區間
Forecast based on	拿來做預測的資料基準期間

項目	說明
Ignore last	真實資料的最後節點以及預測的開始時間點
Seasonal pattern	Tableau 會自動判斷是否有一些時間區段的循環特性，但如果沒有的話，則會顯示 None

Descibe Forecast - Summary 頁籤（Sum of Number of Records）

項目	說明
Initial	一開始的預測值與預測區間
Change From Initial	預測最終與最初的差距值（可能是數值也可能是 %）
Seasonal Effect	顯示預測資料的相關時間循環特性
Contribution	顯示預測的來源與其百分比
Quality	Tableau 判斷的預測品質，有三種 GOOD、OK、POOR

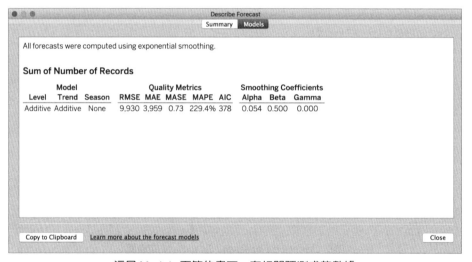

這是 Models 頁籤的畫面，有相關預測成效數據

下表彙整了 Models 頁籤要讓我們知道的事情，其中 Model 區域有三種狀態參數：

❏ None：代表沒有套用。

❏ Additive：代表有用此模式疊加到預測結果。

❏ Multiplicative：代表有用此模式疊加到預測結果。

Descibe Forecast - Model 頁籤

項目	說明
Model	
Level	階級預測的模式，有三種 None、Additive、Multiplicative 狀態
Trend	趨勢預測的模式，有三種 None、Additive、Multiplicative 狀態
Season	時序預測的模式，有三種 None、Additive、Multiplicative 狀態
Quality Metrics	
RMSE	Root mean squared error（均方根差） $$\sqrt{(\frac{1}{n})\sum e(t)^2}$$
MAE	Mean absolute error（方根差） $$\frac{1}{n}\sum |e(t)|$$
MASE	Mean absolute scaled error $$\frac{\frac{1}{n}\sum |e(t)|}{\frac{1}{(n-1)}\sum_{2}^{n} |Y(t)-Y(t-1)|}$$
MAPE	Mean absolute percentage error $$100\frac{1}{n}\sum \left|\frac{e(t)}{A(t)}\right|$$
AIC	Akaike information criterion $n*\log(SSE/n)+2*(k+1)$
Smoothing Coefficient	
Alpha	level smoothing coefficient
Beta	trend smoothing coefficient
Gamma	seasonal smoothing coefficient

※ 資料來源：https://onlinehelp.tableau.com/current/pro/desktop/en-us/forecast_describe.html

建立聚類分析（Clusters）

施作效益 　了解在資料集當中，是否有一些群聚效果，透過 Tableau 內建的機制，快速建立的資料的分群結果。

「聚類分群」也是資料科學當中的常見應用，許多資料集中有一些有趣的群聚效應，「聚類分析」將圖中的資料點劃分為「聚類」，每個聚類中的資料點彼此之間更為相似，而 Tableau 使用顏色區分群集。

Tableau 的聚類分析使用 k-means 演算法，這裡簡單介紹演算法的概念（讀者如果有興趣可參閱相關的文獻），對於給定數量的 k 值，該算法將資料點劃分為 k 分群，每個群集都有一個中心，它是該群集中所有點的平均值。K-means 演算法透過反覆迭代的過程，重新設定中心點，並於過程中持續最小化群集中的各個點與群集中心距離。在 Tableau 當中，我們可以指定 k 的數量，或者可讓 Tableau 測試不同的 k 值，並建議最佳數值。

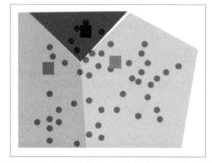

k-means 演算法會持續透過中心點與各資料點的相似度距離計算切分不同群聚

※ 資料來源：https://onlinehelp.tableau.com/current/pro/desktop/en-us/clustering.html

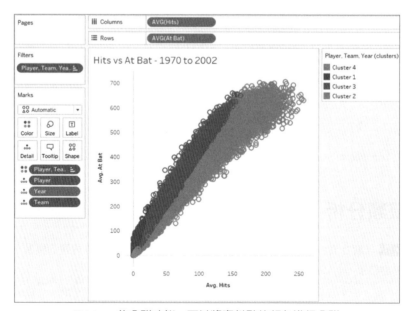

Tableau 的分群功能，可以將資料點依顏色進行分群

[練習任務] 針對台灣的登革熱區域資料建立分群

01 我們先透過經緯度值，建立一個台灣的面化結果。

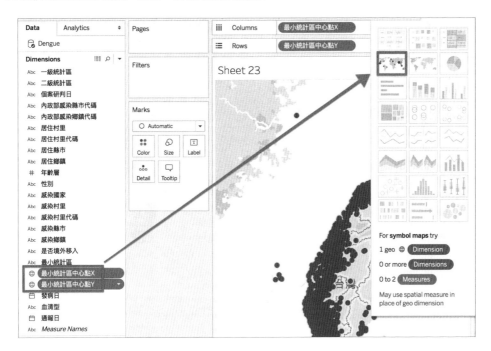

02 因為我們希望能透過經緯度值作為分群的參數之一（距離越近的點，代表越可能為同群），所以需要製作一個提供給分群演算法看得懂的數字。當經緯度的數值越近的時候，也代表兩個資料越有可能相關，因此必須建立經緯度的 Measure 值作為分群的基準。將 Dimension 欄位複製，並拖拉到 Measures，來產生經緯度的 Measures 值。

03 我們先讓資料當中有一個判別的維度（Number of Records）來決定圈圈的大小。

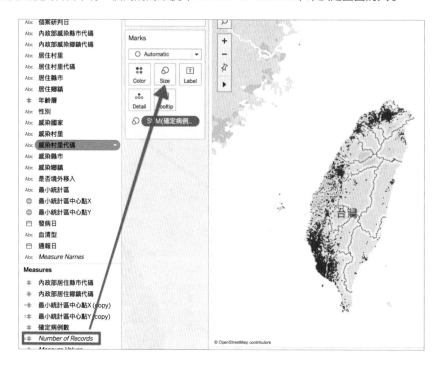

04 切換到「Analytics」的頁籤，點選並將「Cluster」拖拉到畫布中。

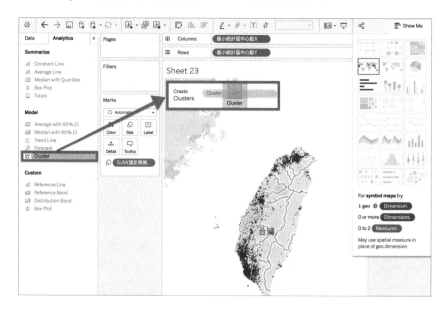

05 我們以手動方式來設定群的參數。

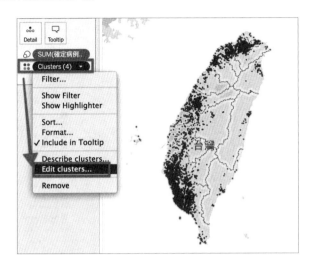

06 手動將經緯度的 Measures 值丟給 Clusters 演算法來做分群的基準,並設定一個期待的分群
數量,即可完成相關設定。

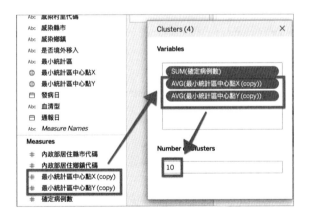

❖ 操作結果

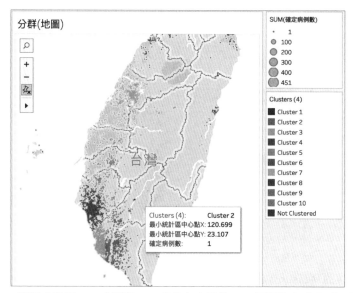

成功讓 Tableau 透過「經度」、「緯度」、「確定病例數」三個欄位完成分群，地圖也用對應的顏色顯示相關群聚的結果

了解分群成效

和預測相同，分群也可以透過「Describe clusters」觀察分群相關實驗分數，也區分為「Summary」與「Models」頁籤。

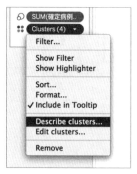

Describe clusters 可觀察分群效果

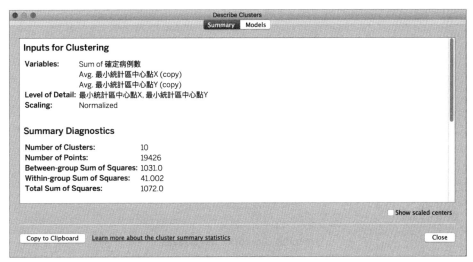

分群的 Summary 頁籤畫面

Descibe Clusters - Summary 頁籤

項目	說明
Inputs for Clustering	
Variables	用來作為分群的欄位
Level of Detail	用來決定 Level of Detail 的欄位
Scaling	前處理的 Scaling 方法，通常均使用 Normalized 方法
Summary Diagnostics	
Number of Clusters	有幾群
Number of Points	總共有多少資料點
Between-group sum of squares	根據不同群的中心計算的距離數字，越大代表群和群距離越遠
Within-group sum of squares	根據群內的資料點與群中心點的距離數字，越小代表群的內聚性越強
Total sum of squares	公式為：(between-group sum of squares)/(total sum of squares)，越大代表這個分群的效果越好。

　　另外，Clusters 也提供關於 Models 的結果，主要是透過力差分析（ANOVA）統計模型來做計算，應用於分析群聚的的變化，每個變量都會被納入計算。透過這個結果，我們可以更容易判斷哪些變量對於分群最有效。

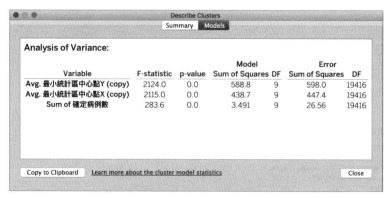

分群的 Models 頁籤畫面

Descibe Clusters - Model 頁籤

項目	說明
F-statistic	用來解釋群與群之間的的差異性的統計數字，越高代表越能區分不同群。
p-value	一個機率值，用來判斷統計結果是否顯著。
Model Sum of Squares and Degrees of Freedom	在給定 DF（自由度）的狀況之下，群與群之間的 Model Sum of squares 數值，如果群和群之間的 Cluster 的平均值差距很小，則此數值也會很小。
Error Sum of Squares and Degrees of Freedom	在給定 DF（自由度）的狀況之下，群內的 Error Sum of squares 數值，也可以看成整體的 MSE 水準（透過每個群中心值做計算）。

小結

隨著世界產生的資料越來越多，數據量也越來越大，本章介紹的一些統計、分析技巧的重要性也一直在提升，Tableau 提供了許多好用的工具，讓我們可以輕鬆透過點擊完成許多預測、分群的任務。然而，資料科學的精華常常都藏在細節之中，在執行相關任務的時候，我們還是需要持續學習更多觀念，例如：實驗結果的判斷方式、預測的參數選擇、分群的概念等，都對於強化資料科學模型相當有幫助。

PART 07

用 Tableau / Wix 來建立好感視覺化報告

本篇延續之前的 Tableau 工具使用，希望透過資料視覺化的技巧來建立好感度分析報告。

本篇的目標主要是引導讀者可一步步建立細緻化數據分析報告，包括美學層次、介面優化、引導閱讀等技巧，也包括儀表板的相關建立重點，以及如何透過好用工具，建構數據網頁，放上分析成果，並講出很棒的數據故事！

[實戰範例] 癌症發生統計資料

範例下載位置 http://design2u.me/tableau/dataset/cancer.csv

資料來源 https://data.gov.tw/dataset/6399

以下是「衛生福利部國民健康署：癌症發生統計資料」的摘要資訊：

癌症發生統計

資料集評分：	★★★★☆ 平均 3.9 (15 人次投票)
資料集描述：	提供我國癌症發生統計資料，供各界使用
主要欄位說明：	癌症診斷年、性別、縣市別、癌症別、年齡標準化發生率 WHO 2000世界標準人口 (每10萬人口)、癌症發生數、平均年齡、年齡中位數、粗率 (每10萬人口)
資料資源：	CSV ● 檢視資料 68-104年縣市別性別癌症別發生率資料……
提供機關：	衛生福利部國民健康署
提供機關聯絡人：	徐小姐 (0225220888#796)
更新頻率：	每年
授權方式：	政府資料開放授權條款-第1版
計費方式：	免費
上架日期：	2014/04/20
資料集類型：	原始資料
詮釋資料更新時間：	2018/05/23 16:07
關鍵字：	癌症發生 癌症發生率
主題分類：	其他
服務分類：	公共資訊
相關網址：	http://www.hpa.gov.tw/BHPNet/Web/Service/PublicInfo.aspx
備註：	授權說明網址: http://data.gov.tw/license

● 瀏覽次數: 35644　↓ 下載次數: 4991　💬 意見數: 11

癌症發生統計資料集

以下是本資料集的欄位說明與截圖畫面：

癌症發生統計資料集的欄位、屬性、內容範例說明

項目	說明	欄位屬性	內容範例
1	癌症診斷年	時間（年）	1979
2	性別	文字	不分男女

項目	說明	欄位屬性	內容範例
3	縣市別	文字	台北市
4	癌症別	文字	口腔、口咽及下咽
5	年齡標準化發生率 WHO 2000 世界標準人口 (每 10 萬人口)	數字	3.4
6	癌症發生數	數字	439
7	平均年齡	數字	53.37
8	年齡中位數	數字	55
9	粗率 (每 10 萬人口)	數字	2.5

癌症診斷年	性別	縣市別	癌症別	年齡標準化發生率 ...	癌症發生數	平均年齡
cancer.csv	cancer.csv	cancer.csv	cancer.csv	cancer.csv	cancer.csv	cancer.csv
1979/1/1 上午12:00:00	不分男女	台閩地區	口腔、口咽及下咽	3.4000	439	53.3700
1979/1/1 上午12:00:00	不分男女	台北市	口腔、口咽及下咽	3.8500	65	52.0000
1979/1/1 上午12:00:00	不分男女	台中市	口腔、口咽及下咽	4.1600	45	54.1800
1979/1/1 上午12:00:00	不分男女	台南市	口腔、口咽及下咽	1.5800	19	55.7900
1979/1/1 上午12:00:00	不分男女	高雄市	口腔、口咽及下咽	2.1000	32	48.5600
1979/1/1 上午12:00:00	不分男女	基隆市	口腔、口咽及下咽	3.9300	10	56.7000
1979/1/1 上午12:00:00	不分男女	新竹市	口腔、口咽及下咽	4.3700	10	48.3000
1979/1/1 上午12:00:00	不分男女	嘉義市	口腔、口咽及下咽	4.5400	8	60.7500
1979/1/1 上午12:00:00	不分男女	新北市	口腔、口咽及下咽	3.2600	47	52.8500
1979/1/1 上午12:00:00	不分男女	桃園市	口腔、口咽及下咽	2.9700	21	55.8100
1979/1/1 上午12:00:00	不分男女	新竹縣	口腔、口咽及下咽	1.6200	4	64.5000

本資料集截圖畫面

CHAPTER.15

優化數據分析圖表細節

實戰任務說明 我們的生活當中，無時無刻可接觸到各種視覺圖表，有的容易理解，有的乍看之下似乎看得出什麼，實際上卻又看不太懂，甚至有許多圖表讓人看不懂其意涵，而這到底是什麼緣故呢？本章將帶領大家一步步加值原本的視覺圖表，提升閱讀者的好感度。

將資料進行妥善分析，並透過視覺化呈現涉及許多能力，除了必備的邏輯思維之外，有時還需要左右腦並用，結合左腦的邏輯天賦與右腦的創意天賦，才能打造優秀的視覺圖表。魔鬼都藏在細節中，看似平凡的視覺圖表，閱讀者常常都在一瞬之間就決定了它的價值，好的圖表能夠輕鬆的引導閱讀，並在過程中加入讓人信任的元素，但有些圖表卻會因為缺少某些關鍵資訊，又或者只是使用了錯誤的顏色暗示，導致閱讀者混淆，讓信任度大打折扣。

因此，本章將改造簡單的長條圖表，讓閱讀圖表的人能夠吸收到更完整的分析洞察結果。

關於「一鍵生成圖表」

許多人製作圖表的標準流程，大多是透過軟體的「一鍵生成圖表」功能開始。軟體能夠快速、無痛的產出數據圖表，因此許多上班族都非常依賴 Excel 來生成各種圖表。雖然單鍵生成圖表的功能很方便，但以分析的目的來說，不一定能呈現出最佳效果。我們能夠在毫秒之間產出大量的長條圖、圓餅圖、線圖等，但這些快速生產的結果常常會忽略了許多圖表必須存在的設計細節。

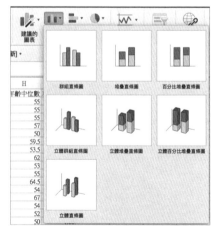

透過軟體工具可輕鬆產出各類視覺圖表，但這不一定是最好的呈現方式

以下列舉幾個快速生成圖表的缺點：

❑ 不好調整呈現方式或比例。

❑ 缺少圖表洞察說明。

❑ 如果要做細部調整，可能會遇到一些技術問題。

快速生成之後，許多人會直接將該圖表應用於簡報或是報告當中，而放棄了讓這張圖表更好的可能性，但我們有沒有更好的呈現方式呢？或者這張圖是否還有優化的可能性呢？這就是本章練習的內容。本章將根據最基礎的資料視覺化結果，分享若干數據圖表優化技巧，內容主要區分為兩大類，分別是「視覺表現的優化」與「訊息／內容的優化」。

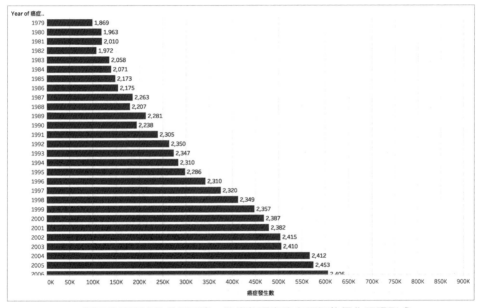

一個可快速產出的分析圖表，通常都還有許多更好的優化呈現形式

也就是說，視覺圖表不只要做出來，更要增加一些巧思設計，才能讓閱讀者平順的吸收。好的視覺圖表需要反覆鋪陳，設計閱讀脈絡。從標題開始，就要給人清楚的吸收順序，讓人可以讀懂想要表達的訊息，也能夠透過適當的圖像傳達重點，閱讀者可從畫面充分取得所需要的訊息。本章分享的相關技巧，看似平凡，卻是讓圖表能夠更加取信於人的好用技巧，強化後的數據圖表，有更佳的說服力，更能夠說服主管及客戶，也更能夠影響最終決策。

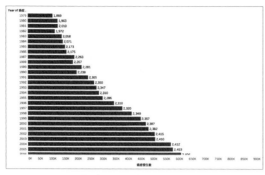

軟體一鍵生成的圖表

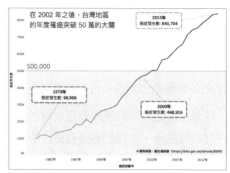

經過加工後的圖表

軟體一鍵生成的圖表 v.s. 增添設計細節的圖表（相同資料）

視覺表現優化

▌選擇正確的視覺圖表呈現方式 (Visual Form)

施作效益　同樣一種數據，如果套用不同的呈現方式，對於閱讀者來說會有很大的觀感差異。有些呈現方式就是能感動閱讀者，也更一目瞭然，而有些方式則是難以看出差異，選擇合適的呈現方式，可以讓閱讀者感受到愉悅感，也能縮短資訊吸收的時間。

第一項技巧是判斷我們是否使用了合適的圖表呈現方式。以本案例來說，因為 X 軸是時間序列類型的資料，所以通常使用線圖會是較好的呈現方式，同樣的資料我們可以採用線圖呈現看看，更適合觀察到其變化趨勢。

[練習任務] 透過 Show Me 功能，切換為合適的「線圖」

01 數據分析圖表通常會以長條圖作為初始圖。

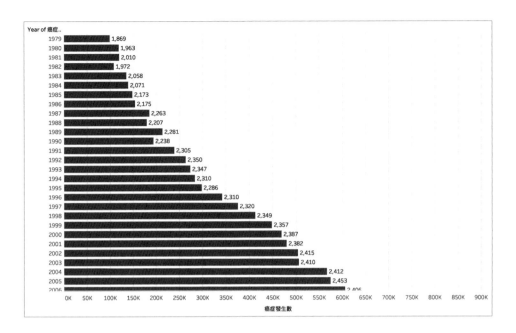

02 在 Tableau 點選「Show Me」，選擇「Lines Continuous」，將原本的長條圖轉換為線圖。

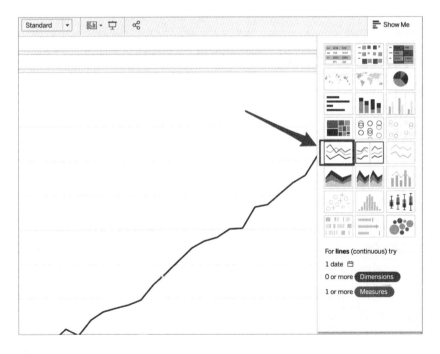

❖ 操作結果

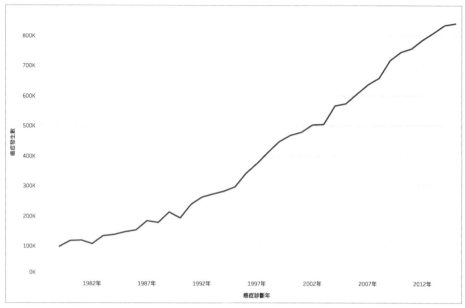

以時間序列類型的資料來說，用線圖表達，會是比較合適的圖像呈現形式

▌規劃合適的顏色（Color）

施作效益　人類對於顏色的敏感度高，且不只是美感上的解讀，也會對顏色自然產生一些情緒反應與邏輯上的推導。好的顏色設計，能夠有效提供視覺解讀的暗示。

　　顏色的配置常常在圖表設計時被忽略，且因為軟體大多會自動生成某種顏色組合，所以常常大家都會用自動生成的顏色版本作為最終版本。然而，自動生成的顏色大多使用的是預設的顏色組合，通常不是最佳的呈現結果，有時候甚至會因為使用過多的顏色，導致閱讀者必須分神思考每種顏色所代表的意義。相較之下，人類自行配置顏色的方式，較能根據語意或是呈現的隱喻進行顏色最佳化，為閱讀者帶來愉快的感受，也能提升解讀性。

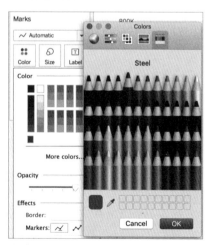

軟體預設的相關配色，通常非最佳的配置結果

好的顏色設計是有意義的，以下列舉配色技巧，供讀者參考：

❏ 強調資料對比：使用「顏色較深」的色彩，例如：紅色就很適合用來做重點強調。

❏ 強調資訊補充：使用「顏色較淡」的色彩，例如：灰色就很適合進行資訊補充，不會搶走主角風采。

❏ 強調資訊群組：使用相同色彩或相近的顏色，讓讀者知道是同一組資訊。

❏ 強調數字變化：使用「漸層」色彩，強化變化的方向與對比。

[練習任務] 改變顏色：用較深顏色代表較多數據量，較淺顏色代表較少數據量

01 點選「Color」後，改變調色盤顏色。

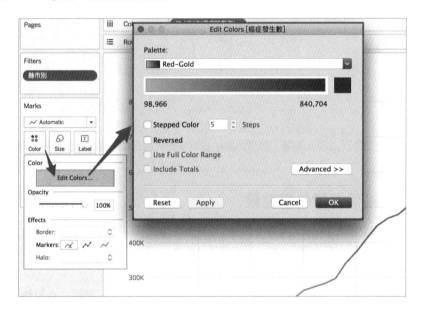

❖ 操作結果

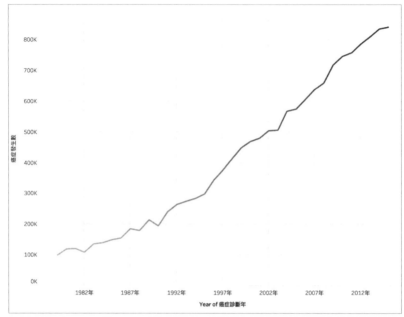

本案例在色彩上加入漸層，有暗示使用者數字越大越嚴重（深色）的隱喻效果

▍用過濾器提供閱讀者操控權

施作效益　閱讀者對某些資料並不感興趣，我們可使用過濾器濾掉不重要的資訊，也可讓閱讀者自己決定顯示哪些感興趣的資料，以使閱讀者更專注在圖表現有的內容上，提升圖表的傳達效果。

　　在 Tableau 當中，我們可以透過「開啟過濾器」的機制，讓使用者可以自行決定要看哪些病症的統計結果。閱讀者可手動切換，觀察不同癌症的數據差異，這樣的互動體驗對於閱讀者來說是非常友善的，因為人們的腦袋有時會希望廣泛的觀察，有時又會希望細緻的查看，如果能夠提供給閱讀者這樣開放的互動功能選項，會是一個貼心的設計。

[練習任務] 顯示視覺過濾器

01 將想要作為過濾器的欄位,拖到「filter card」區域,並選擇「Show Filter」。

❖ 操作結果

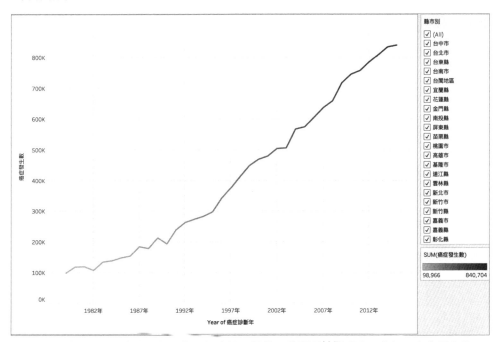

操作完成後,右方會出現欄位的選擇功能,開放互動選項給閱讀者,有趣又富含探索性

訊息／內容優化

▎用標註資訊引導閱讀

`施作效益` 圖表富含資訊，閱讀者不一定能夠完整抓住圖表設計師想要傳達的訴求，透過標註資訊的引導，閱讀者可以快速抓到重點。

對於設計者來說，當然清楚圖表想要傳達的訴求重點，然而對於第一次閱讀圖表的人來說，就不一定能正確解讀了，也不太容易抓到視覺圖表的重點，甚至可能會解讀錯誤。

因此，如果設計者能夠適度的在圖中加入一些標註資訊（Annotation），便能有效引導讀者進行吸收資訊，不過要注意也不適合放太多的提示資訊，我們可以考慮在圖中標記 1 ～ 5 個重點，若是標記更多重點的話，反而會讓讀者覺得這些提示並非重要資訊，造成反效果。

[練習任務] 在畫布上建立標註資訊，以引導閱讀

01 在畫布的空白處點選右鍵，選擇「Annotate」→「Point」，即可建立特定位置的標註資訊（讀者也可自行試試看 Mark 及 Area 的標註類型）。

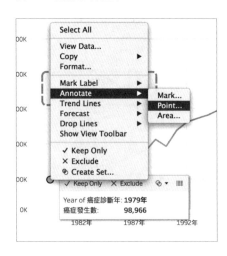

❖ 操作結果

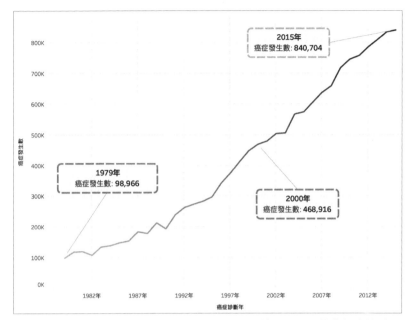

加入標註資訊之後，閱讀者會更容易關注那些被特別標記的資料事件點

▍用參考線揭露特殊數字或趨勢

施作效益　　人們在觀察資料點的時候，如果要自己去對準軸線（X、Y軸）等，有時會比較傷神，透過參考線可以給予人們一個視覺支撐位置，減少腦力在視覺移動上的耗損。

如果此批資料當中有一些特殊的歷史事件、重要時間點、資料數值門檻等，就很適合在圖中加入參考線作為視覺參考，揭露這些數字或趨勢，引導使用者進行閱讀，減少使用者的腦力消耗。

以此案例來說，假設 500,000 是一個癌症發生數的分水嶺，我們可以在圖中加入一個「臨界值 500,000」的視覺參考線，這樣讀者在解析這張圖的時候，就能夠快速在腦中進行歸類，而將此圖表切分兩大塊來做綜合性的判斷。

❏ 參考線 500,000 以下的區域（2002 年以前）。

❏ 參考線 500,000 以上的區域（2002 年以後）

[練習任務] 建立視覺參考線（Reference Line）

01 切換到「Analytics」頁籤，點選「Constant Line」，並拖拉到畫布，設定癌症發生數的參考線。

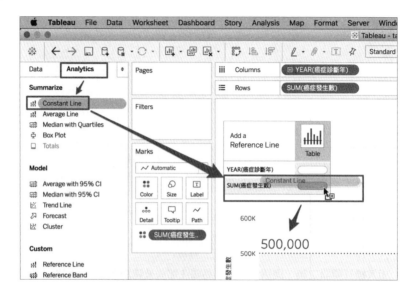

02 設定一個想要持續觀察的參考線值。

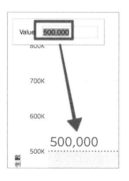

❖ 操作結果

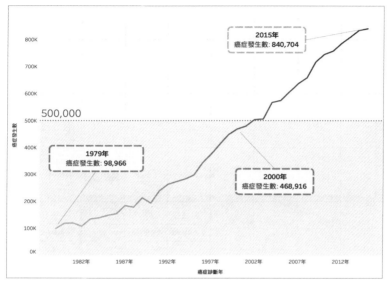

透過參考線能夠清楚的輔助讀者進行觀察數據分類

標記資料來源

施作效益 人們對於資料可能會有一個不信任感,如果在畫面中標記資料來源,人們會更願意相信這個數據,也能提升閱讀的意願。

如果希望此圖表能夠更加取信閱讀者,有一個非常簡單且高效的重要環節,就是「標記資料來源」,尤其當你的資料是可靠來源的時候,加入資料來源是不可忽略的重要細節。

以本實戰案例來說,由於資料來源是政府單位(衛生福利部),可以將其放置在畫面角落的位置,對於閱讀者來說,便能知道這個統計數字來自於官方單位,而更信賴其分析的結果,也更有意願分享給他們的朋友、同事等。

[練習任務] 替圖表新增資料來源資訊

01 點選「Annotate」→「Area」,就會出現一個任意文字框,可撰寫資料來源。

02 填寫資料後，按下「OK」按鈕，就會出現參考資料，再拖拉到合適的位置。

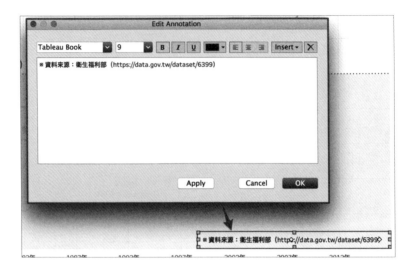

❖ 操作結果

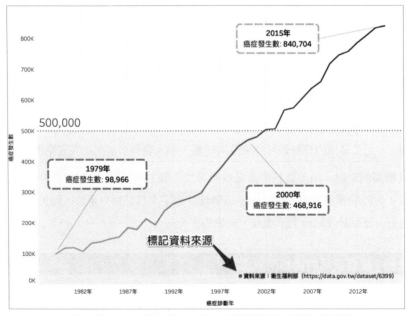

只是在畫面角落增添資料來源，就能夠強化圖表的信賴度

在圖表直接寫下洞見

施作效益 多數的人們並沒有解讀圖表的技能，如果自己閱讀時解讀不出洞見，會產生閱讀的挫折感，設計者如果能直接將洞見寫下來，人們就不需要自己消化資訊，可以在更短時間達成分析結果傳達的目的。

設計者可直接在圖中補充想要傳達的想法，好處在於更快凝聚與閱讀者的共識，也知道該如何解析這個視覺圖表中的重要訊息，閱讀者可更快速啟動認知大腦與信任度評量，如果相關資訊是可信賴的，便可以快速理解並信任這張圖。

想法的文字不需要太多，重點在於能夠讓閱讀者感興趣，了解並信任你的解讀結果，以下提供幾個重點參考，我們可以透過自問自答的流程來找到好的洞見描述。

❑ 我想要指出這張圖的重點是什麼呢？

❑ 我希望說服閱讀者的資訊為何呢？

❑ 閱讀者期待看到的訊息是什麼呢？

以本案例來說，如果我們想要強調其數字的成長變化，除了給予視覺上的提升之外，也可以直接做一些數字提示，給予閱讀者一個清楚的數字概念。

例如：針對目前分析的罹癌統計數字，我們有多種文案可以選擇：

❑ 「台灣的罹癌比例不斷提升，30 年來增長了 8.5 倍」。

❑ 「在 2002 年之後，台灣地區的罹癌突破 50 萬的大關」。

❑ 「台灣的罹癌人數，每年平均增加 74,000 人」。

[練習任務] 在畫面中增加分析洞見資訊

01 點選「Annotate」→「Area」，就會
出現任意文字框，可撰寫分析洞見。

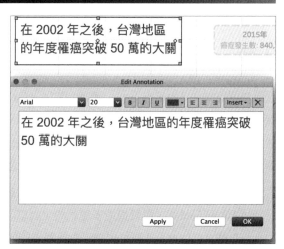

❖ **操作結果**

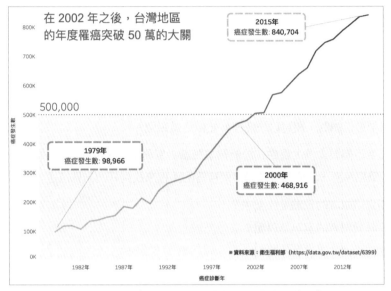

在 2002 年之後，台灣地區
的年度罹癌突破 50 萬的大關

2015年
癌症發生數：840,704

500,000

1979年
癌症發生數：98,966

2000年
癌症發生數：468,916

※ 資料來源：衛生福利部 (https://data.gov.tw/dataset/6399)

直接在圖中放上解析文字，閱讀者可更快掌握重點資訊

　　不過，視覺洞見文案的設計是種哲學，也不一定有標準答案，我們可以反覆琢磨，找出最能夠打動人心的文字、最能夠取得閱讀者信賴的語句，這也涉及到設計者與閱讀者之間知識交流的默契。

　　以此案例來說，由於我們想強調數量的改變，所以乾脆直接算出一個數字比例，並呈現在畫面上，讀者就可以與設計者同步，也能減少資訊消化的壓力成本，而被這個圖表說服。

小結

　　視覺圖表有許多的呈現方式，透過軟體單鍵生成視覺圖表速度很快，但多數狀況並無法直接產出最佳的呈現結果，好的視覺圖表包括了許多層面，例如：理解溝通的脈絡，究竟我們的目標對象想要知道什麼？我們是否已經最大化滿足他們的期待？本章分享許多視覺圖表優化技巧，其實技巧並不難，只是我們有時會忘記這些簡單但是重要無比的概念。

　　一個好的視覺圖表是富含故事性與啟發性的，除了分析師思維之外，我們還需要注入設計師思維的視覺技法，以及傳道者思維的說故事文案，利用許多視覺隱喻與優秀文案，一步步強化聽眾的注意，並贏得閱讀者對於圖表的信任。

CHAPTER **16**

一目瞭然的儀表板介面

實戰任務說明 本章將帶領讀者一步步建立儀表板（Dashboard），儀表板可將多個視覺化結果放在同個畫面中，讓資訊一覽無遺。此外，本章介紹儀表板資料的「篩選」（filter）和「深入分析」（Drill Down）的機制，讓閱讀者任意變換數據參數排列組合，並實作儀表板設計加工的流程，透過相關的設計，閱讀者可以查看相關任務的量化績效指標，以做出正確的決策判斷。

動手建立第一個儀表板

[練習任務] 建立儀表板

01 開啟儀表板編輯很簡單，只要在 Tableau 右下角點選指定符號即可開啟，而後便會進入空白儀表板編輯畫面。

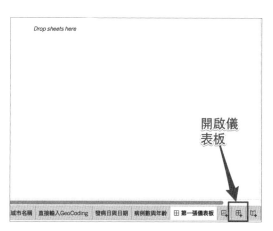

02 將想要在儀表板呈現的視覺圖表拖拉到畫布中，即可完成製作，超簡單。

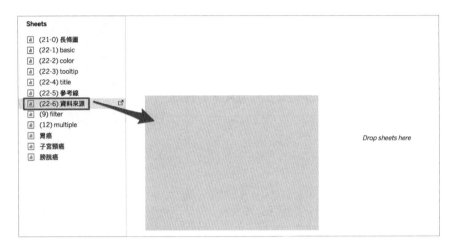

❖ 操作結果

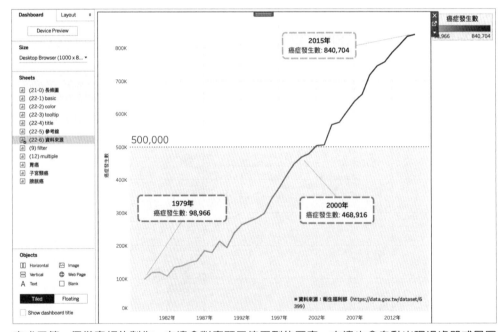

完成了第一個儀表板的製作，左邊會對應顯示使用到的圖表，右邊也會自動出現過濾器或是圖
例補充資訊

儀表板編輯畫面說明

Tableau 儀表板畫面比一般圖表編輯畫面單純，主要有五個區域，分別為切換儀表板 / 版面設定區、大小比例調整區、相關視覺圖表區、視覺物件區、儀表板畫布區等，說明如下：

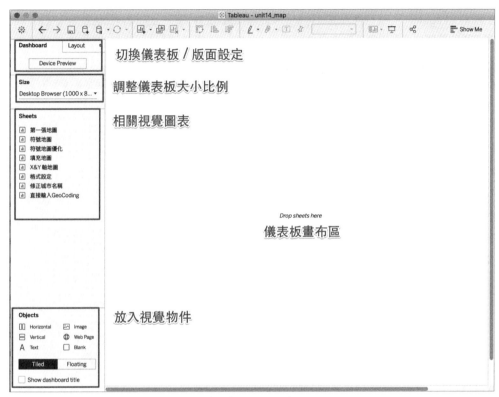

儀表板編輯相關功能區

儀表板編輯功能區

編輯區名稱	說明
切換儀表板 / 版面設定區	用來設定 PC / Mobile 等不同裝置呈現的介面以及預覽用。
儀表板大小比例調整區	可設定 Tableau 呈現畫布的長寬比例的區域。
相關視覺圖表區	可以看到之前編輯的所有畫面物件，可拖拉到儀表板中組合。
放入視覺物件區	提供如排版用的物件、圖片物件、網址物件等，可放到儀表板中。
儀表板畫布區	主要呈現結果的區域。

儀表板初步加工

▌讓版面更乾淨（關掉不需要的圖例）

施作效益 Tableau 預設的行為，當操作者拖拉圖片到畫布中時，會自動出現一些原本圖表的圖例（Legend），有時候圖例能夠幫助使用者做資訊的判斷，但有時候圖例反而會破壞掉視覺畫面的整體性，可以考慮關掉。

[練習任務] 關掉儀表板圖例

01 按下「X」，可關掉不需要呈現的圖例資訊。

❖ 操作結果

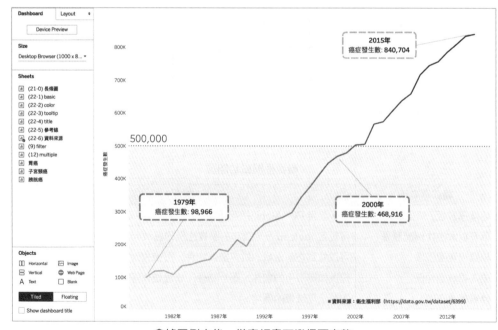

拿掉圖例之後，儀表板畫面變得更完整

▍協助閱讀者釐清目的（ 提供大標題與子標題 ）

施作效益 　 閱讀者可透過標題與子標題概略了解這張圖想要傳達的主題，有點像是要進入別人家門的第一印象感覺，感興趣之後，後續再細細品味圖表想要呈現的資訊，閱讀者可透過標題區啟動閱讀模式，之後再動用到創意右腦和邏輯左腦，來詳細端倪圖表想要呈現的故事。

[練習任務] 建立儀表板標題

01 將「Text Object」拖拉到畫面中，以建立圖表標題。

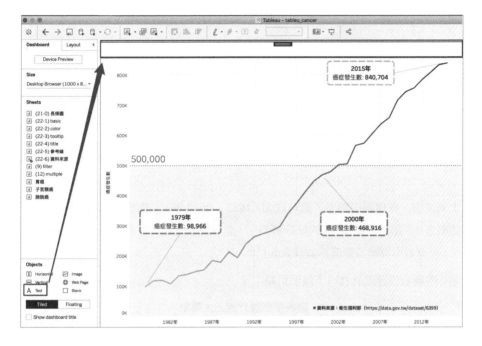

02 透過「Layout」頁籤改變背景，並以「Edit Text」改變文字。

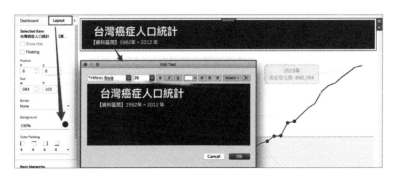

❖ 操作結果

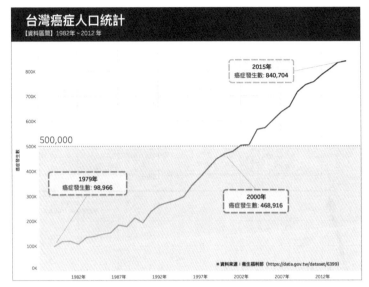

加入合適的標題文字，能夠引導讀者掌握圖表的範圍，減少閱讀的壓力

以上圖來說，在標題中點出了資料區間（1982 ~ 2012 年），讓讀者在第一時間就有一個大概的概念：「這是一個 30 年的統計資料」，並且把主詞也列在標題區：「臺灣癌症人口統計」，可有效引導讀者釐清這個圖表的目的。

一個好的圖表標題設計有以下幾個重點：

圖表標題設計的三大重點

項目	說明
是否有清楚的標題視覺？	是否和內容區有明顯的分界？是否有清楚的文字顯示？對比是否足夠？是否加入了多餘的視覺裝飾（斜體、底線等）？
是否設計合適的比例配置？	是否有設計大標題與子標題的階層？文字大小是否適中？
是否使用了明確的文案？	標題文字是否容易解讀？是否包括了此圖的重要意涵？是否用了易懂的用語？標題是否都有刪除贅字？

加入多個視圖到儀表板中

　　我們先準備另外兩張視圖來做搭配，請讀者先建立以下兩張基本圖表，透過 Show Me 功能可以快速產生，之後作為練習的素材。

❏ 各癌症數字排行 Highlight Table。

❏ 各年度癌症數字 Highlight Table。

癌症數字排行表 & 年度數字表

▌拖拉組合多張畫面

施作效益　　儀表板最主要的功能是，將多張視覺圖表放在同一個版面上同時呈現。假設目前我們已經做好了多張圖表，就可同時拖拉到畫布當中，組合成第一個版本的基礎綜合圖樣。

[練習任務] 建立儀表板組合畫面

01 將多張圖片拖拉到畫面上，以完成儀表板組合畫面。

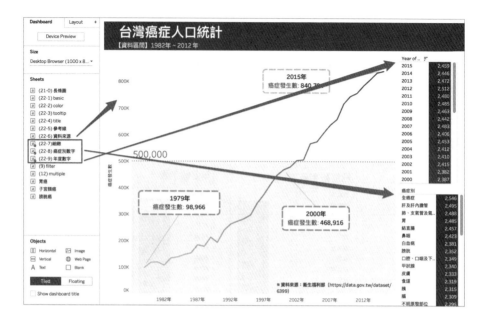

02 若我們想要調整單一視圖大小，可將滑鼠移到各自視圖的邊界地區，手動進行調整，也可拖拉各自視窗進行位置的調整。

❖ 操作結果

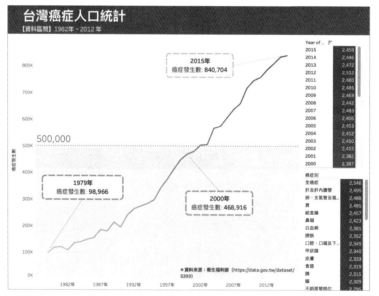

完成第一個多圖表儀表板

調整儀表板排版比例與模式

施作效益　　對於儀表板來說，能夠在版面中呈現合適的視覺比例或是更多資訊，通常可以帶來更好的結果，Tableau 提供了版面調整的機制，左邊區域可調整儀表板版面的大小比例與排版方式。

[練習任務] 調整儀表板排版模式

01 Tableau 版面調整功能主要包括：固定排版（Fixed size）、自動排版（Automatic）、區域排版（Range）三種排版方式，在這裡我們練習切換為自動排版（Automatic）的方式。可在左邊的 Size 區域，選擇不同的排版模式（這裡改為 Automatic）。

❖ 操作結果

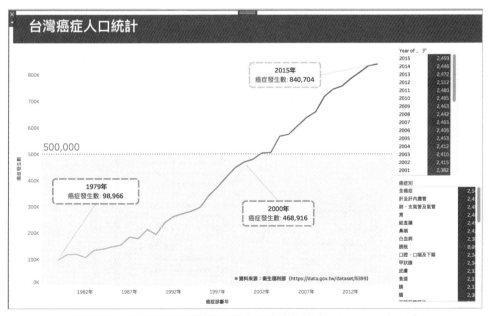

調整過後，畫布區會隨著螢幕自動改變寬度比例（Automatic Mode）

以下表格彙整了 Tableau 的三大排版模式與其設計邏輯：

Tableau 排版模式

模式	示意圖	說明
固定排版 （Fixed size）		如果我們已經確認儀表板顯示位置的大小，可套用固定排版，將其設定為固定長寬，不管顯示視窗的大小比例，如果儀表板大於視窗大小，則可以進行捲動。 固定排版有許多大小比例可供選擇，如桌面瀏覽器（預設）、iPad、A4 等。固定排版的效能相對其他來的好一些，因為此模式可直接透過伺服器進行暫存運算，不需要針對所有瀏覽器請求重新渲染。
自動排版 （Automatic）		儀表板可以自動調整大小、填充顯示窗口，讓 Tableau 偵測裝置比例，並負責調整大小
區域排版 （Range）		儀表板會在指定的最小和最大尺寸之間縮放，如果用於顯示儀表板的窗口小於最小尺寸，則會顯示滾動條，如果大於最大尺寸，則顯示空格。此模式特別適合需要再多裝置呈現的情境。

如果設定為固定大小，則有許多比例可供挑選（也可手動輸入）

調整個別視圖的顯示模式／比例

施作效益 Tableau 會參考整體版面大小，自動調整每張視圖的比例，但有時候圖表可能會因此被壓縮，並非我們最期待的大小，這時我們可以調整單一視圖的顯示模式設定或比例，來選擇切換其顯示的大小比例。

[練習任務] 調整個別視圖的模式／比例

01 調整儀表板中視圖的顯示比例。

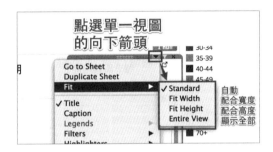

02 可調整為「Fit Width」，其會自動填滿該區域的橫向空間。

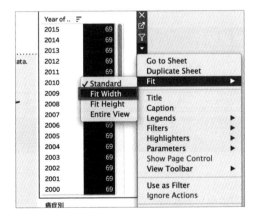

❖ 操作結果

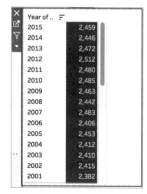 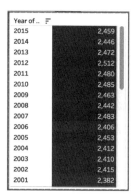

(左) 標準模式（Standard），右邊出現空格區域 (右) 符合寬度模式（Fit Width），讓內容橫向填滿整個區域

預覽多螢裝置呈現畫面

施作效益 Tableau 提供貼心的多螢裝置預覽功能，可以手動模擬不同裝置瀏覽的結果，包括一般電腦瀏覽器、平板電腦、手機行動裝置等，提早預覽製作圖表在不同裝置的呈現結果。

[練習任務] 瀏覽裝置預覽結果

01 從左邊找到「設備預覽（Device Preview）」，並點選開來。

02 可以在裝置預覽功能的右上角切換橫向、直向顯示。

03 嘗試切換到「Phone」的版面,就會發現如果用手機查看,內容會堆疊在一起,需要做一些調整。

04 可以在特定的 device 情況（尤其是在 Mobile 狀況，通常有許多需要調整之處），並拖拉為
期待的格式。

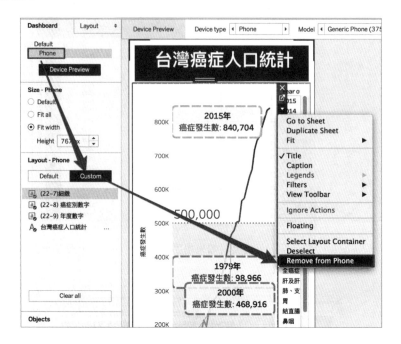

05 點選在此裝置上不想要呈現的 element（點選物件後按右鍵）來隱藏（Remove）。

❖ 操作結果

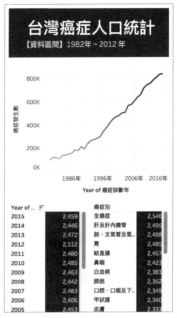

針對 Mobile 可提供較簡易的 Layout 即可

設定儀表板互動

除了一般靜態圖表之外，如果技術與呈現情境可支援的話，可適當的開放一些互動選項給閱讀者，將部分主控權留給閱讀者自由探索，能夠增加圖表的印象與趣味性。

設定選定範圍為過濾器

施作效益　　Tableau 可以設定圖表之間的過濾連動關係，例如：「只反白台南地區的資料點」，則其他圖表只連動顯示台南地區的數據狀態，例如：台南的發病日、台南的病例數分布等。

[練習任務] 用「年度資訊」作為範圍過濾器

01 可在「年度數字」與「癌症別數字」的視圖上面，點選小箭頭，選擇「Use As Filter」。

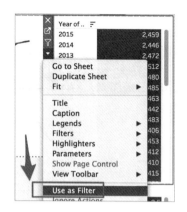

❖ 操作結果

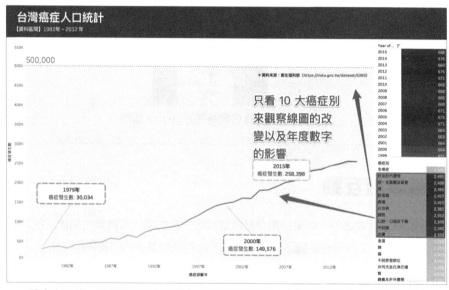

設定完畢後，我們便可任意單選／多選類別資料，來觀察圖表數字之間的關係

　　以上的作法可達成「選定特定資料點」之後，讓其他圖表也跟著連動的目標效果，例如：我們只反白前十大癌症，則圖表顯示的數字也會對應只顯示這些被反白類別的加總數字。

設定儀表板重點顯示（Highlight Action）

施作效益　　儀表板上的圖表之間，存在著彼此的互動關係，因為有時候我們會希望改變其中一張圖之後，其他圖也跟著連動顯示，這樣之間的數字邏輯關係就會變得更清楚。

[練習任務] 建立區分不同癌症的數字線圖

在練習「重點顯示」（Highlight Action）之前，我們先建立一個區分不同癌症的線圖。

01 複製一個線圖頁籤。

02 拖拉「癌症別」到「Detail」與「Label」選項。

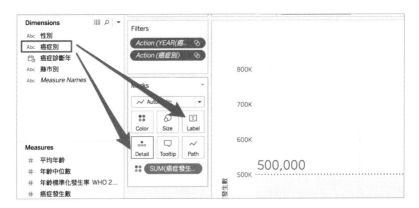

03 拿掉「全癌症」的顯示。由於「全癌症」的數字太大，會影響整體判讀，所以先勾選移除不顯示。

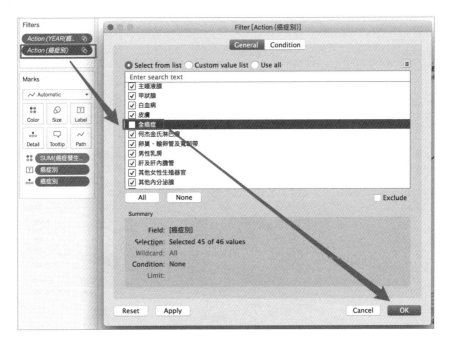

04 移除參考線。由於之前設定的參考線數字太大，也會影響判斷，故先移除。

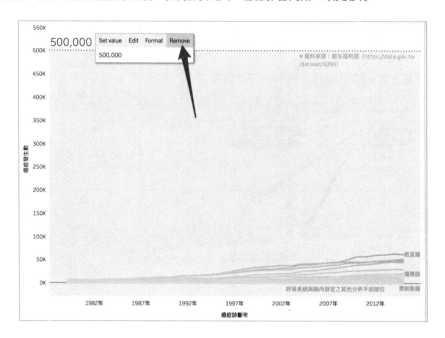

❖ 操作結果

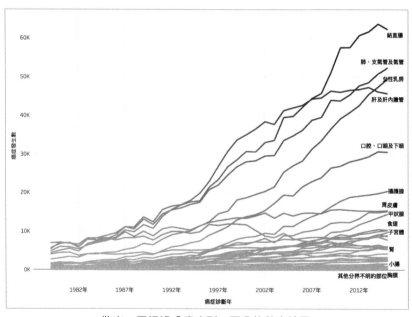

做出一個根據「癌症別」區分的數字線圖

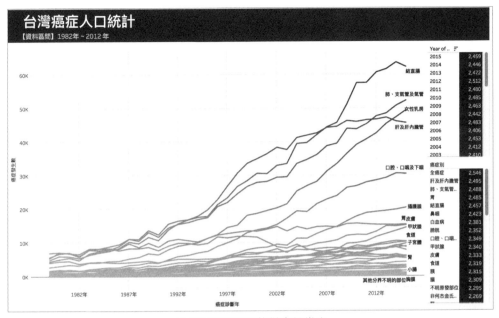

台灣癌症人口統計
【資料區間】1982年～2012年

將此圖換進原本的儀表板當中

[練習任務] 管理儀表板圖表間互動

01 延續設定動作（Highlight Action）的目的，可使用儀表板動作設定（Action）功能來進行，
點選 「儀表板」（Dashboard）→「動作」（Actions）來進入編輯功能。

02 移除掉原本的 Filter Action，避免混淆。

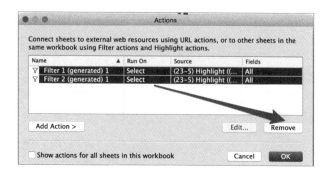

03 建立 Highlight Action。

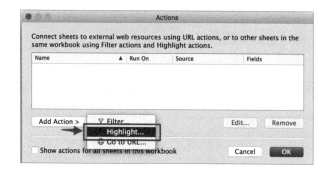

04 設定 Highlight 互動方式，確認
後按下「OK」按鈕。

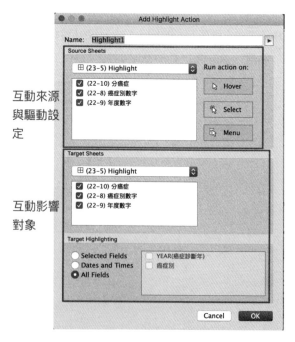

互動來源
與驅動設
定

互動影響
對象

❖ 操作結果

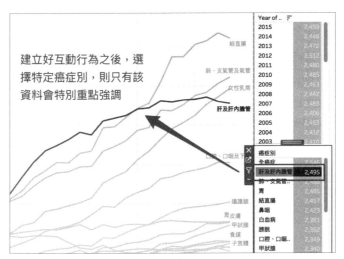

Tableau 儀表板預設會開啟反白重點顯示功能，如果儀表板上面的圖表之間有數據邏輯關係，選擇其中一筆資料記錄後，其他張圖表也會連動改變顯示資訊。

創建更豐富的儀表板畫面

▋儀表板物件（Object）功能

Tableau 提供物件（Object）管理的功能，讓使用者可以在畫布上加入一些元件，或是建立版面容器，來進行畫面的管理。

儀表板左下角的物件功能區

▋版面容器物件

施作效益　透過版面容器物件，來管理儀表板的群組關係，單一容器中可放多張圖表，也可進行群組大小設定。

Tableau 提供兩類版面容器，分別是水平版面容器（Horizontal layout container）、垂直版面容器（Vertical layout container），如下表所示。

Tableau 版面容器物件說明

類型	示意圖	說明
水平版面容器物件 Horizontal layout container	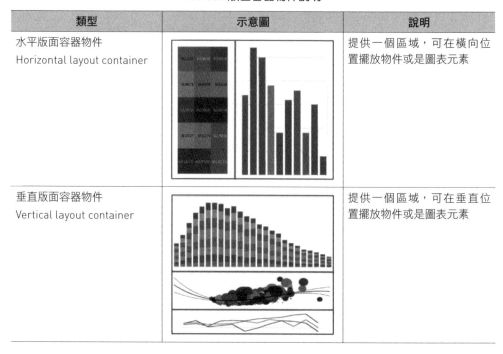	提供一個區域，可在橫向位置擺放物件或是圖表元素
垂直版面容器物件 Vertical layout container		提供一個區域，可在垂直位置擺放物件或是圖表元素

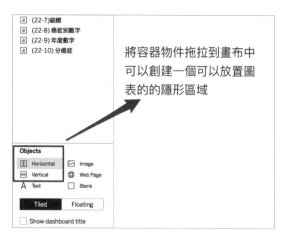

將容器物件拖拉到畫布中可以創建一個可以放置圖表的的隱形區域

可以透過拖拉的方式，在畫布當中建立版面容器

文字、圖片、網頁物件

施作效益　　　儀表板中也可以加入一些裝飾用的視覺物件，如文字、圖片、網頁等，對應的比例可以手動調整，文字也可以設定色彩、斜體、粗體等，強化圖表的視覺吸引力。

[練習任務] 在儀表板新增圖片、文字、網頁

01 拖拉「Image」到畫面中，便可插入圖片（圖片素材下載：http://design2u.me/tableau/dataset_img/cancer.jpg）。

02 插入文字，並設定為「Floating」。物件可以設定為「Tiled」與「Floating」兩種模式，「Tiled」平鋪模式物件之間會自動進行嵌套排版，而「Floating」浮動模式新增的物件，可讓使用者任意拖拉，設計上更為彈性。

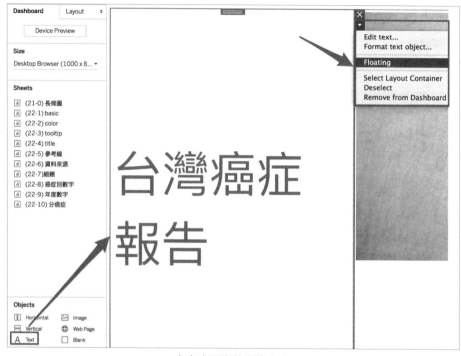

文字也可拖拉到畫布中

text Object 改為 Float，並放到我們想要的位置

03 在下面插入癌症的網頁，網址輸入：https://en.wikipedia.org/wiki/Cancer。

將網頁插入到我們想要放置的位置

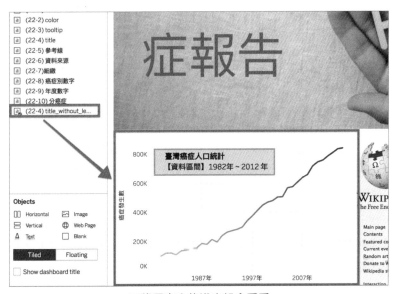

可將圖表也放進來組合看看

❖ 操作結果

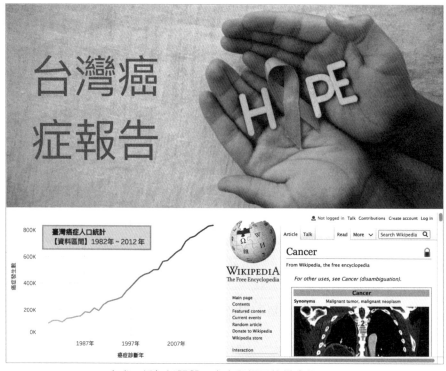

完成一個包括視覺、文字與網頁的儀表板頁面

小結

通常「數據分析」任務是一個複雜的過程，當看的是摘要類型的資料時，人們也會希望了解數據背後的細節，透過儀表板我們可以同時滿足這兩類的分析需求，以提供互動的操作性功能，建置出讓人滿意的互動分析結果。

數據分析時，儀表板無疑是一個強大的工具，除了可透過單一畫面看到許多重要資訊之外，我們還能夠設定資料和資料之間的互動關係，甚至是透過美學物件強化，更能讓閱讀者感受到設計者的用心。

CHAPTER 17
建立互動視覺化故事並分享給世界

實戰任務說明 透過 Tableau 的「故事」功能，將多張視覺圖表用順序性的方式進行呈現，讓製作者可以每張輪流播放，用講故事的方式依序呈現圖表。

過去多數人通常都是透過單一張圖表顯示分析結果，但通常閱讀的人是不容易滿足的，因為如果想要證實某一個邏輯正確無誤，通常還有賴多張圖表所揭露的資訊，甚至會需要顯示原始資料。

為什麼要建立故事？

故事是用來傳達數據觀點的好用工具，提供上下文，演示決策與結果的關係，最主要是介紹整個案例的相關素材與來龍去脈，將圖表轉換成故事，大概有以下幾個優點：

❑ 建立一系列的視覺圖表。

❑ 可演示數據結果與決策順序關係。

❑ 建立完整的分析案例圖表故事集。

❑ 建立 Tableau 故事，可維持其互動與探索性。

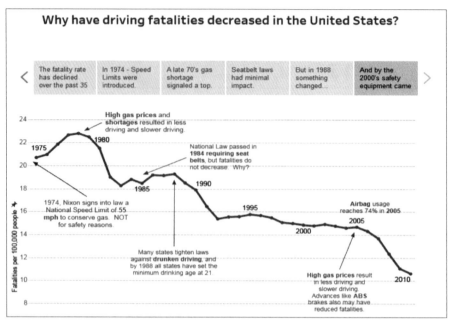

透過一系列的數據故事，可讓人們更詳細了解一個議題，以上是 Tableau 故事功能畫面

※ 資料來源：https://onlinehelp.tableau.com/current/pro/desktop/zh-cn/help.html

　　一個數據故事當中，會包估許多細部的「故事點」（Story Point），舉例來說，如果以癌症數據的案例，我們可以講述許多細部故事點，例如：

❏ 每年的癌症案例數字變化？

❏ 哪一些癌症更容易罹患呢？

❏ 這二十年來，哪些癌症的數量有很大的改變呢？

❏ 呈上，這些改變的原因可能有哪些呢？

　　延續上面的各點，我們還可以舉出非常多的故事命題，所以數據分析目標，常常在於如何說一個好的數據故事。Tableau 官方文章介紹七種數據故事表達情境，本書將其內容轉換成以下的表格，分享給讀者們。

數據故事的七種類型

數據故事類型	故事的目的性說明
⊘ 隨著時間而改變	❏ 作用：使用時間資料，說明一個趨勢的改變。 ❏ 引發討論：為什麼會隨著時間變異？為什麼數據會有這樣的變化？我們該怎樣解讀與應變這樣的變化？

數據故事類型	故事的目的性說明
下鑽查詢	❏ 作用：帶到上下文解讀關係，以便閱讀的人更了解特定類別中所發生的事件。 ❏ 引發討論：為什麼在比較高層次的時候，會是這樣的結果，而後則再往下鑽，來看看這些結果背後的原因有哪些，比較不同人事物的影響差異，以及分析他們在不同層次的占比與影響性。
縮小	❏ 作用：描述您的受眾關注的主題與大局的關係。 ❏ 引發討論：從閱讀者關注的中心主題開始，該中心主題對於整體的關係為何呢？以及影響整體的程度有多少？該中心主題相關的數據圖表又有哪些呢？
對比	❏ 作用：用對比的方式，表達兩個或多個主題之間的差異。 ❏ 引發討論：這些項目為什麼會不同？我們如何能使 A 表現得像 B？這個差異發生的原因有哪些方面，A 和 B 哪些方面做得很好＆做得不好？
十字路口	❏ 作用：當一種類別超過另一種類別時突出重要的轉變。 ❏ 引發討論：在何時發生了轉變？是什麼原因導致這些轉變？這些轉變是好還是壞？這些轉變是否會影響到其他面向？
因素	❏ 作用：將多個子主題進行歸納。 ❏ 引發討論：是否多個小議題可以歸納為一個通用原因？相關的影響程度有多大呢？以及我們可以如何解釋這樣的結果呢？
離群值	❏ 作用：顯示異常資料或特別異常的事件。 ❏ 引發討論：這些異常發生在哪些狀況時呢？這些異常發生的原因為何呢？這些異常是否會對我們造成困擾呢？以及我們該如何影變呢？

※ 資料來源：https://onlinehelp.tableau.com/current/pro/desktop/zh-cn/story_best_practices.html

建立數據故事

　　將資料轉換為視覺化故事，能夠吸引人專心閱讀，本章就來實際製作數據故事吧！故事功能的設定邏輯和儀表板很類似，只是用一個更像是「說故事流程」的排版呈現方式，以下介紹建立故事的方法，以及故事工作面板的相關功能。

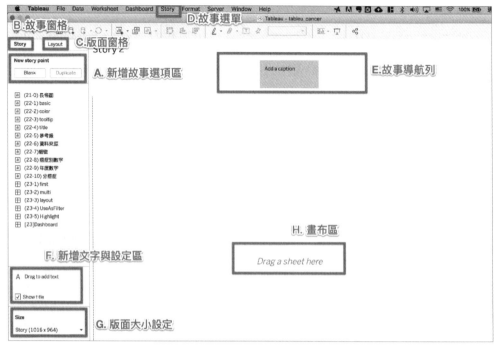

Tableau 故事工作面板相關區域

下表說明每一區的使用用途：

Tableau 故事工作面板用途說明

區域	名稱	說明
A	新增故事選項區	可選擇「空白」，以添加新故事點，或者選擇「複製」，以將當前故事點作為下一個故事點的起點來做調整。
B	故事窗格	可透過此窗格，將儀表板、工作表、文本描述拖曳到畫布區，來建立相關數據故事。
C	版面窗格	這裡是選擇導航列樣式以及顯示、隱藏前進和後退箭頭的位置。
D	故事選單	可在此設定故事的格式，複製、輸出故事圖片，也可以在此清除整個故事，或者顯示、隱藏導航列與故事標題。
E	故事導航列	用來編輯和組織相關「故事點」（拖拉進畫布的圖表們），也是設定閱讀者逐步看完故事的流程區。
F	新增文字與設定區	可新增文字到畫布中，或是做標題的設定。
G	版面大小設定	可設定故事呈現樣式的大小。
H	畫布區	主要故事呈現內容區域。

建立第一個數據故事

施作效益 思考一個切入說故事的原因後，可著手建立數據故事，讓自己針對目前的數據，挑選一個想要講的數據主題故事，不然許多時候用一般的圖表與儀表板就已經足夠了。

[練習任務] 建立第一個數據故事

01 新增第一個故事面板。

02 在故事中拉進一張圖和一個文字框，也可替此故事點取一個好名稱。

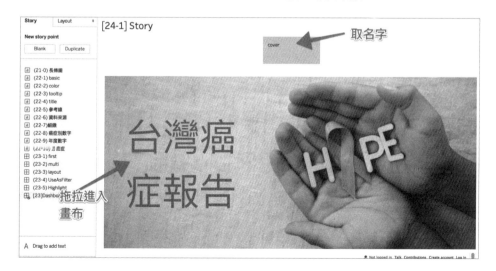

03 用所見即所得的方式，依序拖拉入更多圖至故事面板中。

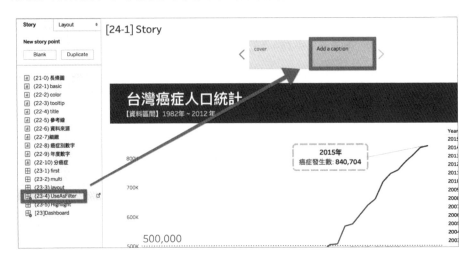

❖ 操作結果

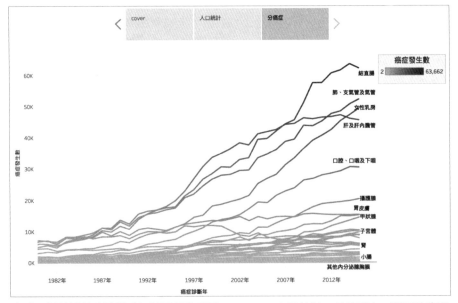

輕鬆完成一個數據故事流程（包括三個故事點：Cover、人口統計、分癌症），即可依序說一個數據故事

設定故事導覽風格（Navigation Style）

`施作效益` 故事面板可以設定個人偏好的美學呈現樣式，提升排版變化性。

故事上方的故事點導覽列，有三種主要呈現方式，分別是「標題方格」、「數字」、「點狀」，各自有不同的呈現結果，如下表所示。

故事導覽風格

風格	風格圖例
Caption Boxes（標題方格）	＜ 登革熱台灣分佈區域　南部地區特別嚴重 ＞
Numbers（數字）	＜ 1　2 ＞
Dots（點狀）	＜ ● ● ＞

[練習任務] 修改故事點導覽風格

01 切換到第二個頁籤，即可設定故事導覽風格。

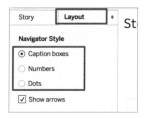

❖ 操作結果

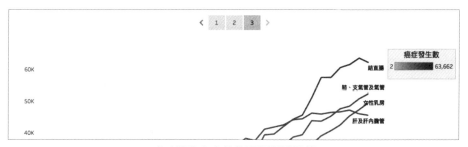

成功修改上方的故事點導覽風格

▌調整故事圖像為滿版大小

施作效益 每個故事的資訊多寡不一，如果在太小的版面之下，會無法清楚呈現想要表達的資訊，通常用「滿版」可以讓視覺閱讀起來更舒服，也能在最佳狀態呈現數據故事。

[練習任務] 修改故事畫布的大小

數據故事的繪製，可以看成是在作畫一般，你期待閱讀者得到怎樣的視覺滿足，我們就著手做多少事情。因此，故事畫布的大小也會影響到閱讀者的吸收程度，調整成對方期待的大小，或是調整成可以承載完整數據內容的大小，將是傳達設計者貼心的必要流程。

01 Tableau 故事功能和儀表板類似，也可以透過 Size 視窗，調整故事畫布的大小。

Size 可調整故事畫布的大小

❖ 操作結果

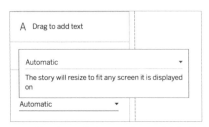

筆者較常使用的是「Automatic」的滿版視窗大小設定，可以自動填滿到閱讀者的視窗，通常呈現效果也最好

編輯故事排版格式（Story Format）

施作效益 ─ 可透過排版格式設定，提升故事呈現的美學性，對於有美感的圖表編輯者而言，可透過 Tableau 的「Format」功能更優化呈現的視覺體驗。

如果要強化故事的精彩度，Tableau 也有開放一些故事區域的編輯排版功能，只要點選「故事」（Story）→「格式」（Format），即可開啟格式設定面板。

[練習任務] 修改故事的排版設定

01 點選「Story」→「Format」，開啟格式設定面板。

❖ 操作結果

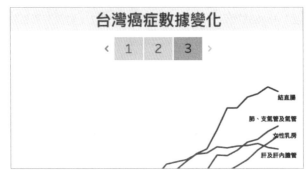

可以透過排版方式在視覺上做一些變化，如改變標題、改變導覽文字大小等

切換故事簡報模式

施作效益 用更完整的畫面呈現數據故事，用故事簡報模式來做展示，閱讀者／聆聽者可減少畫面當中其他雜訊的閱讀，專注聆聽你的數據故事。

[練習任務] 切換 Tableau 故事簡報模式

01 當我們編輯完故事後，可透過上方的簡報按鈕，切換為簡報模式，進行説故事任務。

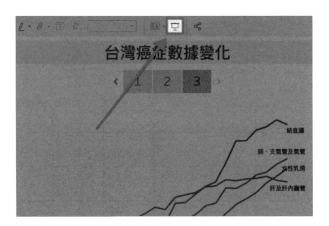

❖ 操作結果

可滿版呈現 Tableau 數據故事。

將故事／圖表對外發布

前幾篇已經說明 Tableau 相關完整的編輯功能，不過 Tableau 對於「線上發布」功能的支援也是很強大的！若是讀者是使用 Tableau Public 版本進行編輯的話，可以直接將設計成果發布到網路上，供全世界觀看，但在此要提醒，Tableau Public 發布的結果會被全球使用者檢視，務必記得不要發布敏感數據，而若是 Tableau Desktop 版本的話，就可以設定發布到個人權限控管的環境（Tableau Server / Tableau Online），不會有公開的問題。

▌透過 Tableau Public 將設計成果發布

施作效益　可以快速將圖表或是故事的結果產出為 web 網址，分享給別人進行操作。相較於圖片或是簡報，Tableau web 網址保留了圖表的互動性，讓閱讀者可以和你的視覺故事互動，提升閱讀體驗。

[練習任務] 在 Tableau Public 分享你的視覺圖表故事

當您分享故事（例如：通過將工作簿發布到 Tableau Public、Tableau Server 或 Tableau Online）時，閱讀者也可以與故事進行互動，以挖掘新的洞見，或提出有關數據的問題。

免費的 Tableau Public 是發布非敏感數據的好工具，除了可以產生線上網址，分享給別人之外，也有可能吸引陌生訪客進行瀏覽。等圖表編輯完成後，只要在 Tableau Public 點選「檔案」（File）→「選擇儲存到雲端功能」（Save to Tableau Public），就可進行發布。

01 從「File」選單可以找到儲存按鈕。如果是 Public 版本，會自動將結果分享到網路上。

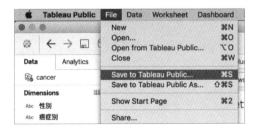

02 登入 Tableau Public 帳號（沒有帳號
的讀者可申請一組），登入之後，替
圖表取一個好名稱後繼續上傳。

03 針對設計成果取一個名稱後，按下
「儲存」，即可開始上傳。

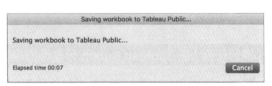

❖ 操作結果

順利將結果上傳到網路上，並產生一個公開的 web 網址，可分享給其他人

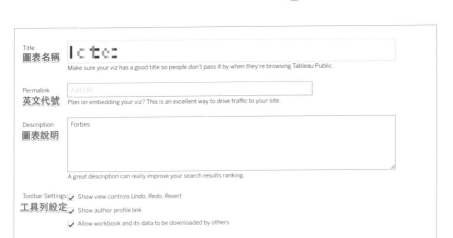

Web 頁面下方可管理一些圖表的設定

透過Tableau Desktop進行上傳

施作效益 大多數企業資料都是機密資料,要確保其隱私性。透過 Tableau Desktop 上傳到自我管理的伺服器上,相關資料與資料權限可受到安全性的保護。

如果讀者使用的是透過付費的 Tableau Server / Tableau Online,則是要選擇「發布」到主機的功能,可調整的參數較多,也能保有機密性,而 Tableau Desktop 上傳的流程和 Public 版本大致類似,就不在這裡贅述。

Tableau Desktop 上傳到伺服器的發布設定

將故事／圖表與線上網站進行整合（以WIX為例）

我們將會教導讀者在不用寫任何程式的情況之下，做出一個專屬於自己的資料視覺化分析成果網頁。延續前面所分析的資料，做一個專屬的癌症數據網頁，這項練習會透過 WIX（https://www.wix.com）知名線上網站建置服務的程式碼嵌入功能，將 Tableau 產出的圖表做成網頁。

此處教學搭配 WIX 網頁建置服務來進行。WIX 是一套國際知名網頁線上編輯工具，可透過網頁模板與線上 HTML5 編輯器，輕鬆製作精美網頁，且每個月有許多免費流量，可以在上面放程式碼，很適合結合 Tableau 進行製作。

WIX 是一個透過拖拉就可完成網頁的線上服務

※ 資料來源：https://www.wix.com

▍在 WIX 開立客製化網站

施作效益　WIX 的好處在於完全不用撰寫程式碼，就可建立對外網站，整個流程只要透過點擊即可完成，非常方便與快速。

[練習任務] 在 WIX 開立客製化網站

01 一開始，先註冊為 WIX 網站會員，或是透過社群帳號登入。

02 有了 WIX 帳號之後，我們要進行網站建立的流程，請在畫面右上角開啟一個新網頁。

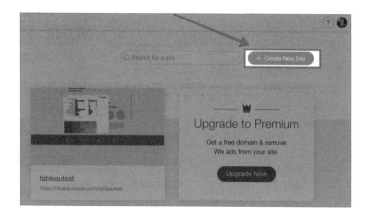

03 選擇網站類型，讀者自行選擇即可。

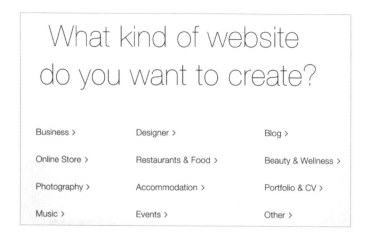

04 請選擇右方的手動製作網頁。

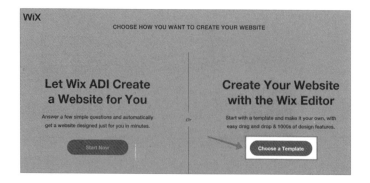

05 可挑選一個喜歡的樣板，按下「編輯」（Edit）。

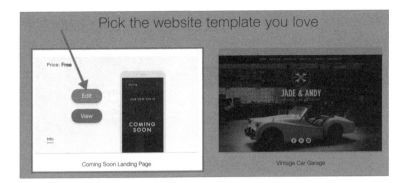

❖ 操作結果

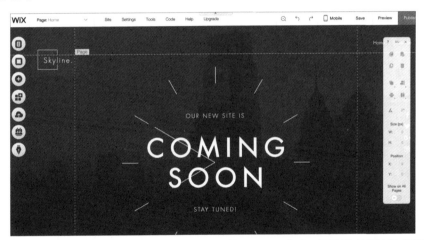

進入 WIX 工具的網站編輯環境（接下來需要取得 Tableau 故事／圖表的外部嵌入代碼）

▌取得 Tableau 的嵌入程式碼

施作效益　Tableau 產出成果，可以輸出為 Embedded Code 與外部環境整合，透過 Embedded Code，可讓圖表可以做出更多形式的應用，例如：本章和 WIX 協同產製線上數據故事網頁。

[練習任務] 取得 Tableau Public 圖表嵌入程式碼

01 我們先在 Tableau Public 的右下角點選「共享」（Share）按鈕，並複製嵌入的程式碼，程式碼看起來很長，但沒有關係，因為我們不會修改到它。

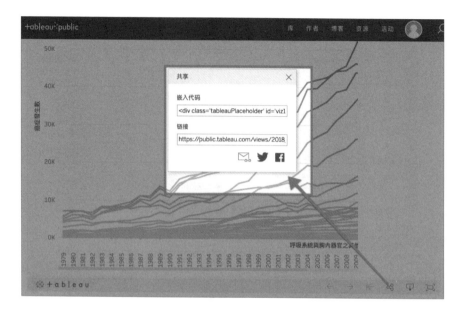

❖ 操作結果

```
<div class='tableauPlaceholder' id='viz15315415099...
<div class='tableauPlaceholder' id='viz1531541509980' style='position: relative'><noscript><a href='#'><img
alt='癌症診斷年 ' src='https:&#47;&#47;public.tableau.com&#47;static&#47;images&#47;20&#47;2018_book_cancer&#47;
sheet0&#47;1_rss.png' style='border: none' /></a></noscript><object class='tableauViz'  style='display:none;'><
param name='host_url' value='https%3A%2F%2Fpublic.tableau.com%2F' /> <param name='embed_code_version'
value='3' /> <param name='site_root' value='' /><param name='name' value='2018_book_cancer&#47;sheet0' /><
param name='tabs' value='no' /><param name='toolbar' value='yes' /><param name='static_image' value='https:&#47
;&#47;public.tableau.com&#47;static&#47;images&#47;20&#47;2018_book_cancer&#47;sheet0&#47;1.png' /> <param
name='animate_transition' value='yes' /><param name='display_static_image' value='yes' /><param
name='display_spinner' value='yes' /><param name='display_overlay' value='yes' /><param name='display_count'
value='yes' /><param name='filter' value='publish=yes' /></object></div>          <script type='text/
javascript'>                     var divElement =
document.getElementById('viz1531541509980');                     var vizElement =
divElement.getElementsByTagName('object')[0];
vizElement.style.width='100%';vizElement.style.height=(divElement.offsetWidth*0.75)+'px';
var scriptElement = document.createElement('script');                     scriptElement.src = 'https://
public.tableau.com/javascripts/api/viz_v1.js';               vizElement.parentNode.insertBefore(
scriptElement, vizElement);                   </script>
```

會取得類似這樣格式的嵌入程式碼，雖然不好閱讀但沒關係，我們不用修改它，只要複製下來使用即可

▌將 Tableau 圖表結合 WIX 進行製作

施作效益　　　將 Tableau 做好的圖表做更多的應用。和 WIX 綁定後，可以創建主題故事頁面，讓分析成果更有品牌識別的信任感，也可將網址分享給其他人觀看。

[練習任務] 在 WIX 建立好圖表顯示的容器

　　取得 Tableau 嵌入代碼後，接著回到 WIX，WIX 提供的是一個所見即所得的網頁編輯畫面，可以任意編輯標題、選單、圖片等，該編輯介面經過多年優化，除了功能完整之外，操作介面也相當直覺。

01 從左邊的選單中，點選「ADD」來增加一塊元素。準備插入前面步驟已經準備好的嵌入程式碼。

02 透過「ADD」按鈕來新增一個「HTML iFrame」，插入外部圖表。

03 點選「Enter Code」來輸入程式碼。貼上 Tableau 嵌入代碼後，按下 「Apply」 按鈕。

❖ 操作結果

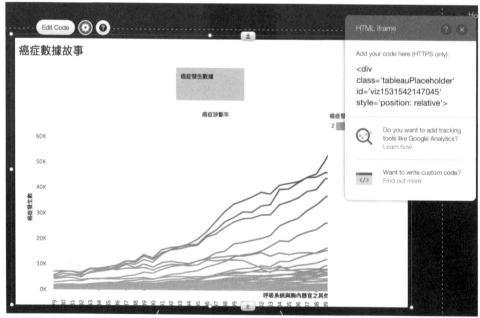

順利更新後，會發現 Tableau 製作的圖表故事被嵌入了！

在 WIX 發布為對外網頁

施作效益　　　網站本身就是多數人喜歡吸收訊息的形式，一般人接受度高。透過 WIX，可將視覺圖表加上品牌包裝，也能做出專屬的圖表分析網站。

[練習任務] 發布數據故事網頁

01 我們將網站都編輯完成之後，就可以準備發布了。

02 點選 WIX 編輯畫面右上的「Publish」按鈕來發布網頁，並取一個名稱後，按下「Save」按鈕。

❖ 操作結果

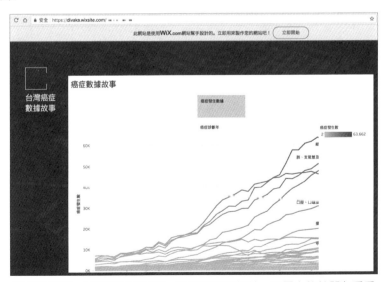

完成你的第一個數據故事網頁，而且有公開網址，可馬上傳給朋友看看

小結

　　從圖表到儀表板，最後到故事，這是一個洞見萃取、製作、分享的流程。在走完整個流程之後，會發現到這個世界中許多圖表都只有停在最原始的層次，因為許多人都是透過工具單鍵自動生成圖表，所以導致洞見有限。

　　延續前兩篇的視覺圖表加工與儀表板介紹，本篇主要在講述如何建立互動視覺化故事的概念與方法，期待讀者能夠透過這些技巧，挖掘數據當中的洞見，並搭配美麗的視覺設計，甚至是搭配網站的形式，將想要說的數據故事呈現給其他人，並進一步創造討論，用數據故事引領改變。

APPENDIX

附錄

APPENDIX A

Tableau 特色介紹與安裝教學

附錄 A 主要介紹 Tableau 工具的特色與安裝流程，並補充說明 Tableau 的安裝教學介紹，主要以 Tableau Public 為主。Tableau Public 最棒的地方在於讀者看完之後可以馬上進行操作，不過要注意的是 Tableau Public 的結果會被上傳到網路上，如果不希望成果公開的話，則需要改用付費版本的 Tableau Server 或是 Tableau Online，以在網路上儲存設計結果。

Tableau的八大特色

Excel 與 Tableau 都是強大的資料視覺化工具，且 Excel 可以完成許多 Tableau 能夠完成的工作（不過有時候操作起來彎複雜的），所以何時我們適合使用 Tableau 工具呢？首要考量仍是組織文化，如果組織鼓勵使用較新的工具，或是業務流程容許整合新工具，甚至組織正好採購了 Tableau 工具的話，將是導入 Tableau 的合適時機！如果要說服公司導入的話，以下分享推薦使用 Tableau 的八大特色：

▌特色❶：能夠輕鬆執行資料庫連動作業

一般來說，設定資料連線，在多數軟體上都是複雜的操作經驗，例如：Excel 雖然可以連結許多種類的資料來源，但是設定起來相當複雜，有時還要找教學或是翻書才可完成。相較之下，Tableau 則提供經驗良好的資料庫連結流程，能夠輕鬆串聯各類資料來源。

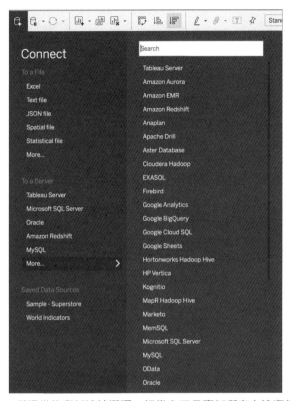

Tableau 所提供的資料連結選項，相當多元且囊括所有主流資料來源

▌特色❷：能夠快速成為數據洞察高手

讀者也許會好奇，其他軟體也有提供許多圖表洞察功能，而 Tableau 的特色是什麼呢？以上問題主要和「操作的經驗」有關係，Tableau 花了非常多的心力在使用者經驗（UX）的改善，力求設計出邏輯直覺的操作介面，不論是組織新人或是老手，都能透過所見即所得的拖拉介面，快速進行數據洞察工作。自由嘗試、快速迭代，不斷透過各種方便的操作功能分析數據，多數都可單鍵完成，一直到深刻了解數據為止，在 Tableau 工具的輔助下，可幫助更多人成為數據洞察高手。

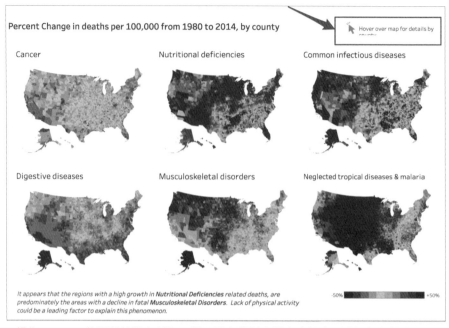

操作 Tableau 的過程就像在創作一樣，可在資料之間自由探索，進行各類數據洞察

▌特色❸：能夠利用工具主動提供視覺洞見

使用 Tableau 的第三個原因，是超強大的圖表智慧化提示功能（SHOW ME 功能）。Tableau 提供許多智慧化行為預測，例如：當我們選擇特定的幾個資料欄位，Tableau 就會自動告知我們有哪些視覺圖表可供使用；如果我們點選兩下，Tableau 甚至可以自動幫我們生成一張美麗的圖表，重點是通常都還蠻漂亮的！而有需要的話，我們還是可以自行調整設計細節，如顏色、形狀大小等，Tableau 就像一個很棒的分析軍師，不斷給予我們各種設計建議。

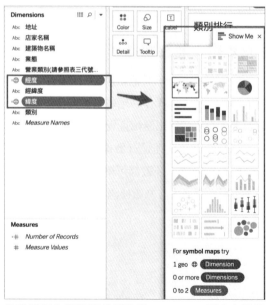

當我們反白選擇部分欄位時，Tableau 即會自動建議合適圖表

特色❹：能夠進行「顆粒級」資料互動檢視作業

在資料量較大時，一般的軟體工具只能看一個大概的趨勢性，但 Tableau 提供了「顆粒級別」的資料節點洞察功能，例如：我們可先查看整個國家的數據圖表，接下來可持續 zoom-in 查看城市的大小級別、甚至是街道的大小級別，且此過程是動態互動的，只要透過簡單的滑過手勢或是點選手勢即可完成。

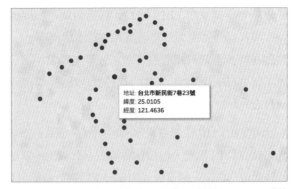

Tableau 提供顆粒等級的資料細部互動檢視，既可看整體資料趨勢分布，若有需要的話，也可查看細部資訊

特色❺：能夠設計強大的資料視覺成果

Tableau 提供強大的視覺編輯引擎，相較於 Excel，可提供更細緻的畫面編輯功能，如背景設定、內容對齊、字型設定、背景調整、顏色調整等，也能夠上傳自己的圖片。針對畫布的地方，也提供許多參數設定，如解析度、瀏覽裝置、自訂版型等，相當方便，能以更符合視覺設計邏輯的方式，創造精彩作品。

Tableau 提供大量的視覺格式編輯工具，提供很大的設計彈性

▌特色❻：能夠輕鬆建立組織商業智慧分析平台

傳統的商業智慧（BI）平台，常常會隨著時間演進和業務流程的改變，而變得異常複雜，導致真的能夠高效使用該 BI 的人數大幅減少，造成組織效率降低。在 BI 領域常見的難題在於多重資料庫的導入，在大型組織當中，各單位各自擁有不同的資料格式或資料庫，而 Tableau 提供了無痛的資料整合功能，可將不同來源的資料進行融合，或是進行跨資料表的計算等。

此外，由於 BI 系統資料格式的限制，導致許多人變成資料處理人員，讓各單位的資料都可相容於 BI 系統，但這樣會導致一個現象，就是許多專業分析人員花了 80% 的時間進行資料清理作業，結果真正用在分析數據的時間只剩下 20%，大幅削減了生產力，Tableau 希望避免這個情況發生，轉而用更友善的方式建構組織商業智慧平台。

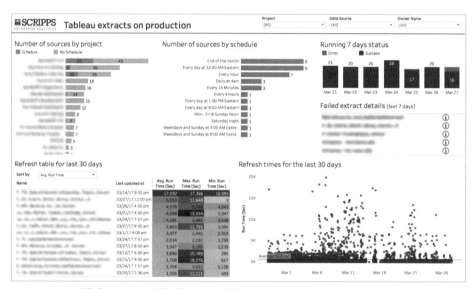

透過 Tableau 可方便建立輕量的商業智慧環境，提升組織效率

※ 資料來源：http://www.bfongdata.com/2017/03/custom-tableau-server-repository.html

▌特色❼：能夠利用強大的地理視覺引擎

一般的視覺化工具如果要繪製地理資料，常常需要安裝外掛或是與其他軟體交互使用，但是 Tableau 本身便提供強大的地理視覺引擎，甚至支援第三方地圖圖層，如 Google Map、Mapbox 等。Tableau 也內建了地理字串處理引擎，例如：「Japan」這個詞就能夠被 Tableau 判斷為一個「國家」，進而做出後續的資料推論行為，如自動標記 GPS 資訊。

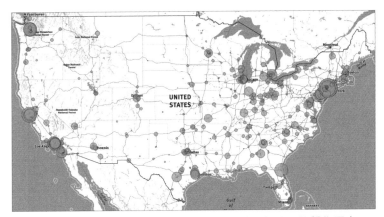

Tableau 的地理視覺引擎，能夠輕鬆做出華麗的地理視覺化圖表

※ 資料來源：http://www.evolytics.com/blog/tableau-201-make-symbol-map-mapbox-integration/

特色❽：能夠輕鬆將設計成果發布到網路上

一般我們都是透過靜態圖片分享數據分析成果，但常常對方收到後，還是會持續回來詢問更細部資訊，或是相關的連動資訊，例如：想要知道某個細部情境之下的數據，這樣不斷重複的一來一回溝通，可能也導致組織浪費了大量的討論與確認時間。

Tableau 可輕鬆一鍵將設計成果發布到網路上，或是放置到公開的 Tableau Public 環境，取得分享網址，我們可將該網址提供給客戶、老闆、同事等，讓對象透過瀏覽器來查看你精心設計的數據分析報告，特別之處在於讓對方自行操作互動洞察或是查看連動資料等，以大幅減少雙方的溝通時間。

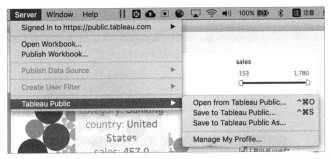

Tableau 提供了多種上傳功能，可馬上產生線上瀏覽網址，且保持其互動性

單鍵即可將設計成果上傳到網路上，讓對象透過瀏覽器查看

下載與安裝Tableau Public

下載軟體

讀者可前往 Tableau Public 網站（https://public.tableau.com/en-us/s/download），填入自己的 Mail，後續即可收到安裝的指示。

01 前往官網下載 Tableau Public 最新版本。

02 送出 E-mail 之後，應該會自動開啟下載的連結。

進行軟體安裝

01 雙擊軟體圖示後，即可開啟安裝程序。

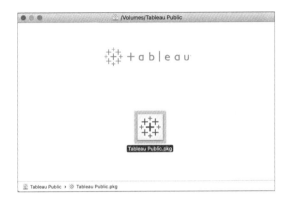

02 安裝過程畫面。

開啟軟體

01 安裝完成之後，就可以到應用程式清單，雙擊 Tableau Public 的圖示來開啟軟體。

02 開啟 Tableau Public 之後，會看到歡迎畫面。

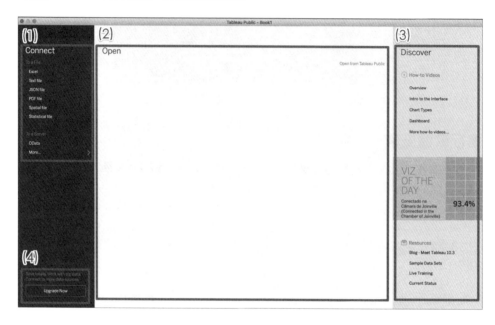

在上圖中有四大區塊，以下是各自的區塊功用說明：

❑ (1) Connect 資料連結區：可以選擇我們要連結的資料來源，如檔案、資料庫等。

❑ (2) Open 最近開啟檔案區：會列出我們近期編輯的檔案。

❑ (3) Discover 教學探索區：有許多教學影片與素材資源可瀏覽。

❑ (4) Upgrade 軟體升級區：提醒可進行付費來取得更多的功能區。

其中的「資料連結區」特別補充說明，Tableau 系列軟體的一大特色是可相容非常多種類的資源來源，Public 可連結的格式相對比較少，但是如果是付費版本的 Tableau Desktop 則有相當多的選擇。

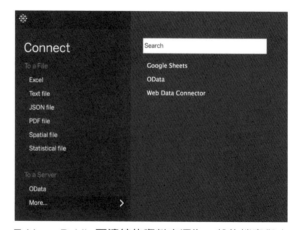

Tableau Public 可連結的資料來源為一般的檔案與少部分的資料庫來源

如果是付費版本的 Tableau 則有非常多資料來源可選擇，此為完整清單

※ 資料來源：https://www.tableau.com/products/desktop#data-sources-professional

　　本書先以最基本的檔案類型資料進行介紹（CSV、Excel 格式），如果企業／商業上有更進階需求，可再參照網路上的資源進行連結。

Tableau精彩作品分享

　　為了讓讀者能夠了解 Tableau 的能耐，以下介紹一些於 Tableau Public 公開展示的作品，可以看到透過 Tableau 所做出設計感十足的資料視覺化成果。除了顏色與排版都很專業之外，這些圖表都可以互動。讀者有興趣的話，可以回到原本網站上，查看詳細資訊。

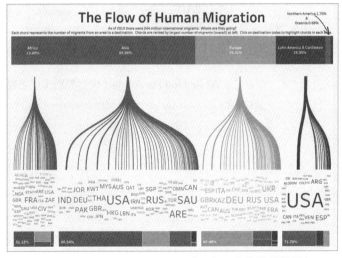

The Flow of Human Migration（人類遷移數據視覺圖）

※ 資料來源：https://public.tableau.com/en-us/s/gallery/flow-human-migration?gallery=featured

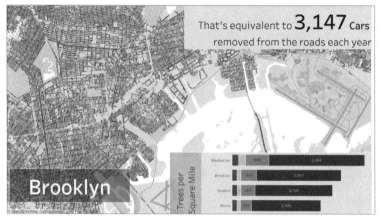

Urban Forest of NYC（紐約樹資料視覺化）

※ 資料來源：https://public.tableau.com/en-us/s/gallery/urban-forest-nyc?gallery=featured

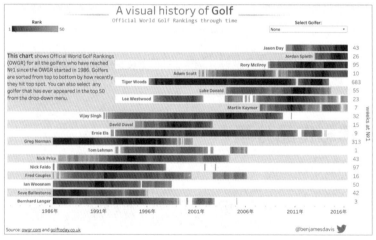

World Golf Rankings（世界高爾夫排名視覺化）

※ 資料來源：https://public.tableau.com/en-us/s/gallery/world-golf-rankings?gallery=fea

APPENDIX B
視覺化相關網站介紹

附錄 B 主要收錄一些和資料視覺化任務相關的網站，其中包括資料協助網站、色彩支援網站、靈感支援網站，如下表所示：

資料視覺化相關網站與工具

類別	說明	本章介紹工具
資料協助工具	許多網站提供了開放資料可下載或是後續協作，也有一些工具專門用來執行特殊資料格式的處理等。	❑ Google Public Data Explorer ❑ 台灣政府資料開放平台
數據圖表靈感支援工具	當視覺圖表設計沒有點子的時候，可以在一些網站找靈感！	❑ Pinterest ❑ Economist ❑ Flowingdata ❑ Visual Complexity ❑ Howmuch.net ❑ Visual capitalist ❑ DataVisualization.CH ❑ The Data Visualisation Catalogue ❑ Information is Beautiful Award ❑ MobileVis
色彩支援工具	視覺化的其中一個重點是色彩設計，這裡介紹一些工具，可供作為色彩設計的參考	❑ colourlovers ❑ Adobe Color ❑ Xue Xue Color

資料協助工具

▌Google Public Data Explorer

網址 https://www.google.com/publicdata/directory

特色 能夠找到全球跨國的數據集

　　Google所設立的資料集網頁，收集了從世界銀行、各國統計局、WTO等來源所彙整的資料，且大多為跨國資料，我們可取用來視覺化許多有趣的世界趨勢。

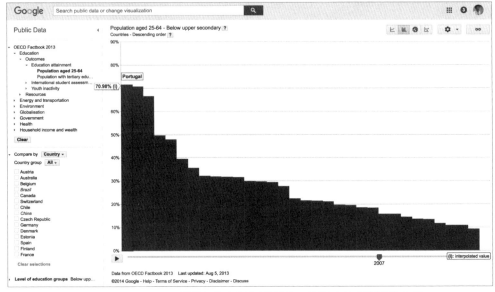

Google Public Data 提供了許多跨國資料集，可用來執行視覺化作業

※ 資料來源：https://www.google.com/publicdata/

▌台灣政府資料開放平台

網址 http://data.gov.tw/

特色 有許多很棒的台灣區資料

　　政府資料開放平台是中華民國政府根據《政府資訊公開法》規定，所建立的開放資料計畫，上面有許多台灣的資料集，採用了許多標準格式如CSV、XML、JSON、OLAP、TXT。其歡迎各組織引用與進一步應用，本書中多數的資料範例皆從此平台取得。

台灣政府開放資料首頁，有很多有趣的資料集供下載使用

※ 資料來源：http://data.gov.tw/

數據圖表靈感支援工具

在製作資料視覺圖表時，有時候會有靈感枯竭的時候，這裡分享一些網站，上面有許多資料視覺化作品，點過去看看，說不定會有不錯的靈感！

視覺圖表靈感支援工具整理

工具名稱	工具重點
Pinterest	線上社群剪貼圖庫，輸入「Data visualization」等關鍵字，即可取得許多靈感
Economist	中文名稱是「經濟學人」網站，天天提供數據分析後的資料洞察報告，具有公信力，視覺化的部分也很精彩
FlowingData	類似部落格，有很多資料視覺化的作品可以參考
Visual Complexity	專門蒐集「繁複華麗」類型的資訊圖表
Howmuch.net	主要以「金錢數字」為主題視覺故事圖表
Visual capitalist	主要收集「經濟類型」的資料視覺化報告

工具名稱	工具重點
The Data Visualization Catalogue	網站將圖表類型進行分類整理，包括每種圖表的適用情境說明
Kantar Information is Beautiful Awards	英國著名視覺化獎項網站，收集了很多精彩的得獎作品
MobileVis	主要收集行動裝置的資料視覺化作品，還加註使用的技術

Pinterest

網址　　　　https://www.pinterest.com/

特色　　　　線上社群剪貼圖庫，輸入「Data visualization」等關鍵字，即可取得許多靈感

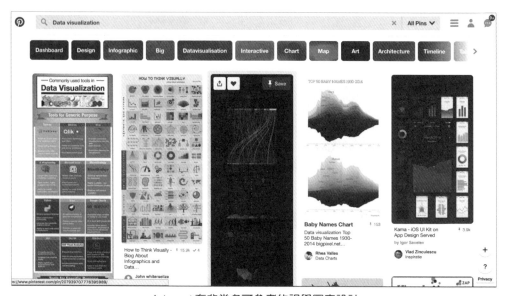

pinterest有非常多可參考的視覺圖表設計

Economist

網址　　　　http://www.economist.com/blogs/graphicdetail

特色　　　　中文名稱是「經濟學人」網站，天天更新，提供數據分析後的資料洞察報告，具有公信力，視覺化的部分也很精彩

經濟學人網站每天都會更新許多很棒的資料視覺化圖表

FlowingData

網址　　　　　http://flowingdata.com/

特色　　　　　類似部落格，有很多資料視覺化的作品可以參考

FlowingData 網站收錄了許多精彩的視覺化作品

Visual Complexity

網址　　　　　http://www.visualcomplexity.com/vc/

特色　　　　　專門蒐集「繁複華麗」類型的資訊圖表

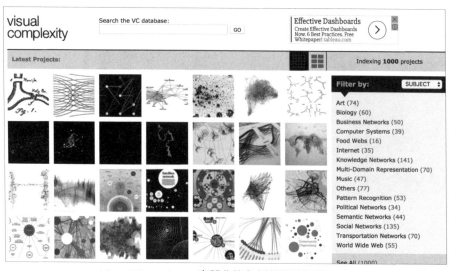

Visual Complexity 專門收集各種華麗的視覺圖表

Howmuch.net

網址 https://howmuch.net/

特色 主要提供「金錢數字」為主題的視覺故事圖表

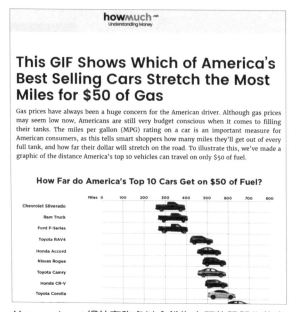

Howmuch.net 網站有許多以金錢為主題的視覺化故事

Visual capitalist

網址　http://www.visualcapitalist.com/

特色　主要收集「經濟分析」的資料視覺化報告

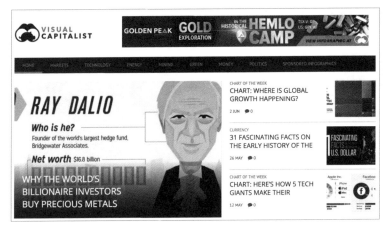

喜歡經濟分析的讀者，可以來 Visual capitalist 看看分析報告

The Data Visualization Catalogue

網址　http://www.datavizcatalogue.com/

特色　網站清楚的將圖表類型進行分類整理，包括每種圖表的適用情境說明

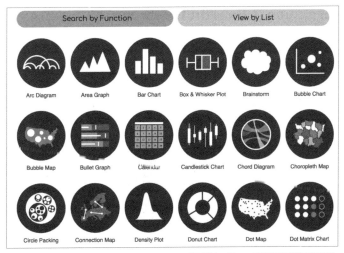

The Data Visualization Catalogue 提供超過 60 種圖表類型說明

Data Viz Project

網址 http://datavizproject.com/

特色 彙整了許多視覺化呈現形式的工具

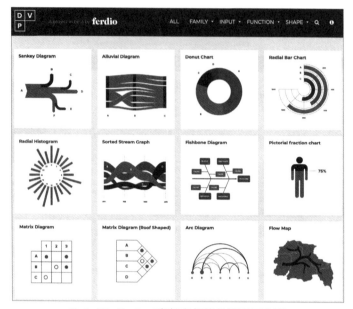

Data Viz Project 有很多很棒的圖表可參考

Kantar Information is Beautiful Awards

網址 http://www.informationisbeautifulawards.com/

特色 英國著名視覺化獎項網站，收集了很多精彩的得獎作品

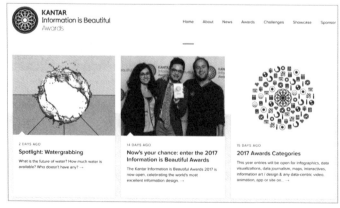

Kantar Information is Beautiful Awards 網站收錄了許多得獎作品

▎MobileVis

網址 http://mobilev.is/

特色 主要收集行動裝置的資料視覺化作品，還加註使用的技術

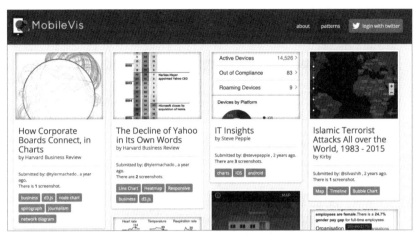

MobileVis 的強項是行動裝置的視覺化案例收集

色彩支援網站

　　數據視覺化的其中一個重點是「色彩設計」，這裡介紹了一些工具，可供作為色彩設計的參考。視覺化的配色相當重要，會影響使用者的觀看意願，網路上有許多好用的資源，可善用這些資源。以下介紹幾個好用的配色網站：

色彩支援網站整理

工具名稱	工具重點
colourlovers	提供許多配色案例供參考，也有一些配色類別可套用
Adobe Color	介面淺顯易懂，是由大廠維護的色彩資料庫
Xue Xue Colors	許多台灣色彩資訊供參考，可透過照片查看使用的顏色
ColorBrewing	可幫忙挑選合適於地圖的顏色

　　顏色的選擇、素材的使用、別人的設計經驗等，都有可能成為我們視覺化作業的好用參考標的，在實際作業上時，務必納入工作程序中，參考別人的優秀經驗。

colourlovers

網址 http://www.colourlovers.com/

特色 提供許多配色案例供參考，也有一些配色類別可套用

colourlovers 網站提供許多配色參考案例，能夠針對配色的主題（fashion、technology 等）給出建議，還提供配色社群，從網友熱心分享的配色案例，找到適合自己的視覺配色組合。

colourlovers 網站提供許多配色主題供參考

※ 資料來源：http://www.colourlovers.com/

Adobe Color

網址 https://color.adobe.com/zh/create/color-wheel/

特色 介面淺顯易懂，大廠維護的色彩資料庫

Adobe 官方的配色社群，與 colourlover 功能類似，讓網友提出許多喜愛的配色方案，還提供排行榜功能，所有顏色都可以方便查詢色票代碼，也方便進行分享。

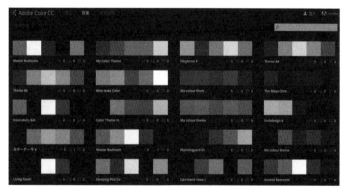

Adobe Color 網站是官方推出的配色社群服務

※ 資料來源：https://color.adobe.com/zh/explore/?filter=newest

Xue Xue Colors

網址　http://www.xuexuecolors.org.tw/

特色　許多台灣色彩資訊供參考，可透過照片查看使用的顏色

　　Xue Xue Colors 是由台灣學學文創公司所建立的網站，可以讓使用者上傳照片並分析照片使用的顏色，也提供配色練習、靈感圖庫等功能。

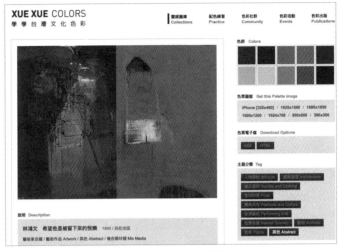

Xue Xue Colors 網站

※ 資料來源：http://www.xuexuecolors.org.tw/index.php

ColorBrewing

網址　http://colorbrewer2.org/

特色　可幫忙挑選適合於地圖的顏色

　　主要是為了幫地圖配色而設計的網站，特色功能是「盲人友善」、「列印友善」選項，也可開關顯示道路、城市與國界的資訊。

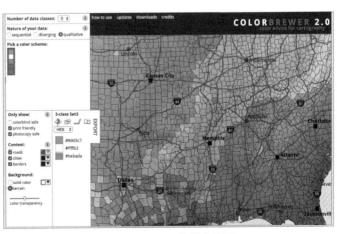

ColorBrewing 的操作畫面

※ 資料來源：http://colorbrewer2.org/

APPENDIX C

資料分析與視覺化相關程式工具介紹

　　雖然對於管理人員來說，不太需要自己撰寫程式碼，不過就實務面來說，大多數的大數據專案管理人員都需要和技術人員進行需求溝通，所以除了書中介紹的許多分析工具之外，在此附錄也羅列介紹一些數據視覺化相關程式工具。

　　其實一般人已經很常透過 Excel 執行各類視覺化作業，並輸出各類統計圖表。然而，Excel 圖表不容易整合到網路上面產生互動，也不容易與其他程式碼進行溝通，替代作法是新一代的視覺化程式庫，例如：D3.js、HiChartjs、Google Chart API、Flot 等工具，能夠協助我們產出更多視覺圖表。

　　讀者可能會好奇，前面的內容已經介紹了許多好用工具，為什麼還要了解程式面向的工具呢？原因是透過撰寫客製化程式碼，則能夠提供的彈性最高，可以調整的圖表參數也最多，但相對來說學習門檻也高很多，所以將這方面的內容放在附錄中，主要作為專案管理人員的知識補充，期許各位都能夠和專案成員們達成良好溝通，共同完成大數據分析與視覺化的任務。

程式工具列表

　　下表列出此類工具清單，詳細介紹可查閱各章內容。

程式語言類視覺化工具列表

類別	工具名稱	工具重點
Processing 體系	Processing	相對容易上手的視覺化程式語言，深受設計師族群愛用。
	processing.js	能夠直接轉譯原本的 Processing 程式碼，並且在網頁端執行。

類別	工具名稱	工具重點
Processing 體系	p5.js	可透過原生 JS 語法，使用 Processing 函式庫，能夠與其他網頁前端語言協作。
Python 體系	Python	程式語法簡潔，使用族群龐大，被資料科學領域大量採用。
	PyQtGraph	Python 外掛，開源且執行速度快、跨平台可使用。
	Matplotlib	Python 外掛，開源，文件完整且貢獻者眾多的函式庫。
	Bokeh	Python 外掛，透過 Python 產生網頁端呈現的視覺化成果。
	Datashader	Python 外掛，開源專案，專門用來繪製超大數量級視覺化的專用函式庫。
R 語言體系	R	擅長數據分析、統計分析的程式語言。
	ggplot2	R 外掛，R 最常見的視覺化函式庫。
	ggvis	R 外掛，語法和 ggplot2 類似，且可輸出成果到網頁呈現。
	Shiny	R 外掛，可自動發布 R 的視覺設計成果到網頁上。
	Plot.ly R 外掛	由視覺函式庫公司 Plotly 推出的 R 語言視覺外掛。
前端 2D Javascript 函式庫體系	Google Chart	知名公司製作的數據視覺函式庫，維運較為穩定。
	HighChart	瀏覽器相容性和擴充性都做得很好的數據視覺化函式庫。
	Flot	與 jQuery 函式庫完美整合的視覺工具。
	bonsai	動畫效果庫，透過 SVG 格式與各類動態 API 來實現，如顏色設定、梯度變化設定、灰階設定、透明度設定等。
	animate.css	可達成讓抖動、閃爍、彈跳、翻轉等效果的互動工具庫。
前端 3D 函式庫體系	D3.js	透過 Javascript 實作 3D 視覺效果，操作門檻較高，但是提供了高度彈性的 3D 畫面生成工具，透過 SVG 技術來達成。
	Three.js	webGL 技術函式庫，透過 Javascript 實作，可在網頁中做出許多互動。
	Unity	遊戲引擎出生，但也可製作出 webGL 的網頁呈現結果，並透過數據呈現。

以下是視覺化相關的程式語言，主要介紹 Processing、Python、R 以及個別語言所使用的視覺化函式庫，最後也會介紹現今網頁視覺化的霸主：JavaScript 語言。

Processing體系

網址 https://processing.org/

特色 相對容易上手的視覺化程式語言，設計師族群愛用

Processing 著重於視覺化的程式語言，相當適合對科學與藝術之間的跨領域表現有興趣的人，易學的語法也很適合新手入門找尋成就感，相對於 Photoshop、Illustrator 只能設計出靜態的成果，Processing 不只可以讓視覺動起來，甚至還能設計互動邏輯等。Processing 實際上會把語法封裝成更高階的語法，相當適合設計人士學習與操作，而正式執行時則會被轉譯成為 Java 語言。

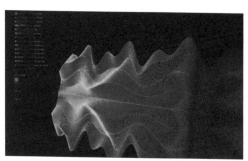

Processing 擅長製作各種華麗的視覺作品
※ 資料來源：https://vimeo.com/channels/processing

用 Processing 製作的華麗視覺圖表
※ 資料來源：http://xiaoji-chen.com/tag/data-visualization/

processing.js

| 網址 | http://processingjs.org/ |

| 特色 | 能夠直接轉譯原本的 Processing 程式碼，並且在網頁端執行 |

Processing.js 是 Processing 推出的 Javascript 套件，能夠轉譯 Processing 的語言（PDE 格式），在網頁端以 HTML5 的形式呈現，也能與系統結合，拓展了 Processing 的應用平台。

透過 processing.js 函式庫，便可將華麗的視覺圖表轉移到網頁上呈現
※ 資料來源：http://js.do/blog/processing/sombrero-3d/

processing.js 官網上有許多範例可供參考

※ 資料來源：http://processingjs.org/exhibition/

p5.js

網址 https://p5js.org/

特色 可透過原生 JS 語法，使用 Processing 函式庫，並可與其他網頁前端語言協作

p5.js 可以使用 Processing 原本就定義好的函式庫介面，並透過 javascript 來做出各種視覺化成果，因為可使用原本 Processing 就定義好的函式，所以對於原本就會撰寫 Processing 的人來說，將會更快上手，且因為 p5.js 是使用原生的 javascript 語法撰寫，所以也能與其他函式庫共用，例如：D3.js 或是任意的前端程式碼。

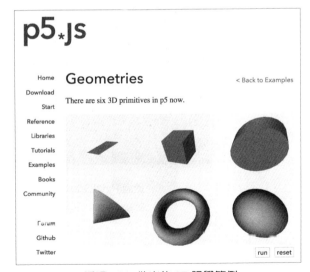

透過 p5.js 做出的 3D 視覺範例

※ 資料來源：https://p5js.org/examples/3d-geometries.html

Python體系

網址 https://www.python.org/

特色 程式語法簡潔，使用族群龐大，被資料科學領域大量採用

Python 是知名的程式語言，好用的程度已經不用特別說明，近年更被資料科學領域大量採用，與 R 語言雙雙成為熱門程式語言，也發展出許多好用的視覺化套件，如 PyQtGraph、Matplotlib、Boken 等，介紹如下：

PyQtGraph

網址 http://www.pyqtgraph.org/

特色 開源且執行速度快、跨平台可使用

PyQT 是 Python 的應用函式庫，包含了許多函式可調用，而 PyQtGraph 則是從 PyQT 再延伸出來的視覺化函式庫，速度快且應用層面廣泛，但是無法呈現在網頁平台。

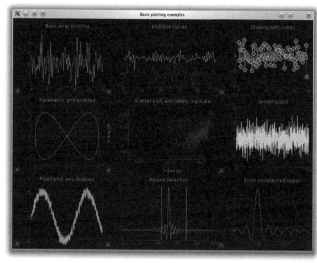

透過 PyQtGraph 製作的視覺圖表

※ 資料來源：http://www.pyqtgraph.org/

Matplotlib

網址 https://matplotlib.org/

特色 開源，文件完整且貢獻者眾多的函式庫

Python 繪製 2D 圖好幫手，且同時支援 IPython、jupyter 的 Python 常見開發環境，可以產生如長條圖、熱度圖、散佈圖等常見圖表，但和 PyQtGraph 相同，都不能產生網頁端可執行的互動圖表，目前使用者較 PyQtGraph 多。

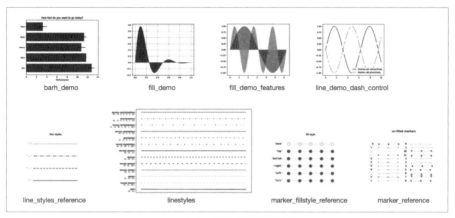

Matplotlib 製作的視覺圖表

※ 資料來源：https://matplotlib.org/

Bokeh

網址 http://bokeh.pydata.org/en/latest/

特色 透過 Python 產生網頁端呈現的視覺化成果

Bokeh 設計的精神是將 Python 語法自動封裝成網頁呈現的 HTML、JavaScript 格式，在網頁前端進行顯示，也能設定互動邏輯，以及更進一步製作線上儀表板、數據應用系統等。

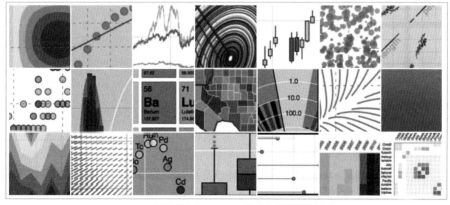

Bokeh 能夠透過 Python 做出各種視覺圖表

※ 資料來源：http://bokeh.pydata.org/en/latest/

▌Datashader

`網址` https://github.com/bokeh/datashader

`特色` 開源專案，專門用來繪製超大數量級視覺化的專用函式庫

超大數據量在進行資料視覺化作業時也會帶來困擾，如瀏覽器運算效率不足、記憶體容量不足等，實際繪圖時也可能產生難以設定合適的色彩飽和度，或是門檻值的設定等問題。

Datashader 的設計就是為了解決這些問題而出現的，透過三階段設定來完成：

❏ 投影（Projection）：每筆資料被投影到指定形狀中的零個或多個網格中。

❏ 聚合（Aggregation）：為了減少計算量，將大量數據壓縮進聚合群組當中。

❏ 轉型（Transformation）：函式庫會進一步處理這些聚合群組，最終創建出圖像。

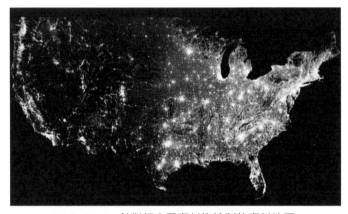

Datashader 針對超大量資料集繪製的資料地圖

※ 資料來源：https://github.com/bokeh/datashader

R語言體系

`網址` https://www.r-project.org/

`特色` 擅長數據分析、統計分析的程式語言

R 語言的設計，當初就是為了統計分析而推出，因此有許多統計支援的語法、函式庫，例如：變異數 Covariance (cov) 的計算、相關統計分布的運算等。也因此發展出多樣的視覺呈現套件，像是 ggplot2、ggvis、shiny 等，介紹如下：

ggplot2

http://ggplot2.org/

R 最常見的視覺化函式庫

ggplot2 是以繪圖語法為基礎發展的一套 R 繪圖系統，自發表以來，一直是最熱門的 R packages 之一，方便繪製各種高品質圖形，也有圖層概念，是一套相當受歡迎的繪圖工具，透過 R 語言直接產出若干統計圖表，擁有非常多種圖表的呈現支援，但產出的結果多為靜態圖表。

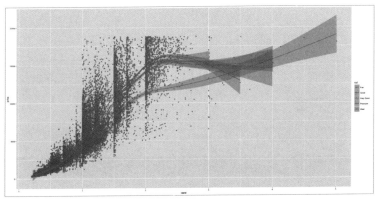

用 ggplot2 繪製的視覺化圖表

※ 資料來源：http://r-statistics.co/ggplot2-Tutorial-With-R.html

ggvis

http://ggvis.rstudio.com/

語法和 ggplot2 類似，且可輸出成果到網頁呈現

ggvis 是 RStudio 開發的互動式繪圖套件，設計的目標就是讓工程可透過 R 語法創造可在網頁端互動的視覺化成果，語法設計刻意與 ggplot2 類似，但更具互動性，也能輸出到網頁當中呈現。

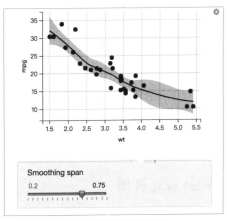

ggvis 繪製的視覺圖表

※ 資料來源：http://ggvis.rstudio.com/

▌Shiny

網址 https://shiny.rstudio.com/

特色 可自動發布 R 的視覺設計成果到網頁上

Shiny 是 RStudio 推出供 R 語言使用的網頁應用框架，透過 R 語言的撰寫，可自動轉譯為網頁前後端程式碼，對於不熟悉網頁程式、但熟悉 R 語言的人來說非常方便。

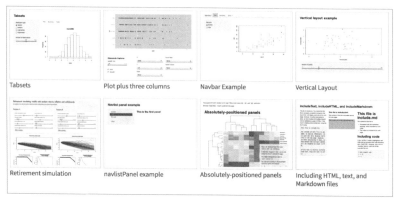

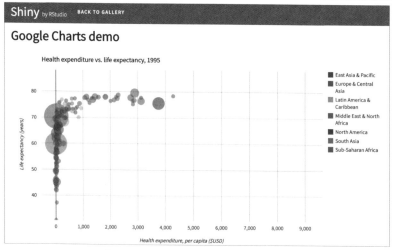

透過 Shiny 可製作瀏覽器端的互動圖表

※ 資料來源：http://shiny.rstudio.com/gallery/google-charts.html

▌Plot.ly R 外掛

網址 https://plot.ly/r/

特色 由視覺函式庫公司 Plotly 推出的 R 語言視覺外掛

因為是商業化的專案,所以相關的介紹與 API 都蠻完整的,Plotly 雖然在這裡被放在 R 的函式庫,但它其實也有支援 Python、JavaScript 等語言的使用,甚至可線上直接編輯,是一整個完整的視覺體系。

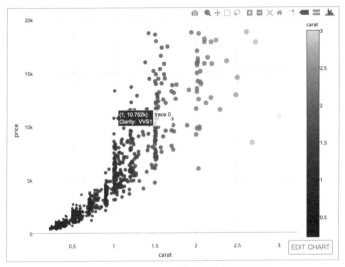

透過 plot.ly 的 R 函式庫製作的視覺圖表

※ 資料來源:https://plot.ly/r/

前端JavaScript 2D函式庫

網址 https://www.javascript.com/

特色 網頁前端語言的霸主,能夠創造完整互動性的視覺圖表

隨著世界逐漸雲端化,各類服務架構都搬到網站上面,而 JavaScript 是賦予網頁靈魂的程式語言,負責各種複雜的視覺操作與互動邏輯,也能整合各類網頁元件,成為全世界最主流的網頁視覺互動程式語言,也間接讓前端工程(F2E)的領域在近幾年逐漸興起。

在網頁呈現視覺化的大量需求,催生許多高手設計出各類 JavaScript 視覺函式庫,最常見的就是 D3.js,提供了超級大的邏輯彈性,讓使用的人創造出許多美麗且互動性十足的資料視覺化作品,但同時也因為全世界的系統都逐漸雲端化,導致大量的視覺圖表設計需求產生,也催生出更多的 JavaScript 視覺函式庫。

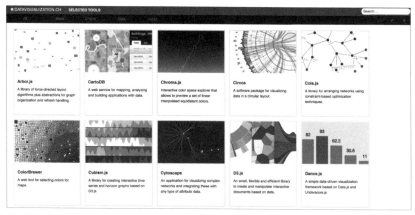

由 datavisualization.ch 網站整理的 JavaScript 視覺化函式庫介紹網站

※ 資料來源：http://selection.datavisualization.ch/

前端一般指的是 Web 端的顯示，目前視覺化的大宗還是以 PC 為主的視覺化結果呈現，許多人設計出好用的視覺函式庫，讓開發者能夠直接進行使用。

前端程式外掛類視覺化工具

工具名稱	工具重點
Google Chart	歷史悠久且由知名公司負責維護的前端視覺化外掛
HighChart	歷史悠久，視覺效果超華麗，支援圖表眾多
Flot	與 jQuery 前端函式庫整合完整，支援較舊的瀏覽器
Bonsai	專長是創造強大動畫效果的視覺函式庫
D3.js	提供視覺函式庫當中最強大的彈性，但學習也有較高的門檻
Three.js	可透過 JavaScript 實現 3D 空間視覺的呈現
animate.css	透過 CSS 定義了各類視覺互動函式，可直接取用

網頁是常見的視覺化介面呈現通路，而網頁的資料視覺化依賴前端程式（HTML+CSS+JavaScript）的協力撰寫來完成，也因各式各樣的網路媒體、系統資訊、新聞資訊等都依賴網頁進行呈現，所以也促使各類網頁前端視覺化函式庫的蓬勃發展，以下會介紹一些知名的前端視覺函式庫，分成 2D 與 3D 兩大類，希望讀者們可以按圖索驥，嘗試多種工具並製作出各類美麗圖表。

▌Google Chart

網址 https://developers.google.com/chart/

特色 歷史悠久且由知名公司負責維護的前端視覺化外掛

由 Google 推出的視覺化工具，免費使用，提供了非常棒的製圖環境，只要將 Google Chart 函式庫引入，即可馬上進行使用，也能搭配動畫與互動功能，最大的優點是由知名公司所推出，所以較能確保未來會持續維護。

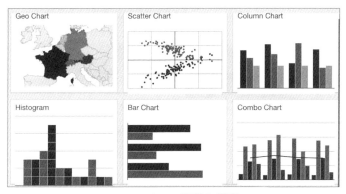

Google Chart 視覺化圖表

※ 資料來源：https://developers.google.com/chart/interactive/docs/gallery

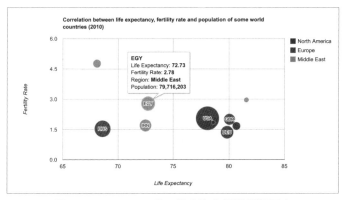

運用 Google Chart 就可做出許多標準視覺圖表

※ 資料來源：https://developers.google.com/chart/interactive/docs/gallery/bubblechart

HighChart

網址　　　　https://www.highcharts.com/

特色　　　　歷史悠久，視覺效果超華麗，支援圖表眾多

Highcharts 由 JavaScript 所撰寫而成，分為 HighChart、HighStock、HighMaps 等三種視覺化產品線，可免費使用，但如果要商用或進階使用，則需進行付費。Highcharts 的特色

是相關瀏覽器相容性和擴充性都做得很好，也支援非常多種類的視覺圖表，實際套用專案也很容易，是資料視覺化的殺手級應用。

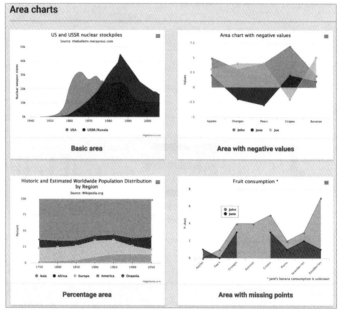

HighChart 視覺化圖表，線上有非常多的 demo 圖表可觀看

※ 資料來源：https://www.highcharts.com/demo

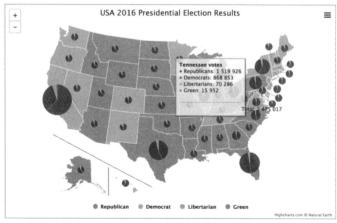

HighChart 提供了許多地圖相關的 API 可供使用

※ 資料來源：https://www.highcharts.com/maps/demo

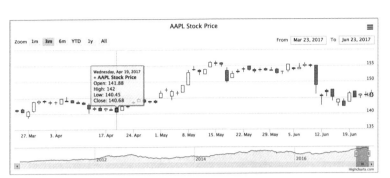

HighChart 也提供了許多股市資訊相關的圖形 API

※ 資料來源：https://www.highcharts.com/stock/demo/candlestick

Flot

網址 http://www.flotcharts.org/

特色 與 jQuery 前端函式庫整合完整，支援較舊的瀏覽器

Flot 函式庫發展多年，特性是與 jQuery 函式庫的完美整合且免費，對應的瀏覽器支援度處理得很好，甚至可向下支援到 Internet Explorer 6+ 環境，是一大特色。

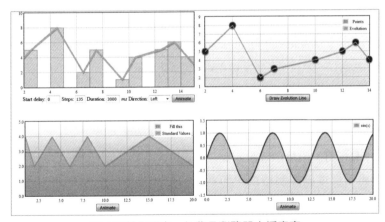

Flot 視覺化圖表，免費且瀏覽器支援度高

※ 資料來源：http://javascript-html5-tutorial.net/2016/01/16/animated-charts-in-jquery-flot-animator.html

Bonsai

網址 https://bonsaijs.org/

特色 專長是創造強大動畫效果的視覺函式庫

bonsai 的強項在於動畫效果，透過 SVG 格式與各類動態 API 來實現，如顏色設定、梯度變化設定、灰階設定、透明度設定等，等於是將動畫效果進行高階語法包裝，讓開發者能夠更輕鬆實現各類互動視覺。

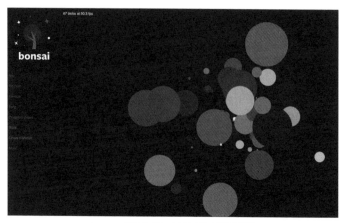

bonsai 製作的 3D 動態視覺網頁

※ 資料來源：http://demos.bonsaijs.org/demos/blobs/index.html

▌animate.css

網址　https://daneden.github.io/animate.css/

特色　透過 CSS 定義了各類視覺互動函式，可直接取用

以上介紹了許多的套件，大多是屬於 JavaScript 的套件，而 animate.css 則是屬於 CSS 技術的工具。對於設計師來說，良好的資料視覺動畫需要準確控制速度與節奏，但是這類顯示的細節若須自行寫程式，則頗為麻煩，這時就可透過 animate.css 套件來達成如抖動（shake）、閃爍（flash）、彈跳（bounce）、翻轉（flip）、旋轉（rotateIn/rotateOut）、淡入淡出（fadeIn/fadeOut）等多達 60 多種動態效果，以準確加強互動體驗。

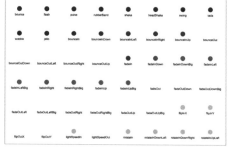

animate.css 套件提供的各種物理視覺引擎

※ 資料來源：http://blog.infographics.tw/2016/11/animate-css/

前端JavaScript 3D視覺函式庫

D3

網址 https://d3js.org/

特色 提供視覺函式庫當中最強大的彈性，但學習也有較高的門檻

D3 已經成為全球最最知名的資料視覺化函式庫之一，提供了視覺創作與互動程式的最大彈性，透過 SVG 格式與 HTML 完美整合，檔案小且完全免費。

SVG 全名是 Scalable Vector Graphics（可縮放向量圖形），是資料視覺化技術時常會採用的資料描述格式，近年許多資料視覺化函式庫大量採用 SVG 作標準格式（例如：D3.js 工具），SVG 格式使用的比例也逐漸提升。SVG 的優點在於容易修改資訊，可透過程式碼全權進行細部控制，還能和網頁前端常用的 JavaScript 程式語言進行互動，或是透過設計師常用的軟體工具 Adobe Illustrator、Visio 以及 CorelDraw 編輯或輸出，相當方便。

D3 最大的缺點在於學習門檻高，因為彈性需求的關係，許多視覺圖表的基本功能都要手動設定，不像許多函式庫都會偷偷幫使用者處理好，D3 屬於較進階的視覺化工具。

使用 SVG 格式輸出的少女圖像，可和程式互動，也可使用向量設計軟體編輯

※ 資料來源：https://zh.wikipedia. org/wiki/ 可縮放向量圖形

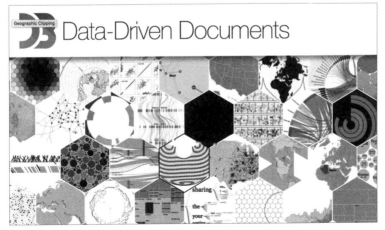

D3 視覺化圖表多元，可做出各種變化

※ 資料來源：https://d3js.org/

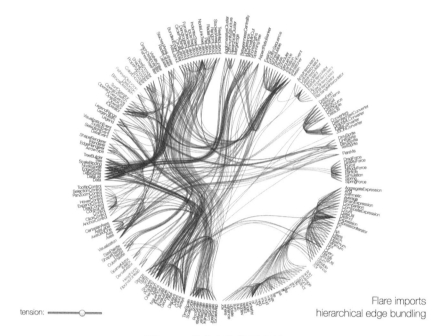

tension:

Flare imports
hierarchical edge bundling

用 D3.js 做出來的美麗桑基圖

※ 資料來源：http://mbostock.github.io/d3/talk/20111116/bundle.html

D3.js 的一大優點是豐富的文件與廣大的社群，除了在各種技術研討會被廣泛討論之外，許多網友專門研究相關的技術概念，各種語言的文件也相當豐富。

D3 支持者眾多，有許多網友無償幫忙把文件翻譯成各國語言

※ 資料來源：https://github.com/d3/d3/wiki

Three.js

網址 https://threejs.org/

特色 可透過 JavaScript 實現 3D 空間視覺的呈現

Three.js 如同它的名稱，就是 Three + JavaScript 的意思，也就是透過 JavaScript 實現 3D 空間視覺的呈現，其背後的技術是 WebGL（瀏覽器呈現 3D 視覺的一套規範），原生的 WebGL 程式碼不易撰寫，但 Three.js 將 WebGL 包裝成為高階 3D 程式語言，讓我們在網頁也可創造豐富的 3D 資料視覺化。

這邊要補充說明，並非所有的瀏覽器都支援 WebGL 技術，但現今主流的瀏覽器都已經有支援，如最新的 Chrome、Firefox、Safari、IE11+ 等，所以現今才會有越來越多網頁敢採用 WebGL 製作。

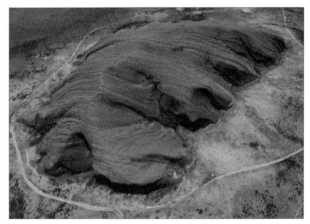

透過 Three.js 引擎製作的 3D 地質視覺網頁

※ 資料來源：https://www.mapbox.com/blog/3d-terrain-threejs/

透過 Three.js 可在瀏覽器順暢呈現 3D 場景

※ 資料來源：http://analysis.4sceners.de/ - !/

Unity

網址 　　　　　　https://unity3d.com/

特色 　　　　　　遊戲引擎出生，但也可製作出 webGL 的網頁呈現結果，並透過數據呈現

　　Unity 是一款跨平台 2D / 3D 遊戲引擎，可用於開發 Windows、MacOS 及 Linux 平台的單機遊戲，現今許多人將其作為 WebGL 的編輯器，支援許多物理引擎以及計算機視覺的貼圖技術，也能讓許多人可製作相容於瀏覽器的網頁互動，被廣泛用於建築視覺化、實時三維動畫等類型互動內容的綜合型創作工具。

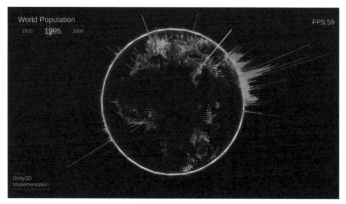

透過 Unity 生成的地球資料視覺化

※ 資料來源：https://assetstore.unity.com/packages/templates/systems/globe-data-visualizer-80008

　　Unity 最為人津津樂道的是其 Asset Store ，可在上方購買各類 2D、3D 視覺與聲音元件，加速開發，也能觀摩別人設計的成果。

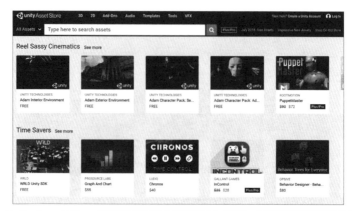

Unity Asset Store 提供各類 3D 呈現的線上模組，可供直接購買使用

結　語

　　本書彙整了大數據時代中，專案經理、管理人員以及相關有數據分析需求的人所常用的許多工具，是一個整合概念的書籍，其中有許多實作的流程，期許讀者都能夠親自動手做做看，實際體驗整個數據分析到洞見產出，以及最後的視覺產出的整個過程，來了解這小小的數據洞見，是透過了哪些繁瑣的流程所製作出來的。

　　這裡要補充說明的是，本書主要選用 Tableau 作為實戰工具，希望多推廣這樣好用的工具，但並不代表 Excel 或是其他工具不能做出類似的結果。讀者也可以選擇自己擅長／熟悉的工具，並將書中的範例實作出來，這就是為什麼本書會在每個實作任務前，加上「施作效益」的主要原因，因為即使工具不同，但設計的出發點大致都是相同的，視覺化的目的也是類似的，讀者並不用被工具所限制，而可以更關注實作之後的目標。

　　此外，雖然書名有「工具」兩個字，但是畢竟工具是死的，人是活的，讀者在學完書中相關技巧之後，更重要的是將這些技巧實際應用於日常大數據分析任務中，不管是拿來做報告、商業分析、研究分析等都好，透過這些技巧的實戰經驗，期許讀者都能創造出具影響力的數據分析產出。

　　寫在最後，則是筆者的小小願望，期待書中的技巧讓更多人能夠善用視覺化工具，也能幫助更多人了解如何透過數據，來說一個精彩的故事，並將數據背後的故事傳達清楚，引導人們正確解讀數據，不再被惡意數據所欺騙。衷心的期盼，這些書中所介紹的技巧，可以幫助到這個社會，讓更多人做出更好的決策。

　　期許我們未來一同持續成長。

彭其捷 謹識

MEMO

筆·記·頁

YOU'RE THE BEST !!